L'est-elle ou pas ?

Elle était la perfection incarnée.

Ses longs cheveux étaient un mélange de brun doré, de couleur miel et de platine éclaircie par le soleil. Des peignes qui miroitaient dans l'obscurité en suppliant d'être retirés dégageaient son visage. Elle devait être grande parce que sa tête et ses seins joliment courbés étaient visibles au-dessus des voitures. De saintes glandes mammaires de ce genre suffisaient pour qu'un homme sain d'esprit qui savait apprécier les visages n'en ait plus que pour les seins dans la vie.

Elle s'éloigna de la voiture, perchée sur des jambes qui n'avaient apparemment pas de fin. Sa jupe serrée était munie d'une fente qui révélait quelques centimètres de cuisse élancée à chacun de ses pas. Bon Dieu, c'était assez pour qu'un homme nouvellement converti aux seins n'en ait plus que pour les jambes et ne souhaite que prendre son pied.

Ses cheveux balançaient d'une manière qui pouvait hypnotiser un homme et l'asservir pour la vie.

Était-elle une femme vampire, ou bien une mortelle ?
Il devait le découvrir...

VAMPIRES
À New York

LES MORTS-VIVANTS PEUVENT-ILS TROUVER LE
VÉRITABLE AMOUR DANS UNE TÉLÉRÉALITÉ ?

Kerrelyn Sparks

Traduit de l'anglais par
Guillaume Labbé

éditions

Éditeur : François Doucet
Traduction : Guillaume Labbé
Révision linguistique : Féminin Pluriel
Correction d'épreuves : Nancy Coulombe, Carine Paradis
Montage de la couverture : Matthieu Fortin
Photo de la couverture : © iStockphoto
Mise en pages : Sébastien Michaud
ISBN 978-2-89667-099-4
Première impression : 2010
Dépôt légal : 2010
Bibliothèque et Archives nationales du Québec
Bibliothèque Nationale du Canada

Éditions AdA Inc.
1385, boul. Lionel-Boulet
Varennes, Québec, Canada, J3X 1P7
Téléphone : 450-929-0296
Télécopieur : 450-929-0220
www.ada-inc.com
info@ada-inc.com

Diffusion
Canada :   Éditions AdA Inc.
France :   D.G. Diffusion
                Z.I. des Bogues
                31750 Escalquens — France
                Téléphone : 05.61.00.09.99
Suisse :   Transat — 23.42.77.40
Belgique :   D.G. Diffusion — 05.61.00.09.99

Imprimé au Canada

Participation de la SODEC.
Nous reconnaissons l'aide financière du gouvernement du Canada par l'entremise du Programme d'aide au développement de l'industrie de l'édition (PADIÉ) pour nos activités d'édition.
Gouvernement du Québec — Programme de crédit d'impôt pour l'édition de livres — Gestion SODEC.

Catalogage avant publication de Bibliothèque et Archives nationales du Québec et Bibliothèque et Archives Canada

Sparks, Kerrelyn

Vampires à New York
Traduction de : Vamps and the city.
ISBN 978-2-89667-099-4
I. Labbé, Guillaume. II. Titre.

PS3619.P37V3514 2010   813'.6   C2010-941270-2

À mon fils, Jonathan, et à ma fille, Emily.
J'espère que vous vivrez longtemps, que vous rirez
souvent et que vous aimerez passionnément, sans jamais
être harcelés par le genre de créatures qui se trouvent
dans les romans de votre maman.

Remerciements

Je voudrais remercier toutes les personnes qui ont transformé cette série sur les vampires en un succès retentissant. Merci à mes merveilleux lecteurs et aux libraires impliqués ! Je voudrais aussi remercier tout le personnel de l'édition chez HarperCollins, en particulier mon éditrice Erika Tsang. Je remercie également le département du graphisme d'avoir généré d'aussi belles couvertures, et les départements des ventes, de la publicité et du marketing d'avoir eu foi en mon travail. Merci à tous !

Je ne pourrais jamais survivre au processus d'écriture de la première à la dernière page sans l'aide de mes précieuses critiques : MJ Selle, Sandy Weider, Vicky Yelton et Vicky Dreiling. Elles parviennent toujours à me donner des avis éclairés sur les personnages et les divers éléments conflictuels pendant nos repas de mets chinois. Je remercie aussi Paul Weider de m'avoir aidée à créer un super espion très versé en matière de haute technologie. Merci également aux membres des chapitres de West Houston, de Northwest Houston, de Rose City, de Lake Country, et de PASIC, de la Romance Writers of America, pour leurs encouragements et leur soutien sans faille. Je tiens aussi à témoigner ma grande gratitude envers mon agente, Michelle Grajkowski, et à sa famille héroïque.

Et comme toujours, j'offre tout mon amour et ma gratitude à mon héros et mari, Don.

Un

— À 20 h 20, homme de race blanche, 1 m 78, environ 81 kilos, mi-vingtaine, descendant d'une Honda Civic blanche.

Austin Erickson murmura dans son appareil enregistreur de poche. Il ajusta la lentille télescopique de nuit de ses jumelles, puis fit un zoom à travers le stationnement. Le type ne semblait pas armé. Mieux que cela, il portait une grande tasse de café gourmet et un sac de beignets. Bâtard chanceux, va! En temps normal, cela serait considéré comme étant tout à fait… normal. Il s'agissait toutefois du stationnement du Réseau de télévision numérique des vampires, et rien n'était normal ici, en particulier après le coucher du soleil.

Austin troqua ses jumelles pour un appareil photo 35 millimètres et examina de nouveau le type en question.

— Le sujet est humain. Il entre.

Le type allait donc prendre son petit déjeuner à l'intérieur du RTNV. Il ne se rendait donc pas compte qu'il pouvait lui-même *être* un petit déjeuner? Un rayon de lumière illumina le stationnement, puis il disparut lentement tandis que la porte se refermait. L'obscurité était de retour. Austin avait garé son Acura noire dans un secteur ombragé de ce stationnement de Brooklyn. L'immense entrepôt, qui accueillait le RTNV dans ses locaux, était dans le noir, et toutes ses fenêtres étaient recouvertes de sorte qu'on ne pouvait voir à l'intérieur. Il n'y avait que quatre lettres, RTNV, qui rougeoyaient sur la porte d'entrée couverte de laque noire.

Austin poussa un soupir, puis déposa son appareil photo sur le siège du passager. Il supposa que la vie de ce type n'était pas en danger. Austin surveillait le Réseau de télévision numérique des vampires depuis maintenant quatre nuits, et des humains s'étaient aventurés à l'intérieur lors de chacune de ces nuits. Sa conclusion était donc la suivante : le RTNV comptait sur une poignée d'employés mortels. Est-ce que ces pauvres abrutis savaient qu'ils travaillaient pour des créatures démoniaques ? Est-ce que les vampires contrôlaient leurs esprits ? Peut-être que les vampires offraient à leurs employés un régime de soins dentaires exceptionnel. Peu importe les raisons qui les poussaient à y travailler, Austin pouvait dire que toutes ces personnes quittaient les lieux à environ 5 h du matin, et qu'elles semblaient toutes encore vivantes et bien portantes. C'était étrange, mais Dieu sait qu'il y a des tas de choses étranges dans le monde des vampires.

Il avait appris leur existence environ six semaines auparavant lorsque le dirigeant, Sean Whelan, de l'Agence centrale de renseignement, l'avait fait transférer à l'équipe de Surveillance. Sean lui avait expliqué à quel point ces vampires étaient des assassins vicieux, et Austin désirait avant tout protéger les innocents. Il s'était attendu à voir de l'action, beaucoup d'action, et à enfoncer des pieux de bois dans le cœur de vilaines créatures vertes à la chair pourrissante et aux fronts déformés. Au lieu de cela, voilà qu'il surveillait un réseau de télévision où les vampires ressemblaient à des humains et agissaient un peu trop comme eux.

Le seul moyen que possédait Austin de distinguer les vampires des mortels était de les examiner avec son appareil 35 millimètres.

Les humains comme les vampires étaient visibles sur un appareil photo numérique, mais les vampires n'apparaissaient jamais sur un appareil photo 35 millimètres, car leur image ne pouvait pas être reflétée, exactement comme avec les miroirs.

Il déplaça l'appareil photo 35 millimètres sur le plancher devant le siège du passager, avec le reste de son équipement. Il avait des lunettes de vision de nuit, un appareil photo numérique avec une lentille de nuit, un pistolet Glock avec des balles d'argent, un ordinateur portable, et son nouveau gadget préféré, un lecteur de vidéo CV-3. Dieu qu'il aimait travailler pour l'Agence centrale de renseignement. Il avait ainsi accès aux gadgets dernier cri.

On lui avait également donné une boîte de pieux de bois fabriqués en Chine par une société qui était spécialisée dans les baguettes chinoises. La boîte était posée sur le siège arrière de sa voiture. Elle était ouverte et prête à servir pour les cas d'urgence.

Il ouvrit son ordinateur portable sur le siège du passager et tapa le code de la fréquence secrète, ce qui lui permettait de recevoir les émissions transmises par le RTNV. L'image fut d'abord floue, puis elle se mit au point. Le RTNV diffusait encore les actualités, et lui comme les membres de son équipe pouvaient s'informer à volonté. De toute évidence, les vampires supposaient que personne ne pourrait décrypter leurs transmissions secrètes. Ils n'avaient donc pas jugé bon de poster des gardes autour de leur station. Cela révélait ainsi à Austin leur faiblesse la plus évidente à ses yeux, leur arrogance. Il glissa sa clé USB de 10 gigaoctets dans la fente et commença à enregistrer.

Voilà en quoi consistait sa mission : surveiller le RTNV, obtenir des informations, et plus important encore, découvrir l'endroit où la fille de Sean était retenue prisonnière. Elle avait été vue, pour la dernière fois, il y a huit jours, dans Central Park. Elle avait été entourée par une armée de vampires écossais. Aux yeux d'Austin, elle avait été une captive qui ne souhaitait nullement s'échapper, mais Sean avait insisté sur le fait qu'elle avait subi un lavage de cerveau. Puisqu'elle était bien moins nombreuse, l'équipe de

Surveillance avait été dans l'obligation de retraiter, laissant ainsi Shanna Whelan entre les mains des vampires.

Sean était furieux. Il surveillait la maison en bande de Roman Draganesti toutes les nuits, mais il n'avait jusqu'ici eu aucun signe de la présence de sa fille. Il avait ordonné à Garrett de surveiller la bande de vampires russes de Brooklyn. Alyssa montait la garde aux Industries Romatech. La nouvelle fille, Emma, était assignée au bureau du centre-ville et parcourait les rapports de police à la recherche d'indices pouvant laisser présager une implication des vampires, tandis que lui surveillait RTNV et leurs transmissions.

Il enfila son lecteur vidéo CV-3. Les lunettes spéciales lui permettaient de voir ce qui se passait sur l'écran d'ordinateur sans devoir fixer ce dernier. Il pouvait donc continuer de surveiller le stationnement tandis que le RTNV diffusait ses images sur un écran virtuel devant ses yeux.

Selon le présentateur de RTNV, la bande de vampires russes était dans le trouble. Certains des membres masculins de la bande refusaient d'accepter que deux femmes soient leurs maîtres. Une guerre civile pouvait éclater. Austin esquissa un sourire. *Laissons ces vampires gluants s'éliminer entre eux.*

Il se versa une tasse de café de son thermos. Il aurait vraiment aimé que son café soit de meilleure qualité, et qu'il puisse aussi avoir des collations dignes de ce nom. Il aurait dû confisquer les beignets de ce type à titre de pièces à conviction. Il prit une gorgée de café au moment même où une annonce publicitaire était diffusée. Une femme séduisante vantait les mérites de sa délicieuse boisson en disant qu'elle était faible en cholestérol et en sucre : *Sang Léger.*

Austin s'étouffa et pulvérisa du café partout sur son volant avant de réussir à l'avaler. *Merde alors.* Il y avait donc de la nourriture de régime pour les démons ? Il s'empara d'une vieille serviette de papier et essuya son dégât. Ce fut ensuite l'heure de l'interview-variétés des célébrités vampires, avec l'animatrice Corky Courrant. Il posa les yeux sur la poitrine de l'hôte. *Elle avait sûrement des implants mammaires.*

Son attention fut détournée de sa poitrine lorsqu'il vit une photo apparaître sur l'écran à côté de la tête de Corky. Une photo de Draganesti.

— Vous ne le croirez jamais! s'exclama Corky avec un sourire. Le plus beau parti en Amérique se marie! Oui, Roman Draganesti, maître de la bande de vampires de la côte Est, l'inventeur milliardaire du sang synthétique et de la cuisine Fusion et PDG des Industries Romatech, a annoncé qu'il se mariait. Et vous ne croirez jamais qui est la future jeune mariée! Vous le saurez après la pause!

Une autre annonce publicitaire occupa l'écran, et celle-ci vantait une pâte dentifrice spéciale pour les vampires, qui garantissait des canines blanches et qui promettait un remboursement dans le cas contraire. Austin se demanda s'il y avait des femmes vampires à la maison en furie en ce moment parce que le super célibataire Roman Draganesti épousait quelqu'un d'autre. L'idée lui semblait bien étrange. Les vampires pouvaient-ils réellement tomber amoureux? Et où allaient-ils prononcer leurs vœux de mariage? Ces démons ne fréquentaient sûrement pas les églises. Et comment pouvaient-ils promettre qu'ils demeureraient mariés jusqu'à ce que la mort les sépare s'ils étaient déjà morts?

Une chose était certaine. La jeune mariée était bien mieux de ne pas être Shanna Whelan, faute de quoi Sean exploserait de colère. Littéralement. Il ferait probablement exploser un chargement de camion de C4 dans le Upper East Side, où la maison en bande de Draganesti était située.

L'émission de Corky revint à l'antenne. Une autre photo était affichée sur l'écran.

— Oh merde! grimaça Austin.

C'était une photo de Draganesti et de Shanna Whelan ensemble.

— Pouvez-vous le croire? hurla Corky. Roman Draganesti épouse une mortelle!

Merde, et encore merde. Austin retira les lunettes du CV-3 et les posa près de son ordinateur portable. C'était la pire des nouvelles imaginables. Il poussa un gémissement, se pencha vers l'avant et frappa son front contre son volant. Sean allait sûrement vouloir exercer des représailles, et il n'y avait que cinq agents au sein de l'équipe de Surveillance. Ils étaient trop peu nombreux pour tenter quoi que ce soit de manifeste, et ils ne savaient toujours pas où se trouvait Shanna. Ce damné Draganesti la cachait.

Austin était trop tendu pour demeurer assis dans la voiture. Il devait faire quelque chose. La clé USB enregistrait encore, de sorte qu'il n'avait pas à demeurer les yeux rivés sur l'écran. Il regarda autour de lui dans le stationnement. Il y avait 37 voitures, et la plupart d'entre elles appartenaient à ceux qui n'étaient pas morts. En entrant les numéros de leurs plaques d'immatriculation dans le répertoire, il obtiendrait leurs noms et pourrait commencer à compiler une base de données des vampires connus.

Il s'empara de son appareil photo numérique et sortit de la voiture. Il avait presque terminé de photographier les plaques d'immatriculation lorsque l'éclat brillant des phares d'une voiture vint déchirer l'obscurité. Une autre voiture entrait dans le stationnement. Une berline noire de marque Lexus munie de quatre portières.

Austin se pencha vers l'avant et se plaça hors de la vue des occupants de la Lexus en se dissimulant derrière les voitures tout en s'avançant vers cette dernière. Une fois qu'il eut une vue claire de l'endroit où la Lexus était garée, il fit un zoom sur la plaque de New York et la prit silencieusement en photo.

La porte du conducteur s'ouvrit, et un homme de grande taille vêtu d'un costume dispendieux apparut. Austin prit sa photo. La porte du côté passager s'ouvrit à son tour, et une jeune femme en sortit. *Elle semblait jeune*, mais c'était possiblement trompeur. Austin serra les dents en prenant sa photo. Peut-être qu'elle était vêtue à la manière d'une adolescente avec sa jupe écossaise et ses bas résille, mais si c'était une femme vampire, elle pouvait être plus vieille encore que la poussière sur le sol.

Malheureusement, il ne pouvait dire s'ils étaient vivants ou morts avec son appareil photo numérique. Il avait donc besoin de son appareil photo 35 millimètres. Il se précipita vers sa voiture en demeurant dans l'ombre d'un grand mur de brique. C'est alors qu'il entendit un autre bruit. Une troisième porte de voiture venait d'être fermée. Il longea un gros VUS et entrevit des cheveux blonds. La dernière fois qu'il avait vu Shanna, elle était blonde. Se pourrait-il que ce soit elle? Il s'approcha quelque peu en demeurant près du sol. Il demeura bouche bée. Ce n'était pas Shanna.

C'était la perfection incarnée.

Par les saints de l'enfer. Il s'était toujours considéré comme un homme qui s'attardait aux visages, ou plus important encore, qui regardait les yeux d'une femme en premier lieu afin d'avoir un aperçu de son âme. Ce ne fut pas possible avec cette femme, car il ne pouvait voir que son profil. Son nez était menu comme celui d'une jeune fille, mais sa bouche était grande comme celle d'une femme. Une combinaison explosive qui allumait assurément sa mèche. Il prit quelques photos d'elle.

Ses longs cheveux étaient un mélange de brun doré, de couleur miel et de platine éclaircie par le soleil. Des peignes qui miroitaient dans l'obscurité en suppliant d'être retirés dégageaient son visage. Ses cheveux méritaient quelques photos.

Il supposa qu'elle devait mesurer environ 1 m 75. Elle devait être grande parce que sa tête et ses seins joliment courbés étaient visibles au-dessus des voitures. De saintes glandes mammaires de ce genre suffisaient pour qu'un homme sain d'esprit qui savait apprécier les visages n'en ait plus que pour les seins dans la vie. Merci, mon Dieu, pour les lentilles permettant de faire des zooms.

Elle s'éloigna de la voiture, perchée sur des jambes qui n'avaient apparemment pas de fin. Sa jupe serrée était munie d'une fente qui révélait quelques centimètres de cuisse élancée à chacun de ses pas. Bon Dieu, c'était assez pour qu'un homme nouvellement converti aux seins n'en ait plus que pour les jambes et ne souhaite que prendre son pied.

Il remarqua enfin comment sa jupe serrée soulignait ses hanches et ses fesses. Et quelles fesses! Elles valaient bien un cliché ou deux, et étaient assurément suffisantes pour qu'un homme qui s'intéressait maintenant aux jambes en vienne à devenir un fin connaisseur en matière de fesses inspirantes et inspirées.

Attendez une petite minute. Ce tailleur bleu ne ressemblait pas à ce qu'une femme vampire pourrait porter. Elles choisissaient habituellement des vêtements qui attiraient davantage les regards. Mais bien sûr! Elle n'était peut-être pas des leurs! Elle semblait trop vibrante pour ça. Était-elle innocente, alors que les deux autres étaient des vampires? Ces personnes pouvaient bien la faire entrer dans un repaire de démons.

«Merde.»

Pas pendant qu'il était de garde!

Il se redressa, puis fit une pause en poussant un grognement intérieur. Ce qu'il pouvait être idiot! Il venait de laisser son membre viril réfléchir à sa place. Cette femme magnifique n'était pas une prisonnière. Elle marchait vers l'entrée du RTNV avec de la détermination dans sa démarche.

Il devait le savoir. Était-elle une femme vampire, ou bien une mortelle? Le trio était arrivé à l'entrée du RTNV. Austin se précipita vers sa voiture, ouvrit la porte en vitesse et s'empara de son appareil photo 35 millimètres. Il regarda fixement par le viseur. Obscurité totale. Il murmura un juron, retira le capuchon de la lentille, puis souleva son appareil photo de nouveau.

Rien. La porte du RTNV était ouverte, mais il n'y avait personne en vue. Il baissa l'appareil photo. Il pouvait maintenant voir l'homme tenir la porte ouverte et la femme plus petite entrer au RTNV. C'était certainement des vampires, mais qu'en était-il de la magnifique blonde?

Merde! Il l'avait manquée. Il grimpa dans sa voiture, puis grimaça lorsque ses jeans firent une forte pression contre son aine gonflée. Elle devait être humaine. Il ne pouvait être ainsi gonflé à bloc à la vue d'une démone morte. En était-il certain?

Darcy Newhart s'immobilisa brusquement dans le hall du RTNV. Elle pouvait à peine voir le décor rouge et noir tant il y avait du monde dans la pièce. Il devait bien y avoir 50 vampires, et tous parlaient avec excitation. Bon Dieu, est-ce qu'ils étaient tous à la recherche d'un emploi ?

Gregori, qui la suivait, la heurta par-derrière.

— Désolé, murmura-t-il tout en laissant errer son regard dans la pièce. Je ne m'attendais pas à ce qu'il y ait autant de monde.

Ses mains tremblaient tandis qu'elle s'assurait que les peignes retenaient toujours ses longs cheveux en place. Elle vérifia son porte-document en cuir, une fois de plus. Son curriculum vitæ tapé au propre était encore là, et il avait la même apparence que celle qu'il avait cinq minutes plus tôt. Comment pouvait-elle espérer rivaliser avec autant de personnes ? Elle n'obtiendrait jamais ce travail. Les tentacules familiers de la panique l'entourèrent, faisant s'échapper l'air de ses poumons. Elle ne serait jamais libre. Elle ne pourrait jamais s'échapper.

— Darcy, dit la voix perçante de Gregori à travers la panique naissante.

Il attendit que son regard croise le sien, puis il lui lança LE regard.

Gregori était devenu un bon ami et un pilier de soutien lors de la première année de son emprisonnement obligatoire, et lui répétait ceci : «C'est le seul monde disponible que tu as, à présent. Accepte ton sort». Maintenant, il n'avait qu'à la regarder pour lui rappeler d'être forte. Elle hocha la tête et redressa ses épaules.

— Ça va aller, dit-elle.

Ses yeux bruns s'adoucirent.

— Oui, ça va aller.

Maggie ajusta les plis de sa courte jupe écossaise.

— Je suis si nerveuse. Et si je vois Don Orlando ? Que devrais-je lui dire ?

— Don qui ? demanda Gregori.

— Don Orlando de Corazon, dit Maggie en répétant son nom dans un chuchotement respectueux. C'est la vedette de l'émission *Comme un vampire qui se transforme*.

Gregori fronça les sourcils.

— C'est la raison pour laquelle tu es venue ? Pour fantasmer sur les vedettes ? Je pensais que tu voulais offrir un soutien moral à Darcy.

— C'est ce que je fais, insista Maggie. Et je me suis dit que si Darcy pouvait se trouver un emploi, alors peut-être que je pourrais m'en trouver un aussi. Je me suis donc décidée à passer une audition pour un feuilleton.

— Tu veux être une actrice ? demanda Gregori.

— Oh, je ne sais rien du métier d'actrice. Je veux juste être avec Don Orlando.

Maggie posa ses mains sur sa poitrine et poussa un long soupir.

— C'est l'homme le plus séduisant sur terre.

Gregori lui jeta un regard douteux.

— D'accord. Bonne chance avec ça. Excuse-moi.

Il saisit le bras de Darcy et la recula de quelques pas.

— Tu dois m'aider. Les femmes du harem me rendent fou.

— Bienvenue dans le club. J'étais prête pour une cellule capitonnée il y a quatre ans de cela.

— Je suis sérieux, Darcy.

Elle grogna. Elle était tout aussi sérieuse que lui. Sa santé mentale avait été sur le point de lâcher lorsqu'elle avait appris l'existence des vampires, mais quel effet cela pouvait-il avoir sur une femme moderne d'être obligée de vivre dans un harem de vampires et d'obéir à ce qu'un *maître* exige de vous ? C'était plus que ce qu'elle pouvait endurer.

Elle avait essayé de s'échapper une fois, mais Connor l'avait suivi à la trace et l'avait téléportée de nouveau dans la maison, comme on l'aurait fait d'un animal de compagnie perdu. Encore aujourd'hui, l'humiliation lui tenaillait l'estomac. Son nouveau *maître*, Roman, lui avait demandé de s'asseoir et lui avait exposé la situation. Elle en savait trop. Le monde des mortels croyait qu'elle était morte, mais puisqu'elle avait occupé un poste à la télévision, son visage était trop facilement reconnaissable. Elle devait donc demeurer cachée. La bonne nouvelle était qu'elle allait être en sécurité et à l'abri dans les limites de son harem. Roman lui avait expliqué cela dans le calme et la douceur, tandis qu'elle se retenait pour ne pas s'emporter et *hurler*.

Elle avait été prise au piège pendant quatre longues années. La décision récente de Roman de se marier l'avait au moins mis de bonne humeur. Il avait finalement consenti à la laisser explorer le monde, dans la mesure où il s'agissait du monde des vampires.

— Je ne peux le supporter.

Gregori lui lança un regard désespéré. Darcy savait qu'il regrettait déjà d'avoir offert à Roman d'accueillir le harem que ce dernier venait de rejeter.

— J'ai eu besoin d'une semaine entière pour déménager leurs bagages. La princesse Joanna avait 52 boîtes, et Cora Lee avait tant de coffres…

— Trente-quatre, murmura Darcy. Ce sont ses robes à arceaux qui prennent tant de place.

— De la place que je n'ai pas.

Gregori glissa sa main dans son épaisse chevelure châtaine.

— Quand j'ai offert de les accueillir, je ne savais pas qu'elles seraient accompagnées d'autant de trucs inutiles. Et elles agissent comme si elles allaient demeurer avec moi pour toujours.

— Je comprends. Je suis prise dans cet étau, moi aussi.

Dix femmes coincées dans deux chambres à coucher, partageant une seule salle de bains. C'était un cauchemar, mais malheureusement, le fait de devoir traiter avec quelque chose d'horrifiant n'était pas nouveau pour Darcy.

— Je suis désolée, Gregori, mais je ne sais pas comment je peux t'aider.

— Tu pourrais leur montrer ce qu'il faut faire pour avoir une vie, chuchota-t-il. Les encourager à devenir indépendantes.

— Elles ne m'écouteront pas. Elles me considèrent comme une étrangère.

— Tu peux le faire. Maggie suit déjà ton exemple.

Il posa une main sur son épaule.

— J'ai confiance en toi.

Si seulement elle avait confiance en elle-même. Il fut un temps où elle débordait de confiance. Elle prit une longue inspiration. Elle avait besoin de cette bonne vieille Darcy. Elle avait besoin de cet emploi.

Gregori jeta un coup d'œil à sa montre.

— J'ai un rendez-vous dans 30 minutes. Je viendrai donc vous chercher plus tard.

Il regarda autour de lui et sourit.

— Je crois apercevoir quelques minettes que je connais.

Darcy sourit tandis qu'il quittait la pièce en flânant. Gregori était un vrai charmeur. Elle n'aurait jamais survécu sans son amitié.

Maggie se glissa près d'elle, et un froncement de sourcils froissait son jeune visage.

— Il y a tant de personnes, ici. Et ces personnes semblent plus… dramatiques que moi.

— Ne t'en fais pas avec ça. Tu as l'air adorable.

Au début de son emprisonnement, Darcy avait été choquée de voir comment les femmes du harem étaient habillées. Toutes avaient été prises au piège par une déformation du temps individuelle, s'accrochant toujours aux modes qu'elles avaient connues lorsqu'elles étaient encore mortelles. Elle les avait encouragées à moderniser leurs goûts, mais seules Maggie et Vanda avaient souhaité s'inventer de nouvelles apparences pour elles-mêmes. Le vêtement habituel de Maggie était une courte jupe écossaise, des bas résille et un tricot noir serré pour mettre en évidence sa poitrine généreuse.

Darcy se retourna pour faire face au bureau de la réception. Il semblait très loin de l'endroit où elle se tenait. Elle appuya son porte-document contre sa poitrine et se fraya un chemin dans la foule avec Maggie sur ses traces. Les vampires s'étaient réunis en groupes et bavardaient en gesticulant de leurs mains d'une manière extravagante. Darcy passa devant un groupe et remarqua le gros maquillage et les vêtements qui montraient trop de peau. Mince alors. Qu'est-ce qui avait bien pu arriver aux hommes virils d'autrefois ? Elle se tourna pour jeter un coup d'œil aux femmes.

— Où est passé Gregori ? demanda Maggie en examinant la foule de ses grands yeux inquiets.

Sa petite taille faisait en sorte qu'elle perdait facilement les gens de vue.

Darcy le trouva auprès d'un groupe de femmes, qui avaient toutes les cheveux teints de couleurs artificielles. Elles formaient un arc-en-ciel autour de lui. Il sourit et prononça quelques mots, et elles se mirent à glousser de rire.

— Il va bien.

Peut-être que ces femmes pensaient que d'avoir des cheveux verts, bleus, ou roses leur donnait un air plus sauvage et malicieux, mais Darcy trouvait plutôt qu'elles ressemblaient à un clan de calinours.

« Hé ! Mon nom est vampire au cœur tendre. Avez-vous besoin d'une caresse ? »

Elle supprima cette image de sa tête avec un frisson. Bon Dieu, elle avait été enfermée pendant bien trop longtemps.

La réceptionniste était occupée à appliquer du vernis à ongles rouge sang, afin que ses ongles soient assortis aux mèches dans ses cheveux.

— Si vous êtes ici pour les auditions, signez le registre et attendez votre tour.

Elle pointa un porte-bloc d'un de ses ongles humides.

Maggie jeta un coup d'œil au porte-bloc, et ses yeux s'agrandirent encore davantage.

— Zut alors. Je vais être la 62ᵉ candidate.

— Ouais, c'est comme ça chaque nuit.

La réceptionniste souffla sur ses ongles.

— Vous n'aurez probablement pas à attendre très longtemps.

— Bien.

Maggie ajouta son nom au bas de la liste.

— Et vous ? demanda la réceptionniste en examinant le tailleur sobre de Darcy tout en plissant le nez.

— J'ai un rendez-vous avec Sylvester Bacchus.

— Ouais, bien sûr. Si vous êtes ici pour un travail d'actrice, vous devrez attendre votre tour.

La réceptionniste désigna le porte-bloc du doigt.

Darcy colla un sourire sur son visage.

— Je suis une journaliste professionnelle, et M. Bacchus m'attend. Mon nom est Darcy Newhart.

Le réceptionniste grogna pour signifier à quel point elle n'était pas impressionnée, et posa ensuite les yeux sur un bout de papier se trouvant sur son bureau. Elle fut bouche bée.

— Impossible.

— Je vous demande pardon ? dit Darcy.

— Vous êtes sur la liste, mais...

La réceptionniste plissa les yeux.

— Êtes-vous certaine que vous êtes Darcy Newhart ?

— Oui.

Qui d'autre devrait-elle être ? Le sourire de Darcy se dissipa.

— Eh bien, c'est vraiment étrange. Je suppose que vous pourriez tout de même le voir. Troisième porte à gauche.

— Merci.

Ça ne commençait pas tellement bien. Darcy sentait que son entreprise était vouée à l'échec, avant même d'avoir débuté. Elle contourna le bureau et marcha à grands pas dans le hall.

— Vous feriez mieux de frapper avant d'entrer, hurla la réceptionniste de sa voix nasillarde. Il est peut-être au beau milieu d'une audition.

Darcy jeta un coup d'œil vers l'arrière. La réceptionniste se pré-lassait dans sa chaise en agitant ses doigts dans les airs tout en admirant son vernis à ongles. Maggie regarda Darcy et lui fit un sourire encourageant. Elle lui sourit faiblement en retour, avant de prendre une grande inspiration et de frapper à la porte.

— Entrez, brailla une voix bourrue.

Elle entra dans la pièce et se retourna pour fermer la porte. Elle entendit un son curieux derrière elle. Le bruit d'une fermeture éclair ?

Elle pivota pour faire face à Sylvester Bacchus. Il semblait avoir environ 50 ans en années de mortels, mais elle n'avait aucun moyen d'estimer son âge en tant que vampire. Presque chauve, il avait accepté son sort en rasant de près les cheveux qu'il avait encore. Sa moustache et sa barbe étaient coupées court et bien entretenues, et ses cheveux bruns étaient parsemés de cheveux gris ici et là. Ses yeux bruns se posèrent immédiatement sur elle, et se concentrèrent sur sa poitrine beaucoup trop longtemps.

Elle souleva son porte-document en cuir pour lui bloquer la vue.

— Comment allez-vous ? Je suis…

— Vous êtes nouvelle.

Son regard fixe se posa maintenant sur ses hanches.

— Pas mal.

Le sang afflua dans son visage tandis qu'elle réfléchissait aux conséquences pouvant résulter de la claque au visage qu'elle avait envie de donner à son employeur potentiel dès le début de son entretien d'embauche. Elle cessa soudainement d'y penser lorsqu'elle vit une tête blonde apparaître lentement derrière le bureau.

— Je suis désolée.

Darcy recula vers la porte.

— Je ne m'étais pas rendu compte que vous étiez occupé.

— Ça ne fait rien.

M. Bacchus jeta un coup d'œil à la blonde.

— Ce sera tout, Tiffany. Vous pourrez… polir mes chaussures un autre jour.

Elle hocha la tête.

— Vous voulez aussi que je m'occupe de vos souliers?

— Non, bougonna-t-il. Revenez simplement dans une semaine.

Darcy comprit que le bruit de fermeture éclair qu'elle avait entendu était réel. Bon Dieu, si les auditions étaient menées de cette façon, elle se devait d'en avertir Maggie. Elle avait toujours eu l'impression que les vampires préféraient le sexe des vampires, un exercice purement mental, qui était considéré comme étant supérieur au sexe des mortels, sale et plein de sueurs. De toute évidence, M. Bacchus avait l'esprit plus ouvert. Et une fermeture éclair plus ouverte également.

Pendant ce temps, Tiffany s'était relevée et caressait ses seins dodus de ses mains.

— Vous voulez dire que vous voulez me revoir?

— Bien sûr.

M. Bacchus lui tapota le derrière.

— Allez! Partez, maintenant.

— Oui, M. Bacchus.

Tiffany se rendit vers la porte en adoptant une démarche étonnante, parvenant à balancer ses hanches et à faire bouger ses seins en même temps. Elle se pencha pour tourner la poignée de la porte et fit saillir ses fesses en cambrant son dos comme si le fait d'ouvrir la porte pouvait lui procurer une extase orgasmique. Elle fit une pause à mi-chemin dans l'embrasure de la porte pour sourire à M. Bacchus d'une manière séduisante, puis elle se dirigea vers le hall.

Darcy s'efforça de demeurer de marbre afin de dissimuler la colère qui bouillait en elle. Elle aurait dû savoir que le Réseau de télévision numérique des vampires adhérerait aux archaïques pratiques sexistes en matière de comportement. C'était ainsi partout dans le monde des vampires. La plupart des femmes vampires étaient âgées d'au moins 100 ans. Plusieurs étaient même sur terre depuis des siècles, et n'avaient donc jamais connu les avancées que les femmes mortelles avaient pu réaliser pour elles-mêmes. Elles ne voulaient rien entendre à ce sujet, car elles étaient convaincues que leur propre monde était de loin supérieur.

La conclusion de tout ceci était tragique. Les femmes vampires ne savaient même pas à quel point elles n'étaient pas bien traitées. Elles acceptaient simplement leur sort en le qualifiant de normal. Darcy avait dit aux femmes du harem que des femmes courageuses avaient souffert afin d'obtenir le droit de vote. Son hommage passionné envers ces femmes avait été rejeté comme si c'était de la foutaise. Personne ne votait pour choisir les maîtres des bandes dans le monde des vampires. Voilà qui était digne de la plèbe.

C'était cependant dans ce monde qu'elle évoluait, à présent. Et comme le RTNV était le seul réseau de télévision dans le monde des vampires, il représentait sa seule chance d'obtenir un emploi qu'elle voulait désespérément, et l'indépendance dont elle avait tant envie. Elle se devait donc d'être polie envers M. Bacchus, et ce, même s'il n'était qu'un porc sexiste.

— Entrez, ne soyez pas timide.

M. Bacchus s'avachit contre le dossier de sa chaise, puis posa ses pieds sur son bureau.

— Et fermez la porte, afin que nous puissions avoir un peu d'intimité.

Il lui fit un clin d'œil.

L'œil de Darcy eut un tic, et elle pria pour que ce dernier n'ait pas été interprété comme un clin d'œil en réponse au sien. Elle ferma la porte, puis s'approcha de son bureau.

— Je suis enchantée de vous rencontrer, M. Bacchus. Je suis Darcy Newhart, une journaliste professionnelle de la télévision.

Elle sortit son curriculum vitæ de son porte-document et le plaça sur son bureau.

— Comme vous pourrez le constater...

— Quoi?

Il ramena ses pieds sur le plancher.

— Vous êtes Darcy Newhart?

— Oui. Vous remarquerez à la lecture de mon curriculum vitæ que j'ai...

— Mais vous êtes une femme.

Son œil eut un nouveau tic.

— En effet, et comme vous pourrez le lire ici, dit-elle en indiquant du doigt une section de son curriculum vitæ, j'ai travaillé de nombreuses années pour le compte d'une station de nouvelles locale, ici même, à New York...

— Bon sang!

M. Bacchus donna un grand coup de poing sur son bureau.

— Je croyais que vous alliez être un homme.

— Je vous assure, j'ai été une femme toute ma vie.

— Avec un nom comme Darcy? Qui oserait nommer sa fille Darcy?

— Ma mère l'a fait. Elle aimait beaucoup Jane Austen...

— Alors, pourquoi ne vous a-t-elle pas nommée *Jane*? Merde.

M. Bacchus s'appuya contre le dossier de sa chaise et lança des regards noirs au plafond.

— Si vous voulez bien jeter un coup d'œil à mon curriculum vitæ, vous verrez que je suis hautement qualifiée pour l'émission *Actualités de la nuit*.

— Vous n'êtes pas qualifiée, murmura-t-il. Vous êtes une femme.

— Je ne comprends pas en quoi mon genre a quelque chose à voir avec...

Il se pencha soudainement vers l'avant en lui jetant un regard saisissant.

— Avez-vous déjà vu une femme aux *Actualités de la nuit*?

— Non, mais ce serait une occasion idéale pour vous de rectifier cette erreur.

Oh là là! Mauvais choix de mots.

— Une *erreur* ? Êtes-vous êtes cinglée ? Les femmes ne travaillent pas aux actualités.

— Je l'ai fait.

Elle tapota son curriculum vitæ du doigt.

Il baissa les yeux vers son curriculum vitæ.

— Ça, c'était dans le monde des mortels. Qu'est-ce qu'ils en
savent, eux ? Leur monde est dans le désordre le plus total.

Il chiffonna son document, puis le jeta à la poubelle.

Le cœur de Darcy était désespéré.

— Vous pourriez me prendre à l'essai pour un mois, me laissant ainsi l'occasion de vous prouver ce que je peux faire...

— C'est hors de question. Stone piquera une sainte colère, si je
tente de lui adjoindre une présentatrice féminine.

— Je comprends. C'est un excellent présentateur de nouvelles.

Enfin, plutôt monotone, mais bon.

— Stone se charge de toutes les nouvelles et parle pendant la
totalité des 30 minutes.

— Et alors ?

— Les *Actualités de la nuit* seraient plus passionnantes et
auraient un rythme plus rapide si vous ajoutiez des comptes rendus
de correspondants sur le terrain. C'était ma spécialité, et je serais
ravie de...

— J'avais pensé à cela, et j'avais même pensé à vous embaucher,
mais il s'avère que vous êtes une femme.

Son cœur fut encore plus ébranlé.

— Je n'arrive toujours pas à comprendre...

— Les actualités, c'est du sérieux. Nous ne pouvons confier cela
à des femmes. Les gens manqueraient des informations, car ils
seraient occupés à regarder vos jolis petits seins.

Ses épaules s'affalèrent, entraînant ses jolis petits seins dans
leur chute. C'était donc cela — le mur impénétrable du chauvinisme
des vampires mâles, et encore une fois, elle fonçait tête première
dedans. Si seulement elle pouvait s'en approcher avec une masse.

Ou si elle pouvait frapper la tête d'œuf de M. Bacchus avec un bâton de baseball…

— Je pourrais travailler dans les coulisses. J'ai l'habitude d'écrire mes propres…

— Vous savez écrire?

— Oui.

— Êtes-vous divertissante?

— Oui.

Ses textes avaient toujours été considérés comme humoristiques.

Il l'étudia du regard.

— Vous me semblez être quelqu'un d'intelligent.

Son œil eut un autre tic.

— Merci.

— Toutes les nuits, nous recevons des tas de personnes à l'allure tapageuse qui veulent être devant la caméra. C'est un véritable problème de trouver quelqu'un d'intelligent et avec de l'expérience pour travailler dans les coulisses.

— Je suis très forte en résolution de problèmes.

— Vous l'êtes? Alors, je vais vous dire ce dont j'ai vraiment besoin, ici, au RTNV.

Il se pencha vers l'avant.

— J'ai besoin d'un grand coup.

Avec un bâton de base-ball?

— Vous voulez dire que vous avez besoin de frapper un grand coup avec une nouvelle émission?

— Ouais.

M. Bacchus se leva et marcha vers un tableau posé sur le mur.

— Vous rendez-vous compte que depuis que le RTNV est en ondes, nous avons toujours eu les mêmes émissions?

— Tout le monde aime vos émissions, particulièrement les feuilletons.

— C'est d'un ennui mortel! Regardez un peu ça.

Il pointa du doigt l'endroit sur le tableau où était affichée la liste des émissions du RTNV.

— C'est la même chose toutes les nuits. Nous commençons à 20 h avec les *Actualités de la nuit*, avec Stone Cauffyn. Puis, à 20 h 30, c'est l'émission de célébrités *En direct avec ceux qui ne sont pas morts*.

— Avec Corky Courrant. Je l'ai vue, il y a quelques semaines, au bal du gala d'ouverture.

M. Bacchus se tourna vers elle, les yeux bien grands.

— Vous avez été invitée au bal ?

— Oui. J'ai… déjà été associée à Roman Draganesti.

— Comment ?

— J'ai travaillé à temps partiel pour les Industries Romatech.

Elle avait refusé de recevoir une allocation de Roman, et Gregori s'était donc organisé pour qu'elle travaille dans une pièce discrète de Romatech quelques nuits par semaine. Roman avait donné son accord, mais aucun mortel ne devait la voir.

— Draganesti est un de nos plus importants commanditaires.

M. Bacchus l'observa en grattant sa barbe.

— Est-ce que vous le connaissez bien ?

Ses joues rougirent.

— Je… j'ai vécu dans sa maison.

— Vraiment ? Vous étiez dans son harem ?

— Je… vous pourriez dire cela.

Mais elle ne pourrait jamais le dire.

— Hmm.

Le regard réchauffé de M. Bacchus erra sur son corps. Il était clair que des habiletés non reliées à son écriture étaient actuellement réévaluées.

Elle leva son menton.

— Vous étiez en train de me parler de la programmation ?

— Oh, ouais.

Il s'attarda de nouveau au tableau.

— Dans la case horaire de 21 h 30, nous avons l'émission *Comme un vampire qui se transforme*, mettant en vedette Don Orlando de Corazon, suivie à 22 h de *Tous mes vampires*, et à 23 h, de la *Morgue générale*. Et qu'est-ce qui se passe à minuit?

Il pointa du doigt vers le tableau.

Darcy fronça les sourcils. Il n'y avait rien sur le tableau. Qu'est-ce qu'il y avait à minuit? À cette heure-là, Darcy était habituellement à son poste aux Industries Romatech, ensevelie sous une pile de paperasserie ennuyeuse.

— Rien! hurla M. Bacchus. Nous recommençons tout depuis le début et répétons la même maudite programmation. C'est pathétique! Nous devrions avoir notre émission phare en ondes à minuit, notre pièce de résistance[1], mais nous n'avons… rien.

Il retourna à son bureau en se traînant les pieds.

Darcy prit une grande inspiration. C'était l'occasion ou jamais de démontrer sa vraie valeur.

— Vous avez besoin d'une nouvelle émission, mais pas d'un autre feuilleton.

— C'est ça.

M. Bacchus marcha à pas mesurés derrière son bureau.

— Peut-être une émission policière. Avec un vampire policier. Nous pourrions l'appeler *Sang et désordre*. Ce serait différent. Que pensez-vous que nous devrions faire?

Elle avala sa salive et se creusa la tête. Qu'est-ce qui avait été à la mode avant que son monde ne s'écroule?

— Que pensez-vous d'une émission de téléréalité?

Il se tourna rapidement sur lui-même pour lui faire face.

— J'aime ça! Qu'est-ce qui pourrait être plus réel que des vampires? Quel serait le thème de l'émission?

Elle avait la tête complètement vide.

«Merde.»

---

1. En français, dans le texte original.

Elle s'assit sur une chaise et déposa son porte-document sur ses genoux pour gagner du temps. Une émission de téléréalité. Qu'est-ce qui était réel ? Le nouveau dilemme du harem ?

— Et si nous parlions d'un harem rejeté qui doit se trouver un nouveau maître ?

— Pas mal.

M. Bacchus hocha la tête.

— Plutôt bon, en vérité. Hé, dites-moi, n'est-ce pas le harem de Draganesti qui vient d'être ainsi rejeté ?

— Oui. Corky en a parlé dans son émission *En direct avec ceux qui ne sont pas morts*. Aucune des femmes n'avait cependant voulu y participer. C'était trop humiliant.

— Vous savez que certaines des femmes de son ancien harem sont célèbres. Pensez-vous pouvoir les convaincre de participer à l'émission ?

— Je... je pense que oui.

— Vous connaissez bien Draganesti, n'est-ce pas ?

La bouche de M. Bacchus se tordit avec un petit sourire satisfait.

— Pourriez-vous le convaincre de sortir son chéquier, afin que nous puissions louer un appartement de grand luxe pour l'émission ? Vous savez, le genre avec une piscine sur le toit.

— Je... je suppose que oui. Peut-être que Gregori pourrait organiser quelque chose.

— Cet appartement doit avoir un spa. On ne peut pas avoir une émission de téléréalité sans spa.

— Je comprends.

— Et vous avez de l'expérience dans le monde de la télévision ?

— Oui.

Darcy jeta un coup d'œil à la poubelle, où se trouvait maintenant son curriculum vitæ tout bien tapé.

— J'ai obtenu un diplôme en journalisme télévisé de l'université de la Californie du Sud et j'ai travaillé dans cette région pendant plusieurs années avant de déménager à New York et de décrocher un poste à la chaîne Local Four News...

— D'accord, d'accord.

M. Bacchus fit un signe de la main pour qu'elle se ferme le clapet.

— Écoutez-moi bien. Je veux cette émission de téléréalité. Si vous pouvez nous trouver un endroit luxueux où tourner et si vous pouvez me garantir que l'ancien harem de Draganesti y participera, alors vous aurez l'emploi. Vous serez la réalisatrice.

Son cœur vacilla. Réalisatrice d'une émission de téléréalité? Bien. Elle était capable de faire le travail. Elle devait le faire. C'était ça, ou rien.

— Alors, vous y parviendrez? Me donner l'appartement de grand luxe et le harem?

— Oui.

Elle serra son porte-document avec une telle force que ses jointures devinrent blanches.

— J'en serai ravie.

Que Dieu lui vienne en aide.

— Et n'oubliez pas le spa.

— Je n'oserais même pas l'oublier.

— Génial! Vous aurez votre propre bureau, dès demain soir. Quel nom voulez-vous donner à l'émission?

Son esprit travaillait à toute allure, cherchant un titre accrocheur.

« Comment creuser sa propre tombe en moins de cinq minutes? »

— Enfin, les femmes choisiront l'homme parfait pour être leur nouveau maître.

M. Bacchus se percha sur le coin de son bureau et se gratta la barbe.

— *L'homme parfait? Le maître parfait?*

Ce n'était pas assez excitant. Darcy ferma brièvement les yeux pour se concentrer. Maggie penserait que Don Orlando était l'homme parfait. Comment l'avait-elle appelé?

— Que pensez-vous de *L'homme le plus séduisant sur terre*?

— Excellent!

M. Bacchus sourit.

— Et appelez-moi Sly. C'est le diminutif de Sylvester.

— Merci…, Sly.

— Nous devrons en faire un succès sur toute la ligne. Ce ne sera pas une émission ordinaire, mais une qui aura son lot de surprises et de dénouements inattendus.

— Oui, bien sûr.

— Les auditions seront faciles à faire. Comme vous avez pu le voir dans le hall, il y aura beaucoup de vampires masculins prêts à tenter leur chance pour être de l'émission.

Darcy tressaillit. Sa conception de l'homme le plus séduisant sur terre n'avait aucun lien avec les hommes portant du maquillage.

— Les concurrents doivent-ils tous être des vampires?

Sly grogna.

— Nous parlons ici des hommes les plus séduisants sur terre. Bien sûr que ce seront tous des vampires.

Il marcha à grands pas vers la porte.

Bien sûr. Darcy se leva, puis serra les dents. Tout le monde savait que les vampires étaient supérieurs dans tous les domaines. Une idée fit soudainement son chemin dans sa tête. Pourquoi ne pas vérifier si ce que prétendait Sly était vrai?

Elle sourit en marchant vers la porte. Son patron voulait inclure des surprises dans l'émission? Elle ne voyait pas de problèmes avec ça.

Elle allait lui préparer toute une surprise!

Deux

Austin arriva tôt pour la réunion de l'équipe de Surveillance, question de se donner le temps de télécharger les photos qu'il avait pu prendre la nuit précédente dans le stationnement du RTNV. Il ouvrit la porte non identifiée du sixième étage d'un immeuble du gouvernement fédéral. La majeure partie de l'étage était occupée par le département de la Sécurité intérieure, ce qui faisait en sorte que personne ne savait qu'il travaillait en fait pour l'Agence centrale de renseignement, ou qu'il combattait des terroristes d'une tout autre nature.

L'équipe de Surveillance se rencontrait tous les soirs, à 19 h, avant le coucher du soleil, pour ensuite vaquer à leurs occupations individuelles. Il passa devant le bureau de Sean Whelan, et put entendre des jurons prononcés à haute voix filtrer à travers les murs. Génial. Sean devait être en train de visionner les images du RTNV qu'Austin lui avait fait parvenir par courrier électronique à son bureau. C'était certainement un bon moment pour éviter le patron.

Austin se hâta vers le secteur à aire ouverte où ses autres coéquipiers avaient leurs postes de travail. Il n'était pas étonné de trouver leurs bureaux vides. Ils étaient tous épuisés. Il n'avait pas eu une journée ni même une nuit de congé depuis des semaines. Il téléchargea les photos avant de les étudier sur son moniteur tandis que l'imprimante s'activait à son tour. Il y avait beaucoup de plaques d'immatriculation. Et beaucoup de photos d'*elle* en tailleur bleu, peu importe qui elle était. Il avait attendu jusqu'à l'aube, mais il l'avait encore manquée. Merde. Elle avait dû partir au moment où il était allé déverser le trop-plein de sa vessie. C'est ce qui arrive lorsqu'on boit trop de café.

Il bâilla tout en passant ses mains dans ses cheveux en broussailles. Le travail de nuit rendait difficile le fait de s'occuper des choses courantes comme les coupes de cheveux, et il ne dormait pas toujours bien pendant le jour. Le moniteur devint flou devant ses yeux las. Il avait besoin de café. Il se rendit donc dans la salle où se prenaient les pauses-café.

— Bonsoir, Austin.

Emma était assise à la petite table ronde, mangeant du yogourt à faible teneur en matières grasses. Elle semblait reposée et guillerette.

Il devrait vraiment y avoir une loi contre le fait d'être aussi ouvertement de bonne humeur sur le lieu de travail. Sa chemise jaune fraîchement repassée lui rappela qu'il semblait avoir dormi tout habillé, à la différence près qu'il n'avait pas beaucoup dormi. Il marmonna quelque chose, puis se remplit une tasse de café.

— Mon pauvre vieux, on dirait qu'un train t'a passé sur le corps, continua Emma avec son accent britannique.

Il se contenta de grogner, trop fatigué pour s'engager dans une joute verbale. Qui plus est, elle gagnait toujours.

— Pourquoi es-tu ici si tôt?

Elle lécha ce qu'il lui restait de yogourt sur sa cuillère de plastique.

— Je voulais me mettre rapidement au travail sur les rapports de police de la nuit dernière. Je crois que je tiens quelque chose.

— Quoi donc?

— Depuis quelques mois, il y a eu plusieurs appels au poste de police en provenance de Central Park. Cette personne dit qu'elle voit quelqu'un en train de se faire attaquer, mais lorsque les policiers arrivent, ils ne peuvent jamais trouver de témoin.

Austin fronça les sourcils.

— C'est plutôt mince comme filon. Ça pourrait être des farceurs.

— Ou ça pourrait être réel.

Emma le pointa de sa cuillère pour insister sur son point.

— Et les personnes qui ont appelé ne se souviennent plus de rien, car leurs souvenirs ont été effacés par des vampires.

— Je… suppose.

Le contrôle de l'esprit était une spécialité des vampires. C'était justement pourquoi l'équipe de Surveillance était si peu nombreuse. Chacun des membres de l'équipe devait avoir un certain pouvoir psychique pour résister au contrôle des vampires, et il n'y avait aucune façon de se battre avec une créature qui pouvait simplement prendre le contrôle de votre esprit. D'après ce qu'Austin en savait, Sean et lui possédaient le plus de pouvoir psychique au sein de l'équipe.

— Penses-y un peu.

Emma jeta son yogourt vide aux ordures. Elle savait viser, c'était un fait. Elle travaillait pour le MI6 lorsque Sean avait pris des dispositions pour qu'elle soit transférée dans son équipe la semaine précédente.

— Si tu étais un vampire affamé, ne chercherais-tu pas une petite victime à te mettre sous la dent dans un endroit comme Central Park?

— J'imagine.

Austin buvait son café à petites gorgées.

— Je me suis donc rendue sur place, la nuit dernière, pour y jeter un coup d'œil.

Il déglutit.

— Tu es allée seule?

— Oui. Tu fais bien ta surveillance tout seul, toi aussi. Pourquoi ne pourrais-je en faire autant ?

— Parce que le fait de chasser des vampires dans Central Park n'est pas de la surveillance. Tu aurais pu en croiser un.

Elle roula les yeux.

— C'était le but. Ne t'inquiète pas. J'avais quelques pieux avec moi.

Austin grogna.

— Tu n'as pas lu les rapports ? Ces vampires sont très rapides et très forts.

Elle marcha lentement vers le réfrigérateur et en sortit une bouteille d'eau.

— Je sais comment me protéger.

— Je sais.

Il avait été s'entraîner avec elle une seule fois, et il s'était retrouvé vite fait sur le dos en voyant des étoiles.

— Je pense tout de même que tu ne devrais pas y aller seule.

— Pourquoi pas ?

Elle dévissa le bouchon de la bouteille.

— Ils recherchent probablement des femmes solitaires.

— Attends une petite minute. Tu sers volontairement d'appât ?

Elle haussa les épaules et prit une petite gorgée d'eau.

— Si je peux en attirer un, je le tuerai. *C'est* notre mission, n'est-ce pas ?

— Et si plusieurs d'entre eux décident de s'en prendre à toi ? C'est bien trop dangereux.

Elle soupira.

— Je n'aurais pas dû t'en parler.

Elle lui jeta un regard offensé.

— Je pensais que tu aurais compris.

Merde. Il devrait lui dire qu'elle était irresponsable et folle, mais il détestait être aussi franc avec une femme. Qui plus est, lui aussi aimerait bien chasser des vampires.

— Est-ce que tu vas le dire à Sean ? demanda-t-elle.

Puisque leur patron était déjà livide en ayant appris le mariage prochain de sa fille, Austin n'avait pas vraiment envie d'être puni.

— Je vais devoir y penser. As-tu vu des vampires, la nuit dernière?

— Malheureusement, non.

— Bon. Nous ne sommes que cinq, Emma. Nous ne pouvons pas risquer de te perdre, alors penses-y avant de jouer les héroïnes.

Il marcha vers son bureau en se traînant les pieds. Une femme folle qui chasse les vampires en solitaire.

Il but son café en prenant de petites gorgées tout en étudiant les images sur l'écran. Parlant de vampires, qui était ce démon qui avait conduit cette magnifique blonde au RTNV? Austin parcourut les photos jusqu'à ce qu'il retrouve la Lexus noire. Il tapa le numéro de la plaque d'immatriculation dans le système. Le véhicule était enregistré au nom de Gregori Holstein, et son adresse se trouvait dans le Upper East Side. Son année de naissance était en 1964, ce qui faisait de lui un très jeune vampire. Encore là, les vampires étaient probablement des experts en falsification de documents.

Austin nota l'adresse de Gregori avant de faire une recherche de crédit. Le type travaillait aux Industries Romatech, ce qui n'était pas une grande surprise. Beaucoup de vampires travaillaient à cet endroit durant la nuit. On y fabriquait du sang artificiel, ce qui signifiait que Gregori n'était peut-être pas un vampire. C'était une bonne nouvelle. *Elle* n'aurait pas à s'inquiéter qu'il lui mordille son gentil petit cou. Si elle était humaine, bien sûr.

Le claquement de talons sur le linoléum l'avertit qu'Emma s'approchait. Elle s'arrêta devant l'imprimante et commença à regarder les photos.

Il avait peut-être été trop dur avec elle.

— Je sais que tu as quelque chose de personnel contre les vampires.

Elle haussa une épaule.

— Où as-tu pris ces photos?

— Dans le stationnement du RTNV. La nuit dernière.

— Ça fait beaucoup de plaques d'immatriculation.

Elle plaça une pile de photos de côté.

— Je suppose que toutes ces voitures appartiennent à des vampires.

— La plupart d'entre elles. Est-ce que tu veux m'aider à les retracer dans le système ?

— J'adorerais ça.

Elle ramassa une autre pile de photos.

— Emma, je ne parlerai pas à Sean de ta visite à Central Park, si tu me préviens quand tu iras chasser de nouveau. Je veillerai sur toi.

— C'est génial. Merci.

Elle lui fit un bref sourire, puis elle reprit son étude des photos.

— Celles-ci sont très intéressantes.

— Reconnais-tu des voitures, dans le lot ?

— Non, mais je sais reconnaître un derrière de femme, quand j'en vois un.

— Quoi ?

— Tu dois bien avoir vingt photos de ses jambes, et encore plus de son derrière[2]. Qui est-elle ?

Les nerfs d'Austin se tendirent, mais il demeura de marbre. Il tendit la main.

— Ces photos sont personnelles. Donne-les-moi.

— Tu fais des trucs personnels sur les heures de travail ? Honte à toi !

Elle déposa les photos, puis en prit d'autres dans l'imprimante.

— Oh, regarde un peu ça. Des photos de ses seins. Et ici, de l'arrière de sa tête. Elle a vraiment de beaux cheveux.

— Je t'ai dit de me les donner.

Austin serra les dents et regarda fixement la pile de photos qu'Emma avait déposée à côté d'elle. Elles glissèrent sur la table et s'arrêtèrent près de son clavier.

---

2. En français, dans le texte original.

Emma haleta. Les photos qui se trouvaient dans sa main tombèrent sur la table. Elle recula.

— Oh, mon Dieu.

Il avança près de l'imprimante en faisant rouler sa chaise et il ramassa les photos qu'elle avait laissé tomber.

— Tu fais de la psychokinésie, chuchota-t-elle.

— Ouais. La grosse affaire.

Il s'empara du reste des photos de l'imprimante et retourna devant son ordinateur.

— Mais c'est génial ! Je ne savais pas que tu avais des pouvoirs aussi intéressants. Tiens tiens, en anglais, des pouvoirs, ça se dit « *powers* ». Et je viens de voir les pouvoirs d'Austin, comme l'agent Austin Powers !

Elle éclata de rire.

Il poussa un grognement.

— Très drôle.

Il sépara les photos en deux piles, soit celle des plaques d'immatriculation, et celle de la femme.

— Ce n'est pas comme si j'avais développé cette capacité. Je suis né ainsi.

Son propre père n'avait pas été capable de supprimer ses capacités, et ce n'était pas faute de ne pas avoir essayé.

— Excitant !

Emma sourit.

— Austin, l'homme mystère international, utilisant ses pouvoirs spéciaux pour se battre contre le mal.

— Ouais, c'est ça.

Qu'est-ce qu'il pourrait bien y avoir de maléfique à propos d'*elle* ? Il regarda une dernière fois ses photos avec désir, puis rangea la pile dans le tiroir de son bureau.

Emma croisa les bras et appuya une hanche contre la table de travail.

— Tu es fou d'amour pour elle, non ?

— Non.

L'était-il ?

— Je ne sais même pas qui elle est.

— L'homme mystère international a une femme mystérieuse ? C'est super ! Nous allons résoudre le mystère. Où as-tu pris ces photos ?

— À l'extérieur des locaux du RTNV.

— Mon Dieu, Austin. Elle travaille probablement là. Cela signifie que c'est une femme vampire.

— Je ne le pense pas. Romatech a plusieurs employés humains. Et le RTNV en a aussi.

— As-tu essayé de la voir avec ton 35 millimètres ?

— Non, je… n'en ai pas eu l'occasion.

— Parce que tu étais trop occupé à prendre 100 photos d'elle.

— Je n'en ai pas pris 100. Seulement… 60.

Mince alors. Il *était* fou d'elle.

Emma haussa un sourcil et se retint de dire ce qui était évident à ses yeux.

— Est-ce qu'elle était seule ?

— Non. Elle est arrivée avec un homme que j'ai identifié comme étant Gregori Holstein, et il y avait aussi une femme inconnue. Ces deux-là sont des vampires.

— Elle s'est donc rendue à une station de télévision qui est la propriété des vampires en compagnie de deux vampires ? Austin. Dans le milieu, ce sont des *indices*. C'est une femme vampire.

— Ce n'est pas une preuve.

Elle devait être vivante. Elle devait l'être.

Emma le considéra tristement.

— Tu *es* amoureux fou. Et tu es amoureux de l'ennemi, rien de moins.

— Nous n'avons pas de preuve que c'est une femme vampire.

— C'est une femme vampire, oui ou non ? Seul son coiffeur le sait avec certitude.

Emma lui fit un sourire désabusé.

— Elle n'aurait pas de reflet dans un miroir.

— Laisse tomber. Je ne pense pas la revoir.

Il sépara la pile des photos de plaques d'immatriculation en deux.

— Mettons-nous au travail sur ces photos.

— Regardez qui est là !

Sean Whelan marcha à grands pas vers eux.

— J'ai besoin de vous deux dans la salle de conférences, maintenant. Garrett et Alyssa sont déjà là.

— Oui, monsieur.

Emma s'empara d'un bloc-notes et d'un crayon avant de se diriger vers la salle de conférences.

Austin vérifia rapidement qu'il n'y avait plus de photos d'*elle* dans les parages, avant de suivre son patron. Il se demanda s'il devait lui transmettre ses condoléances, puisque sa fille Shanna allait se marier avec un homme à longues canines. Il était probablement mieux de se taire. Le visage de Sean était sombre tandis qu'il tenait la porte de la salle de conférences. Austin entra en silence et s'assit dans une des chaises face à la longue table en chêne. Il salua Garrett et Alyssa d'un rapide hochement de tête. Emma les salua personnellement avec toute sa joie de vivre. Austin bâilla et regretta de ne pas avoir apporté son café.

— Des nouvelles de votre fille ? demanda Garrett au moment où Sean fermait la porte.

Austin tressaillit. Il commençait à penser que Garrett n'était pas le type le plus doué du cerveau dans le groupe.

Sean se raidit et regarda froidement Garrett.

— Avez-vous plutôt quelque chose de positif à annoncer ?

Garrett changea de position dans sa chaise, et ses joues rasées de près prirent une teinte rougissante.

— Non, monsieur.

— C'est ce que je pensais.

Sean marcha vers le bout de la table. Il agrippa le dossier en cuir de la chaise et le serra si fort que ses articulations devinrent blanches.

— Ma fille manque toujours à l'appel. Qui plus est, ce bâtard de Draganesti lui a lavé le cerveau à un point tel qu'elle a accepté de l'épouser.

Alyssa et Emma haletèrent.

Garrett fut bouche bée.

— Mais… mais comment savez-vous cela?

— L'annonce a été faite la nuit dernière sur le RTNV, dit doucement Austin.

Un son étranglé vibra dans la gorge de Sean comme s'il supprimait une autre longue litanie de jurons. Il relâcha la chaise et commença à marcher à pas mesurés dans la pièce.

— Nous commençons manifestement à manquer de temps. Nous devons trouver Shanna immédiatement, et la surveillance que nous effectuons ne nous donne pas les informations dont nous avons besoin.

— Nous devrions vérifier les états financiers de Draganesti, suggéra Emma. Il a peut-être loué ou acheté une autre résidence.

— Faites-le, grogna Sean en continuant à marcher à pas mesurés.

Emma en prit bonne note.

— Nous avons besoin de quelqu'un à l'intérieur, murmura Austin.

— Un informateur? demanda Alyssa.

— Non, un agent secret.

Sean s'arrêta au bout de la table et plissa les yeux en regardant Austin.

— Je pensais la même chose. Et je sais comment nous pouvons procéder.

Le silence envahit la pièce tandis qu'ils attendaient tous que Sean leur donne des détails. Il recommença à marcher à pas mesurés.

— Le mois dernier, j'ai demandé au département de la Sécurité intérieure de communiquer avec des entreprises dans les cinq quartiers de la ville et de leur donner une liste de noms et d'entreprises à surveiller. Une de ces entreprises était le Réseau de vidéo numérique, qui est le faux nom dont les vampires se servent pour leur réseau lorsqu'ils font des affaires avec les humains.

Sean marcha à grands pas vers la porte et fit une pause.

— Peu avant l'aube, une femme du RTNV a contacté l'agence de distribution Les vedettes de demain et a laissé un message. Un autre appel a été fait cet après-midi pour conclure l'entente. Quelqu'un au RTNV veut se servir des locaux de l'agence demain soir pour mener des auditions en vue d'une émission de téléréalité. La propriétaire de l'agence a appelé la Sécurité intérieure pour rapporter l'incident.

— Les vampires vont faire une émission de téléréalité? demanda Alyssa.

Sean hocha la tête.

— Oui. Et puisqu'ils veulent passer des auditions auprès des humains, voilà la chance parfaite de passer en mode agent secret.

— Et d'infiltrer le RTNV, chuchota Austin.

Le battement de son cœur s'accéléra. Il devait se porter volontaire. Peut-être qu'il arriverait ainsi à revoir cette *femme* mystérieuse.

— Quel genre d'émission de téléréalité? Est-ce que ce sera comme *Le célibataire*?

Emma échangea un regard avec Alyssa.

— Avec des concurrentes féminines?

Alyssa frissonna.

— Ils pourraient appeler ça *La jeune mariée de Dracula*.

— Je parie que ce sera plutôt une version de *Survivre avec des vampires,* suggéra Austin. Ils vont larguer un groupe de gens sur une île déserte avec quelques vampires affamés, jusqu'à ce qu'il ne reste plus qu'un survivant.

Alyssa fit une grimace.

— C'est épouvantable.

Sean posa sa main sur la poignée de porte.

— Vous ne l'avez pas du tout. Ils veulent des hommes. Des hommes vivants.

Il regarda Austin et Garrett avec insistance.

— J'ai besoin de vous deux sur cette émission.

Garrett devint tout pâle.

— Oh, mon Dieu.

«Oh, oui».

— Comment pouvons-nous nous inscrire? demanda Austin.

— C'est tout arrangé. Attendez-moi. Il y a quelqu'un qui m'attend dans le corridor.

Sean quitta la pièce.

Le silence s'installa. Alyssa lança des regards compatissants aux deux hommes.

— Eh bien, voici votre chance de passer à la télévision, dit Emma avec un sourire gai. Vous pourriez devenir célèbres.

— Ils pourraient aussi devenir leur repas, murmura Alyssa.

Garrett soupira.

— Pourquoi ne pas poser des bombes partout où ils travaillent et s'en débarrasser pour de bon?

Emma roula des yeux.

— Parce que nous ne sommes pas certains que des bombes parviendraient vraiment à les tuer. De plus, il y a des innocents qui travaillent à Romatech et au RTNV. Et Shanna est avec eux, elle aussi.

Alyssa hocha la tête.

— Cela pourrait être la meilleure façon de la retrouver.

Austin demeura silencieux pour déguiser le fait que son cœur battait plus vite et que sa respiration était peu profonde. Sa priorité devait être de retrouver Shanna, mais il ne pensait pas à autre chose qu'à la revoir, *elle*.

«Merde».

Qu'est-ce qui n'allait pas chez lui? Le travail d'agent secret pouvait être dangereux, et tout ce qu'il parvenait à faire était de penser à cette femme mystérieuse? Il y avait un mot pour les agents qui se permettaient d'être distraits : décédé.

Sean apparut de nouveau à la porte, accompagné cette fois par une femme d'un certain âge, vêtue d'un tailleur dispendieux.

— Voici Mme Élisabeth Stein.

La femme les salua d'un bref signe de tête et d'un sourire encore plus bref. Ses cheveux bruns étaient retenus par un chignon, et son corps mince était bien droit.

— Mme Stein est la propriétaire de l'agence Les vedettes de demain, expliqua Sean. C'est une des agences les plus prestigieuses en ville.

Elle haussa son menton et les regarda en levant son long nez sur eux.

— C'est *la* plus prestigieuse.

— Bien sûr.

Sean fit un signe vers les deux hommes.

— Est-ce qu'ils feront l'affaire?

Elle s'avança et étudia Garrett en plissant les yeux.

— Il est du genre que l'on remarque. J'adorerais lui faire signer un contrat.

Garrett sourit, découvrant ses dents blanches parfaites.

— Merci, madame.

Mme Stein retira quelques papiers de sa mallette hors de prix.

— Vous comprenez que je représente seulement les acteurs et les actrices les plus prometteurs de la ville. Je suis très sélective.

— Tout comme nous, murmura Austin.

Elle se retourna et l'étudia lentement. Elle haussa un sourcil et grogna.

— Ce n'est pas mon genre, mais il fera l'affaire.

— Quoi? Je ne suis pas du genre que l'on remarque?

Austin essaya d'avoir l'air scandalisé.

— Mon côté sensible est anéanti.

Il fallait plutôt comprendre qu'il l'aurait été, s'il en avait eu un.

— Austin.

Sean lui lança un regard de mise en garde.

— Remplissez la paperasserie. Et puisque vous travaillerez tous deux comme des agents secrets, inventez vous-mêmes vos nouveaux noms.

Mme Stein distribua les papiers.

— Je suggère que vous choisissiez un nom qui serait approprié à la scène ou à la télévision.

Austin parcourut rapidement le contrat, puis le compléta avant de le signer.

— De quel genre d'émission de téléréalité s'agit-il?

— Je n'en sais pas beaucoup, mais il semble que ce soit un concours.

Mme Stein lança un regard douteux en direction d'Austin.

— Ça s'appelle *L'homme le plus séduisant sur terre.*

Emma éclata d'un rire étonné, puis se couvrit la bouche.

Austin lui fit un sourire de travers.

— Tu ne penses pas que j'ai des chances de gagner?

— Pas tant que tu n'auras pas d'abord été présenté à un rasoir et à un peigne.

Mme Stein ramassa son contrat avec un regard dégoûté, avant de prendre celui de Garrett avec un sourire au visage.

— Les auditions commenceront demain soir, à 21 h, dans les locaux de l'agence Les vedettes de demain, sur la 44e Rue, à deux coins de rue du théâtre Shubert. Vous devriez arriver tôt et être convenablement vêtus et soignés, dit-elle en regardant Austin une nouvelle fois.

— Merci, Mme Stein.

Sean retourna près de la porte.

— Il est impératif que ces deux hommes soient retenus pour l'émission.

Les yeux de Mme Stein s'agrandirent.

— C'est qu'il pourrait y avoir des centaines de jeunes hommes convenables, à l'audition.

Sean lui lança un regard noir.

— Vous ne me comprenez pas, Mme Stein. Ces hommes *doivent* faire partie de l'émission. La sécurité de notre pays est en jeu. Des personnes innocentes de notre pays courent de graves dangers.

Elle cligna des yeux.

— À cause d'une émission de téléréalité?

— Il ne s'agit pas d'une émission de téléréalité ordinaire. Ces hommes seront constamment en danger.

— Oh, mon Dieu.

Elle lança un regard inquiet à Garrett.

— Vous… vous faites affaire avec des terroristes?

Sean baissa le ton.

— Je suis sûr que vous comprendrez, Mme Stein, que nous sommes incapables de vous divulguer de plus amples informations.

Son visage devint aussi pâle que la mort.

— Je… je comprends. Je ferai en sorte que vos hommes soient choisis.

— Excellent. Faites qu'il en soit ainsi.

Sean ouvrit la porte.

Mme Stein jeta un coup d'œil nerveux aux deux hommes, puis posa les yeux sur les papiers qu'elle avait en main.

— Lequel d'entre vous sera Garth Manly?

— Ce sera moi, dit Garrett en levant la main.

— Très bien. C'est un nom très macho. Il vous convient.

Elle regarda Austin et fronça les sourcils.

— Vous avez besoin d'une coupe de cheveux décente, M. — elle regarda de nouveau sa feuille — M. Little Joe Cartwright?

Alyssa et Emma pouffèrent de rire.

— Austin.

Sean lui lança un regard noir.

Il haussa les épaules.

— Elle avait dit de choisir un nom approprié pour la télévision.

Le froncement de sourcils de Mme Stein s'accentua.

— Vous devez choisir un autre nom.

— Hoss?

Elle mâchouilla son rouge à lèvres rouge électrique.

— Adam?

— Adam conviendra. Et vous, jeune homme, vous devriez avoir une meilleure attitude envers les arts de la scène.

Elle poussa un grognement, puis quitta la pièce.

Sean partit avec elle, laissant ses coéquipiers entre eux.

Garrett secoua la tête.

— Je n'arrive pas à y croire. Une émission de téléréalité?

Austin haussa les épaules.

— Pourquoi est-ce que le mauvais goût devrait être limité aux seuls humains?

— Ça me semble bien stupide, bougonna Garrett.

Alyssa sourit.

— Tu as au moins un beau nom.

— Garth Manly.

Emma fit une moue approbatrice.

— Oh, c'est si séduisant.

Alyssa se mit à rire sottement, puis cessa brusquement son manège lorsque Sean revint dans la pièce.

— Bon, nous y sommes.

Il jeta un regard sévère en direction d'Austin.

— Mme Stein est préoccupée par tes cheveux ébouriffés et tes vêtements froissés. Elle t'attendra donc avec Garrett dans les locaux de son agence dans une heure. Elle a appelé une coiffeuse et une styliste d'urgence.

Austin grimaça.

— Et ma surveillance?

Il avait espéré *la* revoir, ce soir, et voulait avoir son appareil photo 35 millimètres à portée de main pour découvrir la vérité à son sujet, une fois pour toutes.

— Laisse tomber, répondit Sean. Emma peut enregistrer les émissions du RTNV d'ici.

Emma nota cela sur son bloc-notes.

— Je vais aussi vérifier ces plaques d'immatriculation pour toi, Austin.

— Est-ce que cette émission est vraiment nécessaire?

Garrett s'appuya nonchalamment contre le dossier de sa chaise.

— Pourquoi ne pourrions-nous pas simplement investir les locaux du RTNV en plein jour lorsque les vampires dorment et recueillir les informations dont nous avons besoin?

Sean posa ses paumes sur la table avec force et se pencha vers l'avant.

— Je veux savoir où est ma fille. Je doute que cette information soit notée sur une facture. Vous devrez discuter avec ces maudits vampires et gagner leur confiance. Le fait de travailler sur cette émission vous donnera l'occasion de le faire. Suis-je bien clair?

— Oui, monsieur, dirent Austin et Garrett presque en même temps.

— Bien.

Sean lança un regard désabusé à Austin.

— Tu as *vraiment* besoin d'une coupe de cheveux.

Il passa sa main dans ses longs cheveux.

— Mince alors. Moi qui croyais que cette allure de caniche m'allait plutôt bien.

Emma poussa un petit grognement.

— Ce n'est apparemment pas le cas.

— Tu dois prendre ton nouveau rôle au sérieux, l'avertit Sean. La vie de ma fille est en jeu. Sans compter que tu pourrais te faire tuer.

Sa bouche se tordit en un sourire désabusé.

— Ou pire encore, tu pourrais devenir une vedette.

Trois

— Est-ce que tu es parvenue à convaincre les femmes de participer à l'émission? demanda Gregori en filant dans la voie de droite sur l'avenue Broadway.

Darcy regarda les lumières vives et les images qui apparaissaient sur le devant des édifices de Times Square.

— Non. La princesse Joanna a déclaré que cette émission était scandaleuse, et puisque les autres suivent constamment son exemple, elles ont toutes refusé d'y participer aussi.

— À l'exception de Vanda, dit Maggie depuis le siège arrière.

Darcy hocha la tête.

— Elle aime bien jouer les rebelles.

— Il faut continuer d'essayer.

Gregori tourna à droite sur la 44e Rue.

— Je te trouverai un appartement de grand luxe. De ton côté, tu n'as qu'à sortir le harem de mon appartement. Ça te va?

— Ça me va.

Darcy remarqua les lumières sur le théâtre Shubert. L'agence Les vedettes de demain n'était plus qu'à deux coins de rue.

Gregori lui lança un regard oblique.

— Pourquoi as-tu décidé de tenir les auditions à cette agence plutôt que dans les locaux du RTNV ?

— Je ne veux pas que Sly soit au courant tout de suite. Il voulait que cette émission comporte des surprises, et j'ai pensé que celle-ci pourrait en être une de taille.

Gregori tressaillit.

— Il sera peut-être en colère lorsqu'il apprendra que tu souilles son émission avec de modestes mortels.

— Peut-être, admit Darcy. Lorsqu'il l'apprendra. Je pense toutefois que son sentiment de supériorité prendra rapidement le dessus, et qu'il sera convaincu que les mortels ne pourront jamais être encore en lice après quelques émissions.

— Et s'ils demeurent en lice, justement ? demanda Gregori. Tu pourrais faire enrager une bande de vampires qui pensent qu'ils sont naturellement supérieurs.

— Ça arrivera peut-être, et ils devront par la suite réaliser qu'ils ne sont pas aussi supérieurs, après tout.

— En effet, murmura Gregori. Je n'aime pas non plus leur attitude prétentieuse. Je déteste vraiment les voir regarder ma mère de façon hautaine, mais c'est ainsi. C'est un combat perdu d'avance que de tenter de changer cela.

— Quelqu'un devrait pourtant s'y attaquer. Regarde un peu ce qu'ils font — ils possèdent une station de télévision qui diffuse des feuilletons qui portent des noms du genre *Tous mes vampires* et *Morgue générale*. Ils copient les mortels et prétendent être supérieurs en même temps. C'est de l'hypocrisie flagrante, et j'en ai assez.

Gregori poussa un soupir.

— Je suis désolé de te voir aussi malheureuse, Darcy, mais tu dois décompresser. Ça ne vaut pas la peine d'agir contre ton propre intérêt.

Elle jeta un coup d'œil par la fenêtre. Gregori avait peut-être raison sur ce point. C'était le meilleur emploi qu'elle pouvait obtenir, et elle ne devait pas laisser sa colère nuire à ses chances de connaître du succès.

— D'accord. Je ferai attention.

— C'est bien.

Gregori se gara en double file.

— Je vais vérifier des emplacements potentiels pour le nouveau restaurant de Roman. Appelle-moi quand tu auras terminé, et je reviendrai te chercher.

Darcy lui toucha le bras.

— Merci pour tout.

Maggie et Darcy descendirent de la voiture, entrèrent dans un édifice de briques brunes et attendirent l'ascenseur. Darcy remarqua que Maggie était exceptionnellement calme. Elle qui avait d'ordinaire un sourire aux lèvres fronçait plutôt des sourcils en regardant le bouton allumé de l'ascenseur.

— Est-ce que ça va, Maggie ?

Elle soupira.

— Je n'avais pas réalisé à quel point tu nous détestais.

— Je ne te déteste pas ! Je n'aurais jamais pu survivre à ces dernières années, si tu n'avais pas été aussi gentille avec moi.

Maggie se tourna vers elle, de la colère se lisant dans ses yeux.

— Est-ce que tu es aveugle ? Oui, j'ai été gentille avec toi. J'avais pitié de toi. Ne vois-tu pas ce que tu as fait pour moi ? Quand je t'ai rencontrée, je m'habillais encore comme si nous étions toujours en 1879. Je portais même un fichu faux cul !

— Je dois reconnaître que tes goûts se sont améliorés.

— Il y a plus que cela. Tu m'as donné le courage d'essayer de nouvelles choses. Tu es une femme tellement moderne, forte et confiante. Je veux te ressembler. Ne me dis donc pas que nous pensons tous être supérieurs.

— Je suis désolée. Je n'avais pas réalisé que…

Maggie lui fit un sourire empreint de tristesse.

— Tu as fait en sorte que ma vie retrouve un sens. J'ai maintenant de grands espoirs pour l'avenir, tout ça, grâce à toi.

Des larmes montèrent aux yeux de Darcy.

— Merci.

Maggie la serra dans ses bras.

— Rien n'arrive pour rien. J'y crois, et je crois que tu devrais y croire, toi aussi. Tu es ici, maintenant, parce que c'est ce qui devait t'arriver.

Darcy la serra aussi dans ses bras. Elle voulait dire à Maggie qu'elle était d'accord avec elle, mais les mots ne voulaient pas sortir de sa bouche. Quel rôle devait-elle jouer dans le monde des vampires ?

Les portes de l'ascenseur s'ouvrirent dans un sifflement, et un homme en sortit.

— Je vous en prie, mesdames, allez faire ça dans une chambre, en privé.

Il continua à murmurer des paroles pour lui-même en quittant le hall.

Darcy et Maggie relâchèrent leur étreinte, puis pouffèrent de rire en entrant dans l'ascenseur. Une fois arrivées au dixième étage, elles rencontrèrent une femme d'un certain âge, vêtue d'un tailleur dispendieux, qui attendait aux portes de l'agence. Darcy souhaitait avoir un jour les moyens de se payer un tel tailleur. Elle portait encore le même tailleur bleu que lors du jour de son embauche pour la seule et bonne raison que c'était le seul qu'elle possédait. Elle avait tout perdu lorsque sa vie s'était métamorphosée en cauchemar.

La femme marcha à grands pas vers elle.

— Je suis Mme Élisabeth Stein, la propriétaire et directrice de l'agence Les vedettes de demain. Est-ce que l'une d'entre vous est Mlle Darcy ?

— C'est moi, dit Darcy en tendant la main.

Mme Stein lui serra la main rapidement comme si elle craignait d'attraper une maladie. Son visage était pâle et sa bouche était pincée tant elle semblait stressée.

— Je suis enchantée de vous rencontrer, Mlle Darcy.

Darcy ne corrigea pas l'erreur que venait de commettre Mme Stein. Elle n'avait laissé que son prénom sur le répondeur de l'agence, car elle craignait que le fait d'avoir ajouté son nom de famille à son prénom ait pu raviver certains souvenirs.

— Voici mon assistante, Margaret Mary O'Brian.

Mme Stein salua brièvement Maggie d'un signe de tête, avant de se tenir les mains devant elle.

— Le hall est rempli de candidats. J'ai pensé qu'il serait bon que vous évitiez de les rencontrer avant les auditions. Si vous voulez bien me suivre.

Elle s'avança par à-coups près d'une porte brune non identifiée.

Darcy et Maggie suivirent Mme Stein. Elles passèrent devant la porte vitrée de l'agence, et Darcy remarqua que le hall était effectivement bondé. Génial ! Elle n'aurait donc aucun problème à trouver des mortels convenables pour l'émission.

Mme Stein ouvrit la porte non identifiée et leur fit signe d'entrer.

— Ce corridor nous conduira à la salle de conférences.

Darcy et Maggie marchèrent dans le corridor aux murs blancs.

Mme Stein pressa le pas et se glissa entre elles pour les devancer.

— Par ici.

Elle tourna à droite dans un plus grand corridor, puis fit une pause devant une porte à deux battants. Ses mains se joignirent de nouveau avec fermeté, ce qui fit blanchir ses articulations osseuses.

— Voici la salle de conférences. J'espère qu'elle vous conviendra.

— J'en suis certaine, répondit Darcy avec un sourire. Je vous remercie de nous permettre d'utiliser vos locaux.

— Ça me fait plaisir.

Mme Stein ouvrit les portes.

— Je vous laisse quelques minutes pour vous installer.

— Merci.

Darcy entra dans la pièce avec Maggie, et entendit ensuite les portes se fermer derrière elle. C'était une salle de conférences normale avec une longue table en son centre et des chaises en cuir tout autour. Un des murs était percé de trois grandes fenêtres voûtées, qui donnaient sur la 44e Rue. Les autres murs étaient couverts de photos autographiées par les clients les plus célèbres de Mme Stein.

Maggie jeta un coup d'œil derrière elle vers les portes fermées.

— Elle semblait terriblement nerveuse.

— Oui.

Darcy déposa son porte-document sur la table. Elle était particulièrement nerveuse, elle aussi.

— Merci d'être venue m'aider, Maggie.

— Je n'aurais pas voulu manquer tout le plaisir.

Maggie avait décliné l'offre de participer à l'émission de téléréalité, parce qu'elle avait encore espoir de faire partie d'un feuilleton. On lui avait demandé de revenir passer une seconde audition dans deux semaines. En attendant, elle avait accepté d'être l'assistante de Darcy.

— J'espère que ton audition n'a pas eu lieu avec Sly.

Darcy se souvenait des services que Tiffany avait eu à rendre pour avoir une deuxième audition.

— Non. J'ai eu de la veine, et j'ai été reçue par la réalisatrice adjointe de l'émission *Comme un vampire qui se transforme*. Elle était d'avis que je serais parfaite pour l'émission, ce qui signifie que je travaillerais avec Don Orlando.

Maggie jeta un coup d'œil rêveur par une des fenêtres.

— C'est notre destin d'être réunis. Je le sais.

Darcy sursauta lorsque le téléphone portable à l'intérieur de son porte-document se mit à sonner. C'était un nouveau téléphone, un cadeau de Gregori, afin qu'elle puisse l'appeler si elle avait besoin de lui.

Maggie se rapprocha d'elle.

— Je me demande bien qui ça peut être.

— Je ne sais pas. Très peu de personnes connaissent ce numéro.

Darcy farfouilla dans son porte-document et en extirpa le téléphone.

— Allo?

— Darcy!

La voix forte de Vanda semblait frénétique.

— Je viens te rejoindre. Est-ce que c'est sans risque?

— Tu veux dire que tu veux te téléporter? Il y a peu de risques, mais ce n'est pas un très bon moment.

Darcy pouvait entendre des cris stridents en arrière-plan.

— Vanda? Qu'est-ce qui se passe?

— Quelque chose ne va pas? demanda Maggie.

— Je ne sais pas.

Darcy ferma son téléphone au moment où Vanda se matérialisait dans la pièce.

— Que fais-tu ici?

Vanda regarda autour d'elle.

— Super! Vous n'avez pas encore commencé les auditions.

— Tu ne devrais pas être ici, insista Darcy. Tu es la seule à avoir accepté de participer à l'émission de téléréalité, et tu n'es pas censée voir les hommes à l'avance.

— Ne t'en fais pas. Je saurai me tenir tranquille.

Vanda ajusta le fouet de cuir noir dont elle se servait comme ceinture.

— Je devais sortir de cet appartement. C'est une zone de guerre.

— Que s'est-il passé? demanda Maggie.

— Toutes les femmes se plaignaient ouvertement de Cora Lee parce que ses maudites robes à arceaux prennent toute la place dans la penderie. Cora Lee a alors dit ceci : « Je déclare que les silhouettes féminines sont plus séduisantes dans les corsets et les robes à arceaux de l'époque victorienne que dans toutes les autres époques de l'histoire. »

Darcy grimaça.

— Si vous aimez ce genre de torture.

— Exactement.

Vanda passa la main dans ses cheveux courts et ébouriffés, teints en mauve.

— C'est alors que Maria Consuela a dit que les robes de l'époque médiévale étaient bien plus jolies, et que les robes à arceaux de Cora Lee pouvaient bien aller au diable.

— Jésus Marie Joseph.

Maggie fit le signe de la croix.

Vanda sourit.

— Puis Lady Pamela Smythe-Worthing a pris son air prétentieux et a annoncé que les robes les plus élégantes jamais créées étaient celles qui étaient portées en Angleterre, à l'époque regency. Cora Lee a alors dit que les tailles hautes des robes de Lady Pamela la faisaient paraître aussi large qu'un pan de mur de grange.

Darcy tressaillit.

— Et c'est là que les combats ont commencé ?

— Pas tout à fait. Lady Pamela s'est mise à crier qu'elle était si abominablement vexée qu'elle allait se mettre à ruer dans les brancards, ou quelque chose comme ça. Elle s'est ensuite dirigée dans la penderie à la vitesse des vampires, s'est emparée d'une des robes à arceaux de Cora Lee et l'a enfoncée dans le foyer.

— Oh non !

Maggie appuya une main sur sa poitrine.

— Et c'est là que les combats ont commencé ?

— Pas tout à fait. La robe s'est enflammée, mais comme c'est une robe à arceaux, elle est ressortie du foyer comme un ressort et a atterri sur la cape de velours de la princesse Joanna.

Darcy haleta.

— Pas sa cape rouge doublée avec de l'hermine ? Elle vaut une fortune.

— Celle-là même.

Vanda leva les mains de façon dramatique.

— Et c'est là que l'enfer s'est déchaîné.

Maggie soupira.

— C'était la cape préférée de la princesse Joanna.

— Je sais, acquiesça Vanda. Et ce qui est vraiment triste, c'est qu'elle la portait, au moment où c'est arrivé.

— *Quoi ?* glapit Darcy. Est-ce qu'elle va bien ?

— Disons qu'elle est un peu croustillante, mais que sa peau sera revenue à la normale après une bonne journée de sommeil.

Darcy s'effondra dans une chaise.

— C'est épouvantable ! Ces femmes vont vouloir se tuer.

— Je sais. La fumée lui sortait littéralement par les oreilles.

La porte de la salle de conférences s'ouvrit, et Mme Stein jeta un coup d'œil à l'intérieur.

— Êtes-vous prêtes ?

Elle demeura bouche bée en voyant Vanda. Elle jeta un coup d'œil autour de la pièce, puis regarda derrière elle dans le corridor vide.

— Comment… comment avez-vous… je… je pensais que vous n'étiez que deux.

Darcy se leva et sourit comme si rien d'étrange ne s'était passé.

— Voici Vanda Barkowski. C'est ma… seconde assistante.

Les yeux de Mme Stein s'agrandirent tandis qu'elle posait les yeux sur Vanda, ses cheveux mauves et sa combinaison-pantalon de fibre synthétique élastique noire.

— Bien. Nous, euh, nous sommes prêtes à commencer. Ma secrétaire, Michelle, viendra vous voir avec un candidat à la fois.

— Merci, Mme Stein.

Darcy contourna la table de façon à faire face à la porte.

Mme Stein recula pour sortir de la pièce et ferma la porte.

Darcy choisit une chaise au centre de la table, puis elle sortit un bloc-notes et un stylo de son porte-document.

Vanda s'assit à sa droite.

— Alors, nous cherchons les hommes les plus beaux ? C'est facile. Ce sont les hommes grands, sombres et mystérieux.

— Comme Don Orlando.

Maggie s'assit à la gauche de Darcy.

— C'est lui que je choisirais en tant qu'homme le plus séduisant sur terre.

Vanda posa un coude sur la table.

— Et toi, Darcy ? Qu'est-ce qu'un homme séduisant, selon tes critères ?

— Laissez-moi y penser un moment.

Elle se remémora ses journées insouciantes sous le soleil des côtes de la Californie du Sud. Quels hommes avaient fait battre son cœur comme le ressac qui percutait la plage ?

— C'est un homme intelligent, gentil, honnête et qui aurait un grand sens de l'humour.

— Très ennuyeux, dit Vanda en bâillant. Dis-nous à quoi il ressemblerait.

Darcy plissa les yeux, puis visualisa l'homme parfait.

— Ce serait un homme grand avec de larges épaules et la peau dorée par le soleil. Il aurait les cheveux blonds, non, brun pâle, mais avec des mèches blondes, blanchies par le soleil. Il aurait les yeux bleus qui miroitent comme un lac quand le soleil se couche. Et son sourire serait brillant...

— Laisse-moi deviner, murmura Vanda. Comme le *soleil* ?

Darcy sourit timidement.

— C'est toi qui voulais le savoir. Ce serait mon genre d'homme parfait.

Maggie secoua la tête.

— Ma chérie, ce n'est plus un homme, mais plutôt Apollon, le dieu du soleil.

Vanda poussa un grognement en éclatant de rire.

Apollon, le dieu du soleil ? Darcy gémit. Peut-être que l'homme parfait était un mythe, un faux espoir qui ne verrait jamais la lumière du jour.

On frappa à la porte. Une jeune femme jeta un coup d'œil à l'intérieur.

— Salut, je suis Michelle.

Elle portait un beau tailleur et avait des cheveux châtains coincés dans un chignon. C'était évident que la secrétaire imitait sa patronne.

— Je vous présente le premier candidat, Bobby Streisand.

Darcy s'empara de son stylo pour prendre des notes, puis elle figea. Une grande femme avec de larges épaules entra dans la pièce. Sa robe rouge du soir était constellée de paillettes miroitantes. Elle fit passer son boa rouge sur une de ses épaules et prit une pose dramatique.

Quoi? Darcy fut bouche bée. Mme Stein ne savait-elle pas qu'elle était un peu comme l'armée qui tentait de recruter quelques hommes de qualité?

— Je suis désolée, mais nous cherchons un homme…

— *C'est* un homme, chuchota Vanda.

Darcy cligna des yeux et regarda de plus près.

« Oh, mon Dieu ».

Bobby s'avança vers eux en balançant ses hanches dans sa robe rouge ajustée.

— Je suis bel et bien un homme, ma chérie, dit-il d'une voix grave et enrouée. Voudriez-vous m'entendre chanter? Je vous jure que mon interprétation de la chanson *Memories* vous fera pleurer.

Il déposa une photo autographiée sur la table et la tapota doucement. Son vernis à ongles était de la même couleur que sa robe.

Darcy la regarda fixement, ou le regarda, pendant un instant. Comment cela pouvait-il se produire? Elle avait précisé que son équipe était à la recherche de l'homme le plus séduisant sur terre.

— J'ai… je regrette de vous dire que vous ne convenez pas au profil que nous avons en tête.

Le visage de Bobby se décomposa. Il renifla et tira un mouchoir de soie de la poitrine de sa robe du soir.

— C'est toujours la même chose. Les gens ne me comprennent jamais.

Darcy gémit intérieurement. Voilà qu'il allait se mettre à pleurer.

— Je demande seulement une chance de prouver ma valeur. Est-ce que c'est trop demandé?

Bobby se tamponna les yeux.

— Pourquoi ne puis-je jamais être considéré pour un premier rôle masculin?

— Ça aiderait peut-être de vous habiller comme un homme, murmura Vanda.

— Mais je suis un homme. Croyez-moi, c'est ce que je suis, insista Bobby en se penchant vers Darcy. Pouvez-vous me dire si mon mascara coule?

— Non. Il est... parfait.

— Merci.

Bobby sourit tristement, et ses lèvres rouges tremblaient.

— Ne vous en faites pas pour moi.

Il leva une main dans les airs comme s'il voulait leur dire qu'il n'avait pas besoin de leur sympathie.

— D'une façon ou d'une autre, je survivrai. Je continuerai le combat. Je suis un *artiste*, après tout. Je ne dois jamais sacrifier mon style personnel.

— Bien sûr que non, M. Streisand. Si j'ai besoin de quelqu'un de votre... style, je vais communiquer avec vous.

Bobby souleva son mouchoir dans les airs, puis abaissa son bras pour enfouir son mouchoir contre sa poitrine.

— Je vous remercie.

Il se glissa ensuite par la porte.

Darcy secoua la tête.

— Il faut que les prochains candidats soient mieux que ça.

Michelle ouvrit la porte.

— Voici Chuckie...

Elle jeta un coup d'œil à ses notes et fronça les sourcils.

— Badabing.

— C'est sûrement un nom de scène, chuchota Maggie.

Un homme mince entra dans la pièce d'un pas nonchalant. Sa chemise de soie était à demi déboutonnée pour montrer les poils bouclés de sa poitrine ainsi que ses trois colliers en or. Il jeta sa photo sur la table.

— Bon sang !

Il les regarda en souriant, ce qui fit apparaître une dent en or.

— Je n'ai jamais vu autant de belles femmes réunies sous un même toit.

Il recula et prit une pose décontractée, la hanche sur le côté.

Darcy lutta pour réprimer un frisson.

— M… Badabing. Avez-vous de l'expérience ?

Il rit sous cape et frotta sa fine moustache. Les diamants de la bague qu'il portait au petit doigt scintillèrent.

— Ouais, j'en ai, et comment. J'ai eu plusieurs expériences. Qu'avez-vous en tête, vous trois ?

Il leur fit un clin d'œil.

Vanda se pencha vers Darcy et chuchota.

— Est-ce que je peux le tuer ?

— Alors, dit Chuckie en enfonçant ses pouces sous sa ceinture. Si je gagne, on dira de moi que je suis l'homme le plus séduisant sur terre ?

— Vous devez d'abord être retenu pour l'émission.

Darcy ramassa sa photo et la fit glisser sous son bloc-notes.

— Hé, si vous voulez quelqu'un de séduisant, vous avez votre homme.

Chuckie fit rouler ses hanches étroites.

— On ne m'appelle pas Badabing pour rien.

— S'il te plaît, laisse-moi le tuer, siffla Vanda.

Darcy était tentée de lui donner sa bénédiction.

— Je suis désolée, M. Badabing, mais nous n'aurons pas besoin de vos services.

Chuckie poussa un grognement.

— Vous ne savez pas ce que vous manquez.

Vanda sourit.

— Et vous non plus.

Chuckie marcha à grands pas vers la porte en affichant un sourire méprisant.

L'œil de Darcy eut un tic. Elle frotta sa tempe, essayant de dissiper la sensation d'échec qui voulait s'emparer d'elle.

Michelle ouvrit la porte.

— Voici Walter.

Walter marcha à grands pas dans la pièce. C'était un homme d'un certain âge, qui avait commencé à perdre ses cheveux et à gagner du ventre.

— Comment allez-vous ?

Il sourit en déposant sa photo sur la table.

Il ne serait jamais considéré comme un homme séduisant, mais il avait au moins de bonnes manières. Darcy lui rendit son sourire.

— Avez-vous de l'expérience en tant qu'acteur ?

— Oui, bien sûr. C'est moi que l'on voit dans les annonces publicitaires pour les ailes de poulet de Capitaine Jack.

Le sourire de Walter se dissipa quelque peu en constatant qu'elles ne réagissaient pas.

— Vous connaissez le poulet de Capitaine Jack ? Ils ont les meilleures ailes de poulet en ville.

— Je regrette, mais nous ne mangeons pas de poulet, dit Maggie.

— Oh, vous êtes végétariennes, c'est ça ? Eh bien, je chante et je fais cette danse. Tenez, je vais vous faire une démonstration.

Walter marcha dans les deux sens de la pièce en agitant ses bras, puis il se mit à chanter.

— Je suis cuit avec des herbes et des épices, et je ne goûte pas la saucisse. On ne me fait jamais frire, donc vous ne risquez pas de mourir. Et vous aimeriez mes nouveaux bas prix, qui vous feront bien rire !

Darcy fut bouche bée. Ses amies furent tout aussi muettes.

Le sourire de Walter était radieux de fierté.

— Plutôt stupéfiant, n'est-ce pas ? C'est évidemment encore mieux lorsque je suis vêtu du costume de poulet. Il est dans ma voiture, si vous voulez le voir.

Elles continuaient à le regarder sans rien dire.

— Ça vous en bouche un coin, n'est-ce pas ? C'est toujours cet effet-là que je produis.

L'œil de Darcy eut un nouveau tic.

— Je crains que notre émission de téléréalité n'en soit pas une qui cherche à découvrir de nouveaux talents musicaux. Si nous en produisons une, un jour, nous communiquerons avec vous.

— Oh, d'accord.

Les épaules de Walter s'affalèrent.

— Je vous remercie tout de même.

Il marcha vers la porte en se traînant les pieds, en ayant l'air d'un homme qui se fait mener par le bout du nez.

Darcy se pencha vers l'avant et se heurta le front contre la table.

— C'est décourageant.

— Ne t'inquiète pas.

Maggie lui tapota le dos.

— Il y a encore plusieurs hommes à voir.

Une heure, et vingt candidats plus tard, Walter commençait à ressortir du lot avec sa danse du poulet.

C'est alors que Michelle ouvrit la porte et poussa un long soupir rêveur.

— Garth Manly.

Elle posa une main contre sa poitrine tandis qu'il entrait à grands pas dans la pièce.

Il y eut d'autres soupirs de la part de Vanda et de Maggie. Elles devinrent flasques dans leurs chaises. Darcy leur lança un regard inquiet. Peut-être qu'elles avaient bu du sang qui n'était plus de la toute première fraîcheur. Elles ne semblaient cependant pas souffrir d'une indigestion. Elles regardaient béatement le nouveau candidat.

Il était bien, supposa-t-elle. Certainement le plus bel homme qu'elles avaient vu jusqu'ici, quoique cela ne veuille pas dire grand-chose. Ses cheveux bruns ondulés étaient repoussés vers l'arrière de son visage bronzé.

— M. Manly, avez-vous de l'expérience en tant qu'acteur ?

— Oui.

Il déposa sa photo signée sur la table, et écarta les jambes en croisant les bras sur sa poitrine, ce qui fit bomber ses biceps.

Maggie et Vanda soupirèrent de nouveau. Michelle était restée près de la porte, et elle frottait sa joue contre le chambranle de porte.

— Quel genre d'expérience ? demanda Darcy.

— Du théâtre, surtout.

Il haussa un sourcil foncé.

— Vous aimeriez me voir en action ?

— Oh, oui, souffla Maggie.

Il hocha la tête, se glissant apparemment dans la peau d'un personnage.

Vanda chuchota.

— Choisis-le. Il est magnifique.

Darcy la calma.

Garth Manly souleva son menton et regarda au-dessus de leurs têtes. Il leva la main droite.

— Être ou ne pas être…

— Pourriez-vous vous retourner, s'il vous plaît ? demanda Maggie.

Il sembla étonné, puis leur tourna le dos avant de reprendre la parole.

— Être ou ne pas être…

Vanda et Maggie se penchèrent vers l'avant, leurs yeux rivés sur ses fesses d'acier. Darcy avait de la difficulté à entendre sa performance tant celle-ci était étouffée par leurs souffles bruyants.

— Y a-t-il plus de noblesse d'âme…

— Pourriez-vous enlever votre chemise ? demanda Vanda.

Il pivota pour leur faire face.

— Excusez-moi ?

Darcy étouffa un gémissement. Elle aurait dû insister pour mener les auditions en solo.

— Il y aura un spa, expliqua-t-elle.

— Nous devons savoir si vous aurez une belle apparence en maillot de bain.

— Oh, bien sûr.

Il retira son blouson en cuir noir et le disposa contre le dossier d'une chaise. Il déboutonna ensuite sa chemise, puis leur jeta un coup d'œil sous ses cils épais tout en souriant.

— Est-ce que je peux avoir de la musique pendant que je me déshabille ?

Maggie rit sottement.

Darcy passa bien près de s'étouffer.

Vanda fit glisser un ongle mauve sur sa lèvre inférieure.

— Dites-moi, Garth, avez-vous déjà fait des strip-teases ?

Il lui jeta un regard ardent.

— Je préfère ne pas m'y adonner seul.

Vanda laissa tomber sa main près de la fermeture éclair du col de sa combinaison-pantalon noire moulante.

— Oh, je suis certainement d'humeur pour un… duo.

Darcy regarda à côté d'elle. Seigneur, voilà Vanda qui ouvrait la fermeture éclair de sa combinaison-pantalon.

— Bon, c'est assez. M. Manly, pourriez-vous attendre dans le hall ? Nous devrons peut-être vous revoir une nouvelle fois.

— Bien sûr.

Il fit un sourire entendu, puis il ramassa ses vêtements et quitta la pièce. Michelle le suivit en trébuchant.

Maggie se tourna vers Darcy.

— Pourquoi lui as-tu demandé de partir ? Je pense qu'il est parfait pour l'émission.

— Je crois qu'il l'est aussi, avoua Darcy, mais je devais lui demander de sortir de la pièce avant que Vanda ne se retrouve complètement nue.

Vanda poussa un petit grognement et remonta la fermeture éclair de sa combinaison-pantalon.

— Tu ne sais pas comment avoir du plaisir.

— Il sera un très bon candidat, mais nous n'en avons toujours qu'un seul, leur rappela Darcy. Nous avons besoin d'au moins quatre mortels de plus, et nous devons les trouver ce soir.

— D'accord.

Vanda glissa une main dans ses cheveux mauves.

— Retournons au travail.

Trois heures passèrent pendant lesquelles Maggie se pratiqua à écrire les mots « Mme Don Orlando de Corazon » sur une feuille, tandis que Vanda s'amusait en tournant sur elle-même dans sa chaise.

Darcy se massa les tempes là où la tension s'accumulait. Bon Dieu, elle avait oublié à quel point il était difficile de trouver un homme convenable. Pas étonnant qu'elle ait été célibataire dans sa vie de mortelle.

— Pouvons-nous retourner à la maison, maintenant ? demanda Maggie. Je n'ai jamais vu une si piètre qualité d'homme en si peu de temps.

— Je sais, acquiesça Darcy. Nous avons encore besoin d'au moins un candidat.

Michelle ouvrit la porte, et annonça avec un sourire que c'était le dernier candidat.

— Voici Adam Cartwright.

Il entra dans la pièce. Darcy fut aussitôt bouche bée. Il était grand, avait de longues jambes et de larges épaules, et se déplaçait avec une grâce discrète, comme s'il tentait de conserver son énergie. Ses cheveux fournis étaient parsemés de mèches blondes, et sa peau bronzée luisait avec l'éclat d'une vitalité naturelle.

Il s'avança en parcourant la pièce du regard, avant de s'immobiliser soudainement en concentrant son regard sur Darcy.

Ses yeux bleus s'agrandirent. Darcy retint son souffle, et ne pouvait détacher ses yeux de son regard.

Il marcha vers elle et se racla la gorge. Elle aurait pu jurer que le son avait grondé dans sa propre poitrine.

— Mlle Darcy ?

Est-ce que cette voix profonde et séduisante venait de lui ? Elle voulait lui répondre, mais les mots ne voulaient pas sortir. Elle se lécha les lèvres en pensant que cela pouvait l'aider, mais ses yeux bleus se posèrent alors sur ses lèvres, et elle oublia ce qu'elle voulait dire.

— Darcy ? chuchota Maggie.

Ses yeux se fixèrent de nouveau sur les siens. Elle sentit aussitôt une vague de chaleur déferler en elle. C'était chaud comme le soleil qui plombait sur sa tête. Chaud comme le sable entre ses orteils. Bon Dieu, elle ne s'était pas sentie aussi chaude depuis cette terrible nuit, il y a quatre ans. Elle ferma les yeux et savoura la chaleur liquide qui se déversait dans ses veines. C'était comme si elle se retrouvait de nouveau sur la plage, qu'elle entendait les vagues résonner dans ses oreilles et que l'air salin lui chatouillait les narines. Elle pouvait presque sentir un ballon de volley-ball dans ses mains, voir le filet devant elle et entendre sa soeur rire à ses côtés.

— Darcy.

Vanda lui donna un coup de coude.

Elle ouvrit les yeux en sursautant. Il était toujours là, et le fixait encore, et encore. Il lui sourit tout doucement. Oh, mon Dieu, il avait des fossettes. Son cerveau se transforma en bouillie.

— Darcy, est-ce que ça va ? chuchota Maggie.

Elle prit une profonde inspiration et parvint à chuchoter un mot.

— Apollon.

Quatre

C'était une mortelle.

Dieu merci ! Austin devint lentement conscient du fait qu'il se tenait là avec un sourire abruti sur son visage. Était-ce un problème en soi ? Il venait de retrouver cette mystérieuse femme, et c'était une mortelle. Elle devait l'être. Il était entré dans son esprit avec une grande facilité, et une fois sur place, il avait reçu ses pensées avec l'intensité des rayons du soleil. Elle pensait au sable chaud, au volley-ball de plage et au rire de sa sœur. Aucun vampire n'aurait de telles pensées.

Et les deux autres femmes ? La petite avec les cheveux bruns était certainement une femme vampire. Il se souvenait de l'avoir vue dans le stationnement du RTNV. Et il était également prêt à parier que la femme aux cheveux mauves en était une aussi. Elle avait cette apparence tapageuse et cette lueur affamée dans l'œil. Son regard effleura à peine ces deux femmes avant de revenir sur cette adorable femme vêtue de bleu. Il se contenta d'exercer soigneusement son pouvoir uniquement sur elle afin que les deux autres ne puissent le détecter.

Elle parvint finalement à parler, et sa voix n'était qu'un faible chuchotement.

— Apollon.

Euh ? Il inclina sa tête sur le côté, tentant de comprendre ce qu'elle voulait dire. Les images de son esprit étaient encore celles de la plage. Elle rêvait de la chaleur du soleil qui caressait sa peau. Son visage avait pris de belles couleurs, et ses seins se soulevaient avec chacune de ses respirations. Il réalisa tout à coup qu'elle aurait la même apparence s'il était en train de lui faire l'amour. Un afflux sanguin se manifesta dans son entrejambe, et il s'imagina pendant un moment en train de la sortir de sa chaise et de l'embrasser jusqu'à ce que ses lèvres soient gonflées et toutes rouges. Puis, il… quoi ? Il ne pouvait rien faire avec une, ou peut-être même deux vampires dans la pièce.

Pourquoi était-elle ici avec deux vampires ? Est-ce qu'elle était leur prisonnière ? Est-ce qu'elles la faisaient chanter, ou menaçaient-elles un membre de sa famille pour l'obliger à collaborer avec elles ? Les deux femmes continuaient à lui chuchoter à l'oreille et à lui donner des coups de coude. Était-elle sous leur emprise ? Mme Stein lui avait pourtant dit que Mlle Darcy était la responsable de ce projet.

Il avait besoin de plus de renseignements et de gagner sa confiance, mais ce n'était pas en la fixant ainsi du regard avec une bosse dans son pantalon qu'il allait y parvenir. Il déposa sa photo sur la table devant elle. Ses yeux bleus fumeux jetèrent un coup d'œil vers le bas, puis revinrent sur son visage.

— Puis-je ?

Il tira une chaise de cuir et s'assit devant elle.

Ses pensées remplissaient sa tête.

« Il ne veut pas se tenir debout et nous regarder de haut comme les autres hommes. Non. Il choisit plutôt de se mettre à mon niveau. Comme cela est aimable et attentionné. »

Aimable et attentionné ? Il tentait seulement de dissimuler son érection.

— Comment allez-vous, mesdames? Je suis... Adam Olaf Cartwright.

La femme aux cheveux mauves plissa son nez.

— Olaf?

— Oui.

Austin savait que les meilleurs mensonges devaient inclure autant de vérité que possible.

— J'ai reçu ce nom en l'honneur de mon grand-père, papa Olaf. C'était le meilleur pêcheur du Minnesota. Mes souvenirs les plus chers sont ceux où je suis allé à la pêche avec lui.

Il reçut quelques pensées en provenance de la belle Mlle Darcy.

«Il aime sa famille. Et le plein air. Et les plaisirs simples de la vie.»

La petite femme bâilla.

— Vous aimez tuer les poissons?

— J'aime ce que la pêche implique, l'attente de ce qui pourrait se passer. Si je n'ai pas besoin du poisson pour m'alimenter, je le remets dans l'eau.

Il entendit de nouvelles pensées de Mlle Darcy.

«Il est patient et compatissant. Et il est si beau.»

Ça alors, elle l'aimait vraiment.

La femme à la tête mauve se pencha vers elle et lui chuchota qu'il était ennuyeux.

Austin savait que Mlle Darcy ne le trouvait pas ennuyeux. Il réalisa également que les autres femmes l'appelaient simplement Darcy.

— Puis-je connaître vos noms?

— J'imagine que oui, répondit la petite. Je suis Margaret Mary O'Brian, l'assistante de la réalisatrice. Tout le monde m'appelle Maggie.

— Vanda Barkowski.

La femme aux cheveux mauves leva la main, puis montra ses longs ongles mauves.

Il posa de nouveau les yeux sur la femme en bleu.

— Et vous ?

Ses doigts s'enroulèrent autour de son stylo.

— Darcy.

— Est-ce votre prénom ou votre nom ?

— C'est mon nom, chuchota-t-elle, pendant que les deux autres répondaient que c'était son prénom. Son œil eut un autre tic et ses mains serrèrent son stylo avec plus de force.

— Alors, prénom ou nom ? demanda-t-il doucement.

La pauvre femme était très nerveuse. Pourquoi ? Était-ce parce qu'elle était obligée de fréquenter des vampires ?

Elle prit une profonde inspiration et posa soigneusement son stylo sur la table.

— Avez-vous de l'expérience en tant qu'acteur ?

Il fut tenté de réciter la liste de mensonges qu'il avait préparés, mais il changea d'avis.

— Non, je n'ai aucune expérience.

« C'est un homme honnête. Et intelligent. »

Ses pensées coulaient dans sa tête, suivies par une onde de culpabilité provenant de sa propre conscience. Honnête ? Il ne lui avait même pas donné son vrai nom. Et intelligent ? Comment pouvait-il l'être, s'il se présentait à une audition pour une émission de téléréalité ? Qui plus est, ces femmes n'agissaient pas comme des tueuses sans pitié et n'en avaient pas plus l'air. Il avait questionné les autres candidats à leur sortie de l'audition, et personne n'avait dit qu'elles leur avaient fait du mal d'une façon ou d'une autre. Shanna avait-elle dit la vérité ? Qu'il y avait en réalité deux types de vampires, soit ceux qui étaient inoffensifs et ceux qui étaient violents ?

Non, il n'était pas encore prêt à accepter cela, et il avait l'impression de perdre son temps. Emma avait eu la bonne attitude. Il utiliserait ses capacités de façon plus productive dans Central Park, à chasser les vampires qui attaquaient les gens pour s'en nourrir. Et il pourrait aussi interroger une de ces créatures au sujet de Shanna quand il en aurait une à la merci de son pieu.

— Je crains que cette audition ne soit une erreur. Je suis désolé de vous avoir fait perdre votre temps.

Il jeta un dernier coup d'œil à Mlle Darcy en se levant. Ma pauvre bien-aimée. Peu importe qui elle était, il n'allait pas la laisser tomber. Elle était peut-être en danger et avait peut-être besoin de son aide. Il commencerait à mener son enquête à son sujet sans plus tarder. Il marcha à grands pas vers la porte.

— Attendez !

Il se retourna. Elle s'était levée.

— Vous… vous n'avez pas vraiment besoin d'expérience, ni même de talent. C'est une émission de téléréalité.

Il ne pouvait s'empêcher de sourire. Et lorsqu'elle lui rendit son sourire, il sut qu'il avait perdu. Tant pis, si c'était une perte de temps. Sean lui avait ordonné de participer à cette émission.

Elle lui lança un regard suppliant.

— Je voudrais que vous fassiez partie de l'émission.

« Je voudrais vous embrasser à en perdre la raison. »

— C'est d'accord.

Elle poussa un soupir de soulagement et lui sourit.

— C'est bien.

Oh, ce serait bon. Son regard descendit sur ses hanches et remonta à son visage.

— C'est même excellent.

Ses yeux s'agrandirent.

— Je… nous nous reparlerons.

— Je suis certain que nous le ferons.

Il vida l'air de ses poumons en sortant de la pièce. Il avait vraiment l'intention de poser les mains sur elle. Très bientôt.

Darcy prit une profonde inspiration et ordonna à son cœur palpitant de se calmer. Adam Olaf Cartwright — le simple fait de penser à lui faisait battre son cœur ridiculement vite. Elle tendit ses doigts tremblants vers sa photo. Bon Dieu, elle pouvait voir ses fossettes sur la photo, et le beau bleu turquoise de ses yeux.

— Est-ce que ça va? demanda Maggie. Tu pouvais à peine parler.

— Je... ça me picotait dans la gorge.

— Vraiment? dit Vanda qui l'observait avec un air amusé. J'aurais juré que ce picotement était un peu plus au sud.

Maggie râla.

— Nul besoin d'être si vulgaire.

— Nul besoin de tout nier.

Vanda se leva et s'étira.

— Allez Darcy, admets-le. Tu es tombée sous le charme de ce type.

Darcy secoua la tête.

— Je suis simplement fatiguée. Ça fait plus de quatre heures que nous passons des auditions à la lie de la virilité.

— La lie est un bon terme, bâilla Maggie. Tu *as* cependant les joues bien rouges.

Darcy s'éventa avec sa photo.

— Il fait chaud ici.

— Je n'ai pas chaud.

Vanda regarda Maggie.

— Tu as chaud, toi?

— Non. En réalité, je trouve qu'il fait même un peu froid ici.

— Ça suffit, vous deux.

Darcy étala toutes les photos sur la table.

— Nous devons choisir les cinq meilleurs candidats.

— Le premier candidat doit être Garth Manly.

Maggie trouva sa photo, puis la donna à Darcy.

— Je suis d'accord, dit Vanda. Et le deuxième devrait être... ah, tiens, Apollon, le dieu du soleil.

Maggie pouffa de rire.

— Son nom est Adam.

Darcy prit la photo des mains de Vanda. Adam, comme le nom du premier homme. Une vision flotta dans son esprit — Adam Olaf Cartwright, cabriolant dans le jardin d'Éden en ne portant rien d'autre qu'un pagne. Non, une feuille de figuier. Une très grande feuille de figuier. Une feuille qui serait emportée au loin par la plus légère brise.

Mince alors! Était-elle si ridiculement superficielle qu'elle pouvait être ainsi décontenancée par un corps magnifique, un beau visage avec des fossettes et une paire d'yeux bleus éblouissants? Elle jeta un coup d'œil à sa photo. Apparemment que *oui*.

Elle poussa un gémissement silencieux, puis reconnut en elle-même que c'était plus qu'un coup de foudre. Adam Olaf Cartwright ne possédait pas qu'une apparence magnifique. Elle avait senti son intelligence, sa bonté, son honnêteté et sa force.

— Tu es encore en train de rougir, l'avertit doucement Maggie.

Darcy s'assit avec un soupir.

— C'est une situation impossible. Vous le savez.

— Peut-être pas.

Vanda s'affala dans sa chaise.

— J'ai entendu des histoires de femmes qui se servent d'un mortel comme jouet sexuel.

Darcy tressaillit.

— Je ne pourrais jamais faire ça.

— Et ce genre de rapport ne dure jamais, ajouta Maggie. Je suis désolée, Darcy. Nous allons arrêter de te taquiner avec ça.

— C'est bien.

Elle mit les photos de Garth et d'Adam de côté, et fouilla ensuite parmi les photos restantes.

— Qu'avez-vous pensé de George Martinez et de Nicolas Poulos?

Elle prit leurs photos dans la pile.

— Ils étaient bien.

Maggie en sélectionna un de plus.

— Et celui-ci était bien, également. Seth Howard.

— Parfait. Nous avons donc terminé.

Darcy plongea la main dans son porte-document à la recherche de son téléphone portable.

— Je vais appeler Gregori afin qu'il passe nous prendre.

Elle parvint à le rejoindre dans sa voiture, et il estima pouvoir être sur place dans une quinzaine de minutes.

Vanda se leva.

— Je suis mieux de me téléporter à la maison. J'ai faim, et ce Garth Manly était plutôt appétissant.

— Alors, va.

Darcy lui tendit rapidement le téléphone.

— Oh, et tente de convaincre les autres femmes de faire partie de l'émission avec toi.

— Je vais essayer.

Vanda haussa les épaules.

— Par contre, elles ne seront pas vraiment disposées à m'écouter, puisqu'elles se battent depuis tantôt.

— Encore une chose, continua Darcy. Jure-moi que tu ne leur diras pas ce que nous avons fait ce soir. Je veux que la présence de mortels sur cette émission soit une surprise pour tous.

Vanda plissa son nez.

— Comment cela pourra-t-il être une surprise ? Nous pouvons les sentir de si loin.

— Je m'en occupe.

Darcy disposa les photos des candidats rejetés dans une pile bien ordonnée.

— Quand je travaillais à Romatech, deux ou trois vampires ont perdu le contrôle et ont mordu des employés mortels.

— Oh, je m'en souviens, dit Maggie. Roman était furieux.

Darcy hocha la tête.

— Cela a totalement anéanti sa mission de rendre le monde sécuritaire pour les vampires et les mortels. Et le fait que cela se soit produit dans sa propre entreprise l'a vraiment contrarié.

— Qu'est-ce qu'il a fait ? demanda Vanda.

— Il a d'abord offert du sang synthétique gratuit à l'ensemble des employés vampires. Cela a fonctionné pendant un moment, mais les morsures ont recommencé. Roman avait peur que les mortels le poursuivent en justice, et que cela attire l'attention sur le monde des vampires. Il a donc développé une chaîne de cheville en plastique couverte d'un produit chimique qui masque complètement le parfum des mortels. Cela fonctionne comme un répulsif à vampires. Les vampires ne pouvant plus sentir les mortels, ils ne sont plus tentés de les mordre.

— Tu comptes utiliser ces chaînes de cheville pour ton émission ? demanda Maggie.

— Oui. Les mortels seront en sécurité. Et il sera impossible de les détecter.

Vanda inclina la tête en réfléchissant.

— Les vampires peuvent aussi détecter les mortels en lisant leurs pensées.

— Il sera interdit de lire dans les pensées ou de contrôler les esprits dans l'émission, annonça Darcy. Cela sera écrit sur le contrat des vampires, sans quoi il serait impossible que le concours se déroule de façon honnête.

— C'est logique.

Vanda composa le numéro de téléphone de l'appartement de Gregori.

— Je dois y aller. L'odeur de ces hommes dans le hall m'a affamée.

Elle fit une pause, puis parla au téléphone.

— Lady Pamela ? C'est bien vous ? Continuez de parler, d'accord ?

Darcy se chargea de tenir le téléphone jusqu'à ce que Vanda ait complètement disparu, et elle le rangea ensuite dans son porte-document.

On frappa à la porte, et Mme Stein jeta un coup d'œil à l'intérieur. Elle parcourut la pièce du regard.

— Où…

Elle regarda dans le corridor vide.

— Je pensais que vous étiez trois.

— Oui.

Darcy lui sourit et changea rapidement de sujet.

— Nous avons pris notre décision. Voici les cinq hommes que nous voulons.

Elle lui tendit les cinq photos autographiées.

— Bien.

Mme Stein s'avança de quelques pas pour prendre les photos en main.

— Voici quelques instructions et les contrats qu'ils auront à signer.

Darcy retira les papiers de son porte-document.

Mme Stein les accepta.

— Je les donnerai à ces pauvres... euh, à ces hommes chanceux.

— Merci. Ils devront remettre ces documents signés au cours des cinq prochains jours afin que nous puissions respecter notre horaire de production. Si vous n'y voyez pas d'objections, ce serait plus simple pour nous s'ils apportaient leurs documents signés ici. Maggie passera le soir de la cinquième journée pour les récupérer.

— Très bien.

Mme Stein quitta la pièce.

Darcy contourna la table.

— Nous avons besoin d'un artiste qui pourra peindre les portraits de tous les concurrents masculins. Penses-tu pouvoir trouver un artiste vampire pour moi?

— Je pense bien que oui. Je vais regarder dans les Pages Noires.

— Bien. Tu me diras quand tu en auras trouvé un. J'ai quelques instructions spéciales pour lui.

Les yeux de Maggie s'agrandirent.

— Est-ce une autre surprise?

Darcy sourit.

— Peut-être.

La foule dans la salle d'attente avait été réduite à environ vingt hommes inquiets. Austin s'imaginait que ceux qui étaient partis sans plus attendre avaient sans doute été rejetés par Mlle Darcy et ses… amies. Cette situation l'agaçait. Pourquoi cette femme intelligente et belle avait-elle des liens avec des vampires ?

Il se dirigea vers la cafetière et fit un signe de la tête à Garrett pour qu'il se joigne à lui. Il versa du café dans une tasse en polystyrène, et joua ensuite avec des sachets de sucre pendant qu'il attendait son collègue.

Garrett s'arrêta à côté de lui et se versa une tasse de café.

— Je pense que je vais être retenu, chuchota Austin. Et toi ?

— Je le pense aussi.

Garrett jeta un coup d'œil derrière lui alors qu'un type court et replet ressemblant à un troll des montagnes marchait près de lui.

— Heureusement pour nous, la rivalité n'était pas très relevée.

— Tu penses ?

Austin serra les dents. Garrett ne s'était-il pas rendu compte que Mme Stein s'était organisée pour qu'ils paraissent bien ?

— Qu'as-tu pensé des trois… femmes ?

— Elles sont certainement… tu sais.

— Les trois ?

— Non, celle qui est en bleu est normale.

Enfin, extraordinaire était le mot juste, mais elle était certainement vivante.

Garrett versa un peu de crème en poudre dans son café.

— Je dois te dire que je ne suis pas d'accord.

Les nerfs d'Austin se raidirent. Il baissa la voix.

— Je suis entré dans son esprit. Elle pensait au soleil, à la plage et à la famille.

— Vraiment ? Je n'ai pu entrer dans leurs têtes.

— Tu n'es pas aussi fort que moi. Sans vouloir te vexer, cela dit.

— Cela ne me vexe pas. Je pourrais malgré tout jurer que…

Garrett se tut lorsque le troll des montagnes s'approcha pour prendre du café à son tour.

Austin parla de nouveau d'une voix normale.

— Je ne crois pas que nous nous soyons présentés. Je suis Adam Cartwright.

— Et moi, Garth Manly.

Garrett lui serra la main.

— Je suis Fabio Funicello, grogna le troll des montagnes en vidant cinq sachets de sucre dans son café.

— Heureux de vous rencontrer.

Austin se glissa dans un coin désert de la pièce et Garrett le suivait non loin derrière.

— Tu disais ?

Garrett regarda autour de lui pour s'assurer qu'on ne pouvait pas les entendre.

— Je pouvais voir mon reflet dans les fenêtres de la salle de conférences qui donnaient sur la rue.

— Et alors ?

Une lourde pierre vint s'installer dans le ventre d'Austin.

Garrett baissa la voix et chuchota.

— Je ne pouvais voir le reflet des femmes. De toutes ces femmes.

Un frisson parcourut l'échine d'Austin. Merde alors.

— Ce… ce n'est pas une preuve suffisante. C'était peut-être l'éclairage, l'endroit où tu te trouvais, et plusieurs autres facteurs.

Garrett haussa les épaules.

— Peut-être, mais je te parie tout de même que ces trois-là ne sont pas… à l'aise sur une plage en plein jour.

Des élancements de douleurs se manifestèrent dans l'estomac d'Austin. Le café laissa un goût amer dans sa bouche, et il déposa la tasse sur une table voisine. Ça ne pouvait être vrai.

— Non, attends une minute. Sean a dit qu'une dame avait appelé cette agence au cours de l'après-midi. En plein jour. Ça devait être Darcy.

Elle devait être vivante.

La voix de Mme Stein retentit dans la pièce.

— Puis-je avoir votre attention, s'il vous plaît ?

Les hommes se turent.

— Cinq candidats ont été retenus pour faire partie de l'émission de téléréalité *L'homme le plus séduisant sur terre*. Ceux qui entendront leurs noms devront rester ici pour que je puisse leur remettre les contrats.

Elle fit une pause, et l'atmosphère dans la pièce devint plus tendue. Les hommes desserrèrent leurs noeuds de cravate et serraient les poings dans l'attente des résultats. Fabio grimpa sur une chaise afin de voir ce qui se passait.

— Garth Manly, annonça Mme Stein avec un sourire satisfait en regardant Garrett.

Son sourire s'effaça tandis qu'elle prononça en vitesse les quatre autres noms de la liste.

— Adam Cartwright, Nicolas Poulos, George Martinez et Seth Howard. Félicitations.

La pièce bourdonnait avec des cris de joie et des gémissements propres à la défaite. Austin en profita pour se pencher vers Garrett et lui chuchoter d'appeler Sean pour lui dire que ses deux hommes avaient été retenus.

Garrett hocha la tête et tira son téléphone portable de sa poche. Fabio sauta en bas de sa chaise en poussant un grognement de mécontentement, puis sortit par la porte en se dandinant. D'autres hommes déçus marchèrent en se traînant les pieds, tandis que les trois autres hommes retenus s'agglutinaient autour de Mme Stein. Elle leur donna leurs contrats, puis marcha à grands pas vers Austin et Garrett.

Garrett compléta son appel à Sean et glissa son téléphone portable dans sa poche.

— Je suppose que je dois vous féliciter.

Mme Stein les considéra avec tristesse.

— Voici vos contrats.

— Merci.

Austin prit le sien et y jeta un coup d'œil.

— Mme Stein, avez-vous remarqué quoi que ce soit d'inhabituel ce soir?

Elle prit un air revêche.

— La soirée tout entière était des plus ridicules. Les acteurs de mon agence sont très talentueux, mais ils ne conviennent pas tous à un concours qui s'appelle *L'homme le plus séduisant sur terre*.

— Que pouvez-vous me dire au sujet de Mlle Darcy? demanda Austin. Est-ce que c'est son nom?

— Je l'ignore.

Mme Stein s'approcha de lui.

— Est-ce que le Réseau de vidéo numérique est un réseau en bonne et due forme? Je n'ai jamais entendu parler d'eux.

— Ils sont réglo. Ça fait plus de cinq ans qu'ils diffusent sur les ondes.

— Hum.

Mme Stein fronça les sourcils en remettant le contrat à Garrett.

— Elles m'ont semblé un peu étranges.

— Ouais, acquiesça Garrett. Cette femme aux cheveux mauves était très étrange.

Elle fit un signe de la main pour réfuter cette observation.

— Je travaille toujours avec des créateurs. J'ai l'habitude de ce genre de style. Ce que j'ai trouvé étrange, c'était cette façon qu'elles avaient de…

— De? insista Austin.

— Enfin, voilà.

Mme Stein regarda autour d'elle, puis baissa la voix.

— Elles étaient deux à leur arrivée ici, puis elles étaient trois. Et quand je suis revenue à la fin des auditions, elles n'étaient plus que deux. Je n'ai jamais vu cette femme aux cheveux mauves arriver ici, ou même repartir. Et vous ?

Austin échangea un regard avec Garrett. Cette Vanda Barkowski aux cheveux mauves s'était manifestement téléportée, ce qui signifiait qu'elle était certainement une femme vampire.

— Ne vous inquiétez pas, Mme Stein. Je suis certain qu'il y a une explication toute simple.

Elle râla.

— Je ne suis pas stupide, monsieur… Cartwright.

Garrett lui toucha l'épaule.

— Ne laissez pas ceci vous contrarier, madame. Nous avons la situation bien en main.

Elle sourit à Garrett.

— Je remercie Dieu que notre sécurité nationale soit entre des mains aussi compétentes que les vôtres.

« Les miennes ne le sont pas ? »

— Bon, je vais y aller, maintenant.

Austin hocha la tête en direction de Mme Stein et de Garrett.

— Bonne nuit.

Alors qu'il attendait l'ascenseur, Austin composa le numéro de l'assistance annuaire afin d'obtenir des informations sur le Réseau de vidéo numérique de Brooklyn. Il retira son calepin de notes de sa poche de manteau et nota le numéro.

— Merci.

Il attendit d'être hors de l'édifice et d'être en train de marcher sur le trottoir achalandé avant de faire son prochain appel.

— Ici RTVN, répondit la réceptionniste avec une voix nasillarde. Si vous n'êtes pas au numérique, on ne vous verra pas.

Voilà qui était logique… pour les vampires.

— C'est un slogan accrocheur.

— C'est boiteux, mais je dois le dire chaque fois que je réponds au téléphone. Que voulez-vous ?

— Mon nom est… Damien, et j'ai un message de rappeler… laissez-moi voir… merde, je ne peux pas déchiffrer l'écriture. Darcy… C'est la nouvelle réalisatrice de cette émission de téléréalité.

— Oh, vous voulez dire Darcy Newhart?

« Eurêka ! »

— Ouais, c'est ça. Est-elle là?

— Elle n'est pas là, en ce moment.

La réceptionniste fit une pause.

— Elle sera ici, demain soir, sans faute. Participerez-vous aux auditions?

— Ouais, je crois bien.

— Bon. Nous attendons les candidats demain soir et vendredi soir, dès 22 h. Vous feriez mieux d'arriver tôt. Nous nous attendons à un taux de participation record.

— Je ferai cela. Merci.

Austin empocha son téléphone. *Darcy Newhart*. Il faisait des progrès. Il grimpa dans sa voiture et se rendit au bureau. Emma était là, à parcourir des rapports de police tandis que le RTNV diffusait ses informations sur son écran d'ordinateur.

Il se rendit directement à son bureau et fit une recherche sur Darcy Newhart. Il obtint une liste d'articles de journaux. Il regarda les titres, en état de choc. *Une journaliste locale manque à l'appel. Où est Darcy? On craint que la journaliste ait été assassinée.*

Les doigts d'Austin étaient quelque peu engourdis tandis qu'il cliquait sur le premier article. *Date : Le 31 octobre 2001.* Le jour de l'Halloween, quatre ans auparavant. Il était à Prague, à cette époque. *Lieu : La boîte de nuit de vampires Les canines d'occasion, dans le quartier Greenwich Village.* Un endroit où les jeunes faisaient semblant d'être des vampires. Des jeunes se souvenaient d'avoir vu Darcy et son caméraman quitter les lieux par la porte arrière. On n'avait plus jamais revu Darcy.

C'était mauvais signe. Austin cliqua sur l'article suivant. Darcy manquait toujours à l'appel, trois jours plus tard. Le caméraman avait été retrouvé dans le Battery Park, et il avait souffert du froid. Il avait été admis à l'hôpital psychiatrique Shady Harbor, et bredouillait que Darcy avait été enlevée par des vampires.

C'était vraiment un mauvais signe. La main d'Austin tenait la souris encore plus fort, lorsqu'il cliqua sur le dernier rapport. Une image de Darcy apparut sur l'écran. Elle avait la même apparence sur la photo que celle qu'elle avait maintenant et semblait aussi jeune, mais bon, quatre années ne pourraient faire une si grande différence. Deux semaines s'étaient écoulées depuis sa disparition. Son corps n'avait jamais été retrouvé, mais un couteau couvert de sang avait été découvert à l'extérieur de la boîte de nuit, avec une mare de sang du même type que le sien. Les autorités avaient décidé qu'elle était probablement décédée.

Décédée? Cela voudrait donc dire qu'elle était maintenant une femme vampire.

Cinq

Austin acheva sa recherche sur Darcy Newhart.

Née à San Diego, elle était l'aînée d'une famille comptant trois filles. Âgée de 28 ans au moment de sa disparition, il se demandait si elle avait continué à vieillir, ou si elle allait avoir 28 ans pour l'éternité.

Il se mit ensuite à enquêter sur ses deux collègues. Le nom de Vanda Barkowski ne le mena nulle part, mais il parvint à localiser un acte de naissance pour Margaret Mary O'Brian, la date inscrite étant 1865. Ses parents avaient émigré aux États-Unis depuis l'Irlande, à l'époque de la famine liée aux pommes de terre. Maggie était la huitième enfant d'une famille de douze, mais seulement sept d'entre eux franchirent leur dixième anniversaire de naissance. La pauvre fille avait eu une vie difficile. Il espérait qu'elle était meilleure pour elle à présent.

Nom d'un zombie, à quoi pensait-il donc ? C'était une femme vampire. Le sang synthétique n'existait que depuis environ 18 ans. Elle avait donc vécu pendant de très nombreuses années en attaquant les humains. Il ne devait pas ressentir de compassion pour ces monstres.

Le soleil frappait contre les stores de sa fenêtre, projetant des rayons de lumière sur son bureau. Il se dirigea vers la fenêtre pour jeter un coup d'œil à l'extérieur. Les trottoirs étaient déjà occupés par les gens qui se rendaient au travail, et les rues étaient remplies de camionnettes et de camions de livraison. Et Darcy? Était-elle en train d'observer le lever du soleil, ou était-elle cachée quelque part, le cœur arrêté jusqu'au soir?

Il rassembla ses notes et ses photos avant de se rendre en voiture à la station de télévision où Darcy avait travaillé, dans le quartier Queens. Il montra son insigne, puis écouta le gestionnaire de la station parler de Darcy pendant une heure. Tout le monde l'avait aimé. Certains s'accrochaient toujours à l'espoir qu'elle n'était pas morte. Austin leur fit la promesse de faire de son mieux pour résoudre le mystère de sa disparition, et il quitta ensuite la station avec une boîte remplie de bandes vidéo des reportages de Darcy. Il déposa la boîte dans le coffre de sa voiture et se rendit à son appartement situé à Greenwich Village.

Il s'installa sur le canapé avec une bière et un sandwich et commença à regarder les reportages de Darcy. Il s'était imaginé que ce serait un exercice ennuyeux, mais elle le faisait sourire, et même rire avec les folles situations dans lesquelles elle s'était foutue. Il regardait sa tentative d'entrevue avec une femelle hippopotame enceinte, au Zoo du Bronx, quand il tomba finalement endormi. Et il rêva d'elle.

À son réveil, le téléviseur le salua avec un bruit de friture et de la neige sur l'écran. Il éteignit sa télévision et son magnétoscope, et remarqua l'heure. Il était 18 h 40. Merde. Il allait être en retard à la rencontre hebdomadaire de 19 h. Il appela au bureau, et Sean l'étonna en lui disant de prendre quelques jours de congé.

— Est-ce que tu as déjà signé ton contrat? demanda Sean.

— Pas encore. Je vais m'en occuper.

Austin raccrocha et fouilla dans ses papiers jusqu'à ce qu'il trouve le contrat du RTNV. Un paragraphe étrange retint son attention. Pourquoi ne pas poser la question à Darcy ? Après tout, il savait où elle allait être ce soir.

Les auditions au RTNV devaient commencer à 22 h, et Austin décida donc de se pointer à 21 h. Il glissa deux pieux dans la poche intérieure de sa veste. Il croyait que ces pieux et son crucifix en argent sous sa chemise seraient suffisants pour le protéger.

Il hésita quelque peu à l'entrée de l'édifice. Les lettres RTNV rougeoyaient au-dessus de sa tête.

« Agis normalement », pensa-t-il. Tu ne sais pas que les vampires existent. Tu es un pauvre innocent. »

Ouais, et il se sentait comme un mouton sur le point d'entrer dans l'antre d'un lion.

Il poussa la porte et entra. Le hall était spectaculaire, entièrement décoré dans des nuances de rouge et de noir. Quelques hommes fainéantaient dans des chaises de cuir rouge. Ils le regardèrent et reniflèrent. Il marcha à grands pas vers le bureau de la réceptionniste. Les vêtements de cette dernière étaient bien assortis avec la pièce. Elle était vêtue de noir et portait un foulard rouge autour de son cou. Jusqu'à ses cheveux qui étaient teints en noir, avec des mèches rouge vif. Elle était en train de limer ses ongles couverts de vernis rouge.

— Bonsoir.

Elle ne leva pas les yeux, se contentant de pointer un presse-papiers du doigt.

— Si vous êtes ici pour les auditions, signez le registre, dit-elle avec sa voix nasillarde.

— Je suis ici pour voir Darcy Newhart.

Elle leva finalement les yeux et renifla.

— Pourquoi êtes-vous ici ?

— Je dois voir Darcy Newhart. J'ai des affaires à régler avec elle.

Il lui montra l'enveloppe brune qu'il tenait dans sa main.

— Mais vous êtes un…

Elle ferma soudainement la bouche, réalisant sans doute qu'elle ne devrait pas admettre qu'elle n'était pas aussi vivante que lui.

— Euh, bien sûr. Son bureau est un peu plus loin dans le corridor. La cinquième porte à droite, juste avant d'arriver au studio d'enregistrement.

— Merci.

Austin s'avança dans le corridor, conscient que tous les vampires dans le hall lui fixaient le dos. Il frappa à la porte, mais n'eut pas de réponse.

— Mlle Newhart?

Il entrouvrit la porte. Il n'y avait personne, mais les papiers sur son bureau révélaient qu'elle s'y était trouvé peu de temps auparavant. Il se glissa à l'intérieur et ferma la porte. C'était un petit bureau sans fenêtre, avec un vieux bureau et un vieil ordinateur. Les deux chaises qui faisaient face au bureau semblaient provenir d'un vieil hôtel.

Il examina son bureau, et ses yeux s'arrêtèrent sur un grand verre en papier. Il était couvert d'un couvercle de plastique opaque, et une paille était fichée dans un trou. Il le prit. Il était presque vide, et très froid. C'était une bonne chose. Quel vampire voudrait boire du sang froid? Il souleva le verre et l'approcha de son nez. Ça sentait le chocolat. Il y avait une autre odeur, mais il n'en était pas aussi certain que pour celle du chocolat. Il sourit. Elle devait être vivante. Il devrait cependant y goûter, simplement pour s'en assurer. Il commença à retirer le couvercle.

La porte s'ouvrit. Darcy Newhart marcha à grands pas à l'intérieur, puis s'arrêta brusquement. Elle fut aussitôt bouche bée, tout comme lui. Il n'avait cependant pas de raison d'être surpris, mais avait toutefois oublié à quel point il était troublé par sa présence. Sa réaction physique fut immédiate : son cœur se mit à battre la chamade, et son membre à prendre de l'ampleur.

Ses cheveux étaient dénoués et reposaient sur ses épaules. Elle était vêtue d'un pantalon kaki et d'un t-shirt bleu, qui moulait parfaitement ses seins. Ce dernier n'avait pas de message imprimé du genre « Chaude minette », ce qui aurait été ridiculement superflu dans son cas.

— Bonsoir.

Il se concentra sur son visage, afin de pouvoir détacher ses yeux de son corps magnifique.

— Salut.

Ses joues s'empourprèrent. Elle ferma lentement la porte.

— Je suis un peu surprise, M. Cartwright.

Son regard se posa sur le verre qu'il tenait dans sa main, et son visage devint tout pâle.

— Je suis désolé.

Il replaça le couvercle et déposa le verre sur le bureau.

— Ça sent rudement bon. C'est un lait frappé au chocolat ?

— Pas exactement. Je…

Elle se précipita vers le bureau, s'empara du verre et le jeta à la poubelle.

— J'ai une intolérance… au lactose. Voudriez-vous quelque chose à boire, M. Cartwright ?

Elle se dirigea vers la porte.

— Je pourrais aller vous chercher…

— Ça va, merci.

Il sourit pour tenter de la mettre à son aise.

— Puisque nous allons travailler ensemble, pourquoi ne m'appelleriez-vous pas Adam ?

— D'accord.

Elle passa devant lui et contourna son bureau.

— Que puis-je faire pour vous… Adam ?

— J'ai une question au sujet du contrat.

Il ouvrit l'enveloppe et en sortit les documents.

— Ne pensez-vous pas que votre agente devrait se charger de cela ?

— Je dois vous avouer que Mme Stein était quelque peu confuse à ce sujet, elle aussi.

Du moins, Austin présumait qu'elle l'aurait été. Il se rendit à la page six et pointa du doigt les petits caractères au bas de la page.

— Voici le passage dont je veux vous parler : *Le RTNV n'est pas responsable des blessures qui pourraient survenir pendant la période où vous travaillerez pour le réseau. Cela comprend les pertes de sang, les blessures par perforation et les décès.*

Il leva les yeux vers Darcy. Son visage était devenu blanc comme un drap.

— Cela me semble un peu extrême, ne croyez-vous pas ?

Elle glissa nerveusement ses cheveux derrière son oreille.

— C'est la norme pour le RTNV. Le réseau aime bien se protéger contre à peu près toutes les possibilités. Vous savez, les gens ont tendance à poursuivre tout le monde en justice, ces temps-ci, et souvent pour des choses très insignifiantes.

— Je ne pense pas que des blessures par perforation ou des décès sont des choses insignifiantes.

Elle leva une main dans les airs.

— Tout peut arriver. Nous allons filmer l'émission dans un appartement de grand luxe. Vous pourriez tomber dans les escaliers, trébucher sur un tapis, et…

— Tomber sur une fourchette ?

— Pardon ?

— Des blessures par perforation, Mlle Newhart. Comment croyez-vous que je pourrais me retrouver avec la peau perforée ?

« En subissant l'assaut d'une paire de canines ? »

Son œil eut un tic.

— Je reconnais que la formulation est peu commune, mais l'intention est claire. Le RTNV ne peut être tenu responsable des blessures qui peuvent survenir pendant le tournage de l'émission.

— Allez-vous exiger que nous fassions quoi que ce soit de dangereux ?

— Non, bien sûr que non. Croyez-moi, M. Cartwright, je prends toutes les dispositions possibles pour assurer votre sécurité.

— Vous êtes préoccupée par notre sécurité?

— Bien sûr. J'ai horreur de voir des mor... des personnes innocentes se blesser.

Elle avait presque dit des *mortels*, ce qui semblait un peu étrange, puisqu'elle était elle-même une mortelle. N'est-ce pas? Merde! Il fallait qu'il en ait le cœur net.

— Vous êtes gentille, Mlle Newhart.

Il prit sa main dans la sienne. Ses doigts étaient froids.

— Merci.

Ses yeux se fixèrent sur leurs mains réunies.

— Je ne suis toutefois pas celle que vous devrez impressionner. Il y aura cinq femmes juges qui décideront du résultat du concours.

Il enveloppa sa main avec les siennes.

— Je ne suis pas intéressé par vos cinq juges ou par le concours.

Elle leva soudainement les yeux.

— Vous ne voulez pas faire partie de l'émission? Je vous prie de ne pas laisser la formulation de ce paragraphe vous en dissuader.

Il glissa deux doigts autour de son poignet.

— Croyez-vous que je pourrais remporter le titre d'un concours portant le nom de *L'homme le plus séduisant sur terre*?

— Je... je crois que vous avez une bonne chance de l'emporter. Et cela sera certainement intéressant pour votre carrière d'acteur, vous ne pensez pas?

Il pressa le bout de ses doigts sur la peau douce de ses poignets.

— Je ne veux pas vraiment être considéré comme un jouet sexuel.

«Sauf par vous.»

— Je comprends. Je me sentirais tout à fait comme vous.

Ses joues rougirent.

— Je réalise que vous n'avez pas entendu la dernière nouvelle. Notre producteur, M. Bacchus, vient d'annoncer que le gagnant recevra un million de dollars ! Cela devrait vous convaincre de participer à l'émission, non ?

— Pas vraiment.

Il se concentra sur le bout de ses doigts. Oui, là ! N'était-ce pas un pouls ?

Elle le regarda en fronçant les sourcils.

— Je ne comprends pas. Si vous n'êtes pas intéressé par le titre ou par l'argent, alors pourquoi me posez-vous des questions au sujet du contrat ?

Oui ! C'était certainement un pouls. Il le sentait palpiter rapidement contre le bout de ses doigts. Enfin, une preuve positive. Darcy Newhart était vivante. *Vivante !*

— M. Cartwright ?

Elle retira sa main de son emprise et le considéra avec un regard perplexe.

— Pourquoi êtes-vous ici ?

Il sourit lentement.

— Mlle Newhart, je suis ici à cause de vous.

Elle prit une brève inspiration et se déplaça d'un pas vers l'arrière.

— M. Cartwri…

— Je croyais que vous aviez accepté de m'appeler Adam.

— Je… j'ai accepté, mais vous êtes peut-être tombé sur la mauvaise…

— Et ensuite, normalement, vous devriez me faire la même proposition, et me suggérer de vous appeler Darcy. Vous ne pensez pas ?

— Normalement, peut-être, mais ce n'est pas exactement normal…

— Vous avez raison.

Il s'approcha d'elle.

— Il se passe quelque chose de spécial. Je le sens. Et vous ?

Ses yeux s'agrandirent. Elle sembla nerveuse, et il se demanda pendant un moment s'il ne lui mettait pas trop de pression. Son état agité pouvait être causé par le désir ou par la peur.

Elle passa sa langue sur ses lèvres.

— Je…

— Est-ce que c'est un oui ?

Il lui toucha le cou.

— Je…

Ses yeux se posèrent sur sa bouche, et elle passa de nouveau sa langue sur ses lèvres.

— Je ne pense pas que ce soit sage pour nous de… enfin, je suis la réalisatrice de l'émission.

— Alors, dirigez-moi.

Il referma sa main sur sa nuque. Ses cheveux étaient doux contre sa peau.

— Dites-moi quoi faire.

Bon Dieu, il avait vraiment envie de l'embrasser, mais allait-il trop vite ? Il n'avait qu'à jeter un petit coup d'œil dans son esprit. C'est tout ce dont il aurait besoin. D'un tout petit coup d'œil.

C'était si facile. Il s'y glissa telle une brise, et son esprit se déploya comme une voile blanche éblouissante au soleil. Il caressa ses pensées. Elle était chaude de désir. De désir pour lui.

« Apollon, le dieu du soleil. »

Il se retira, fort étonné. Elle pensait qu'il ressemblait à un dieu ? Ça allait être difficile de réaliser une performance à la hauteur de ses attentes.

Son visage rougit. Elle semblait si chaude et délicieuse, et il décida de rejeter l'ensemble de ses doutes. Elle le *désirait* vraiment. Il l'avait senti dans son esprit, et cela était suffisant pour qu'il se sente aussi puissant qu'un homme qu'on élevait au rang d'un dieu.

Ses yeux se fermèrent.

— Je ne peux pas…

— Vous ne pouvez pas m'embrasser ?

Il posa doucement ses lèvres sur le coin de sa bouche.

Un tremblement lui parcourut le corps.

— Je ne peux pas… résister.

Elle lui saisit les épaules.

Oh, elle le voulait vraiment. Il planta sa bouche fermement sur la sienne, assaillant ses lèvres et les moulant aux siennes. Il la rapprocha de lui, et les mains de Darcy plongèrent dans ses cheveux, le tirant tout près d'elle.

Il envahit sa bouche. Jésus-Christ, elle le laissait entrer. Elle le ressentait aussi, ce puissant appétit. Comment deux êtres qui étaient encore des étrangers pouvaient-ils avoir un si grand besoin l'un de l'autre ? C'était plus que de l'appétit physique ; c'était leurs âmes qui cherchaient à se nourrir.

Sa langue se mêla à la sienne, laissant sur elle un léger goût de chocolat. Oh, comme elle était douce. Des pieds à la tête. Ses mains descendirent au bas de son dos, et lui encerclèrent la taille. Il la tira vers elle, la plaquant contre son érection. Elle poussa un gémissement et se colla sur lui.

Il lui mordilla la gorge avec des baisers avant de remonter près de son oreille. Ses mains glissaient sur ses fesses, pressant sa peau et faisant frotter ses hanches contre son aine.

— Darcy, lui chuchota-t-il à l'oreille. Je le savais. Dès que je vous ai vu. Je savais que nous étions faits l'un pour l'autre.

Ses mains lui saisirent les épaules, puis elle poussa un gémissement douloureux en le repoussant.

— Non !

Il recula.

— Qu'est-ce qu'il y a ? Qu'est-ce qui ne va pas ?

Elle respira bruyamment, puis croisa ses bras.

— Je… je suis désolée.

— Ne soyez pas désolée. Je ne suis pas désolé.

Les traits de son visage se décomposèrent.

— Je ne peux pas. Je ne peux pas laisser cela se produire.

— Ma douce, ça s'est déjà produit.

— Non!

Elle prit une grande inspiration chancelante, et son visage devint de marbre.

— Il faut que notre lien demeure professionnel. J'ai besoin de cet emploi.

— Je ne ferai rien pour le mettre en danger. Je ne vous ferai jamais de mal.

Elle secoua la tête, puis serra ses bras encore plus fort contre elle.

— Darcy, je vous en prie, si vous avez besoin de quoi que ce soit, dites-le-moi. Je pourrais vous aider.

Elle demeura muette, puis fronça les sourcils comme si elle était aux prises avec un dilemme d'ordre personnel. Elle parla enfin.

— Si vous voulez vraiment aider, vous allez accepter de participer à cette émission.

— D'accord, j'accepte.

Il s'empara d'un stylo sur son bureau et signa le contrat. Il risquait de subir une blessure par perforation, ou même de mourir, mais ce risque en valait la peine.

— Je suis sérieux, Darcy. Si vous avez des ennuis, s'il y a quelque chose… qui vous menace ou qui vous fait peur, je veux que vous m'en fassiez part.

Elle déglutit.

— Je vais bien.

Elle n'allait pas bien. C'était une mortelle qui vivait parmi les vampires. Il devait gagner sa confiance afin qu'elle puisse se confier à lui.

— Je vais recevoir de nouveaux candidats en audition dans quelques minutes. J'ai besoin d'un peu de temps pour me préparer.

Elle voulait qu'il parte. Sensible comme il l'était, il allait sûrement comprendre à demi-mot.

— Nous pourrions nous revoir plus tard pour prendre un café.

Son sourire était résigné et las.

— J'apprécie votre offre, mais je ne sais pas combien de temps dureront ces auditions.

— Demain soir, alors ?

Elle replaça les papiers qui se trouvaient sur son bureau. Elle tentait tant bien que mal de dissimuler le fait que ses mains tremblaient, mais les papiers tremblaient eux aussi.

— J'ai d'autres auditions, demain.

— Samedi soir ?

Il n'avait aucune fierté.

— Je dois assister à un mariage.

— Pas le vôtre, j'espère.

— Non, certainement pas. Ils forment toutefois un joli couple.

Un regard triste et mélancolique s'afficha brièvement sur son visage.

— Je pense qu'ils seront très heureux tous les deux.

— Est-ce que je les connais ?

— Je doute que vous connaissiez Roman ou Shanna.

Il se concentra pour ne pas laisser son visage trahir sa surprise. Merde alors ! L'annonce de ce mariage avait été faite seulement quelques jours auparavant. Comment allait-il pouvoir dire à Sean que le mariage aurait lieu samedi soir ?

— Je n'ai jamais entendu parler d'eux. Qui est votre ami ? Le futur mari ou la future épouse ?

— Je... je connais le futur mari depuis quelques années, mais la future épouse est également mon amie.

— Avez-vous envie que je vous accompagne ?

Le malaise qu'Austin put déceler sur le visage de Darcy lui fit comprendre qu'il insistait un peu trop.

— Je suis désolé. Je ne devrais pas m'inviter. Ce sera sûrement un de ces grands mariages dans une église, n'est-ce pas ?

Ses joues rougirent tandis qu'elle farfouillait dans une pile de papiers sur son bureau.

— Vous... nous aurons besoin d'un portrait de vous. J'ai laissé l'information à Mme Stein, mais j'ai encore une copie ici.

Elle s'empara d'un bloc de notes autocollantes et y inscrivit l'adresse rapidement. Elle détacha ensuite la note où se trouvait l'information et la lui tendit.

Elle n'avait manifestement pas envie de discuter d'un mariage de vampire. Il devait lâcher le morceau pour l'instant, faute de quoi elle commencerait à se poser des questions. Il prit la note, et leurs doigts se touchèrent. Il eut aussitôt l'envie de la prendre immédiatement dans ses bras. Désespérément envie.

— Darcy.

Ses yeux lui répondirent pendant quelques secondes, avec une expression de douleur et de désir, puis elle cligna des yeux et détourna le regard.

— Nous ne pouvons pas… perdre le contrôle de nouveau.

Comment allait-elle parvenir à ne pas succomber ? Elle était manifestement attirée par lui. Il n'allait certainement pas ignorer cela, surtout lorsqu'il avait les mêmes sentiments envers elle.

— On se reparle.

Il plaça la note dans sa poche et quitta son bureau.

En route vers la maison, il composa le numéro sur la note et prit un rendez-vous pour son portrait. L'artiste travaillait seulement la nuit, et Austin assuma que c'était un vampire.

Il se mit ensuite à composer le numéro de Sean, mais il s'arrêta avant d'avoir terminé. Comment pourrait-il parler du mariage à Sean ? Ce dernier allait mobiliser toutes ses ressources pour découvrir l'heure et le lieu de la cérémonie, et il ordonnerait ensuite à son équipe de passer à l'attaque avec des arbalètes en tirant des flèches de bois sur tout le monde. Darcy allait être à cette cérémonie. Et si elle se faisait blesser, ou même tuer ? Cela risquait de se produire s'il transmettait cette information à Sean. Comment pourrait-il alors vivre en paix avec lui-même si Darcy devait en souffrir ?

Elle pensait réellement que Shanna et Roman formaient un beau couple. Comment une mortelle pouvait-elle penser cela ? Elle les connaissait tous les deux. Peut-être avait-elle raison. Austin avait vu Roman et Shanna ensemble, dans Central Park. Ils s'étaient étreints et avaient semblé authentiquement heureux.

Shanna avait essayé de convaincre l'équipe de Surveillance que ce Roman était un homme bon. Il avait inventé le sang synthétique, qui sauvait des millions de vies humaines. Et selon Shanna, il encourageait des milliers de vampires à renoncer au sang humain en faveur du sang synthétique, protégeant ainsi les humains des attaques. Sean avait rejeté toutes ses déclarations en disant qu'elles étaient la conséquence d'un lavage de cerveau, mais Austin n'en était plus aussi sûr, à présent.

Merde, quel gâchis ! Austin serra le volant entre ses mains. Pour la première fois de sa carrière, il était fortement tenté de dissimuler des informations essentielles à son supérieur.

Six

Austin passa le reste de la nuit à regarder d'autres reportages de Darcy pour la chaîne Local Four News sur des bandes vidéo. Il tentait en même temps de trouver une logique au dilemme dans lequel il se trouvait. Il compila une liste des vampires qu'il avait identifiés au cours des derniers jours. Il y avait deux amies de Darcy, soit Maggie O'Brian et Vanda Barkowski. Elles semblaient plutôt inoffensives. Il ajouta le nom de Gregori Holstein, et se demanda quel genre de rapport ce vampire avait avec Darcy. C'était sûrement un rapport amical, puisqu'il la conduisait dans la ville avec sa Lexus, mais amical à quel point? Austin se rendit compte qu'il commençait à se sentir possessif, lorsqu'il était question de Darcy Newhart.

Dieu merci, il n'avait pas à écrire son nom sur cette liste. Ce mystère avait été résolu. Darcy avait un pouls, donc elle devait être mortelle. Le mystère de sa situation demeurait toutefois entier. Pourquoi avait-elle disparu, quatre années plus tôt, le soir de l'Halloween? Et pourquoi vivait-elle dans le monde des vampires?

Et comment pouvait-elle y vivre depuis si longtemps tout en demeurant indemne?

Shanna pouvait-elle avoir raison? Y avait-il une faction de vampires paisibles qui ne voulaient pas s'en prendre aux humains? Austin s'avachit sur son canapé, puis passa ses mains dans ses cheveux. Tout lui avait toujours paru très clair auparavant. Il y avait de bons types et de mauvais types, et les bons types étaient censés gagner. Lors de son passage à Prague, les mauvais types avaient été ceux qui voulaient massacrer les innocents à cause de leur race ou de leur religion. Le fait qu'ils massacraient des innocents faisait d'eux de mauvais types. C'était clair et net. Pas de questions, et pas de regrets.

À présent, l'ennemi était le vampire, qui tuait des innocents pour s'en nourrir ou pour le plaisir. C'était clair et net. C'était des démons, et ils méritaient de mourir.

C'était toutefois avant qu'il en sache plus à leur sujet. Roman Draganesti était sur le point de se marier. Comment un démon pouvait-il tomber amoureux? S'ils étaient maléfiques, alors pourquoi certains d'entre eux buvaient du sang synthétique d'une bouteille, occupaient des emplois et regardaient des feuilletons à la télévision? Plus il apprenait de choses sur eux, plus il leur trouvait une ressemblance avec les humains.

Il soupira et marcha vers son lit en se traînant les pieds. Peut-être que ce serait plus clair dans sa tête après un peu de sommeil.

Il se réveilla tard, vendredi après-midi, et mangea un bol de céréales tout en visionnant le contenu de la dernière bande vidéo. Darcy avait fait un reportage sur la fête entourant le 103e anniversaire de naissance de Mabel Brinkley, de Brooklyn. Mabel avait tenu un bar clandestin dans les années 1920 et avait survécu à six maris. Le secret de sa longévité était un verre de bourbon Wild Turkey quotidien. Puis, Darcy avait parlé d'un concours où les participants mangeaient des *cannolis*, dans la Petite Italie, d'un concours de beauté d'artistes travestis, dans le quartier Queens, et des obsèques de la pauvre Mabel, qui était décédée dans le lit d'un professeur de danse cubain de 52 ans. Hector s'était hélas spécialisé dans la rumba, et non dans la réanimation d'urgence.

Austin souriait en regardant les reportages de Darcy. Son patron lui donnait manifestement les pires sujets de reportages, mais elle s'en tirait toujours avec intelligence et charme. Pas étonnant que tout le monde l'aimait à la station.

Austin fut consterné lorsqu'il comprit que la dernière bande vidéo ne contenait aucun reportage mettant Darcy en vedette. C'était plutôt des reportages d'autres journalistes qui faisaient état de sa disparition. On pouvait y voir la boîte de nuit de vampires et l'allée dans Greenwich Village où elle avait été vue pour la dernière fois. Le caméraman avait même fait un gros plan sur la sombre tache de sang qu'ils avaient trouvée sur le sol. Le sang de Darcy.

Un porte-parole de la police confirma qu'un grand couteau avait été trouvé sur la scène du crime, et que le sang sur le couteau était celui de Darcy. Les entrevues avec les jeunes à l'intérieur de la boîte de nuit étaient toutes similaires. Ils croyaient qu'elle avait été attaquée par un vrai vampire.

Austin bondit sur ses pieds et marcha à pas mesurés dans son appartement. Il devait obtenir une copie des rapports de police. Il devait aussi interroger son caméraman. La façon la plus simple d'obtenir des réponses était bien sûr de poser ses questions à Darcy, mais cela anéantirait sa couverture. Comment pouvait-elle supporter de vivre parmi les vampires, si elle avait été attaquée par l'un d'eux ? Et pourquoi un vampire aurait-il choisi de la poignarder au lieu de la mordre ? Cela ne rimait à rien, merde ! Et la pensée de savoir que quelqu'un avait attaqué Darcy avec un couteau faisait bouillir le sang dans ses veines.

Le téléphone sonna, et il se précipita sur lui en espérant que c'était Darcy.

— Salut Austin. Tu profites bien de tes journées de congé ? demanda Emma.

— J'imagine.

Comme s'il savait comment faire pour prendre une journée de congé.

— Je me demandais si tu aimerais te joindre à moi, ce soir, pour une promenade dans Central Park.

Elle voulait aller chasser? Austin était quelque peu agité, et l'idée d'avoir un peu d'action lui sembla bonne. Peut-être captureraient-ils un vampire qui pourrait les informer des allées et venues de Shanna.

— D'accord. J'y serai.

Il rencontra Emma à minuit, à Central Park, à l'entrée du zoo, près de la boutique de cadeaux. Le revolver qui se trouvait dans l'étui près de son épaule contenait des balles en argent. Ces balles ne pouvaient pas tuer un vampire, mais elles allaient assurément lui faire mal et le ralentir suffisamment pour qu'Austin puisse lui poser quelques questions. Il glissa également quelques pieux en bois dans la poche intérieure de sa veste légère pour plus de sécurité. Les pieux de bois d'Emma se trouvaient dans le sac à main qui pendait à son épaule.

Ils flânèrent vers le nord le long du sentier de pierres.

— Garrett a donné son contrat signé à Mme Stein aujourd'hui, dit Emma avec calme tout en examinant les bosquets sur sa gauche. Mme Stein était inquiète du fait qu'elle n'avait pas encore reçu le tien.

Austin marchait à sa droite, examinant le secteur sur la droite.

— Je l'ai signé et je l'ai déposé directement dans les locaux du RTNV.

— *Quoi*? dit Emma en s'arrêtant d'un coup sec. Tu es entré dans les locaux du RTNV en pleine nuit?

— Ouais. Étant donné qu'ils m'ont embauché pour participer à une émission, j'ai présumé que j'avais une raison légitime de m'y présenter. Et puisque je suis censé tout ignorer des vampires, je ne voyais pas de raison d'éviter d'y aller. Ça me semblait être une excellente occasion d'aller les surveiller de plus près.

— C'en était une, mais bon sang, Austin, ça aurait pu être dangereux. Est-ce que des vampires ont tenté de bondir sur toi ?

— Non.

— Eh bien, raconte. À quoi ça ressemblait de l'intérieur ?

— Ça m'a semblé plutôt... normal.

— Qu'as-tu fait ?

Austin haussa les épaules.

— J'ai remis mon contrat signé à la réalisatrice de l'émission.

— Comment s'appelle-t-elle ? C'est une femme vampire, non ?

— Non, elle est humaine. Et son nom est Darcy Newhart.

Austin hésita, puis décida de passer aux aveux.

— C'est la femme mystère.

Emma haleta.

— La femme de qui tu as pris une centaine de photos ?

Elle éclata de rire.

— Oh, ça n'a pas de prix ! C'est ta réalisatrice ?

— Oui.

— Et tu es certain qu'elle est humaine ?

— Oui. Absolument.

— Comment peux-tu en être si sûr ?

— Il y avait une boisson chocolatée sur son bureau, et elle avait un pouls.

— Elle t'a laissé prendre son pouls ?

Emma l'étudia de près.

— Tu es toujours aussi amoureux d'elle, n'est-ce pas ?

« Plus que jamais. »

Austin continua à marcher. Ils arrivèrent à une bifurcation, et Austin fit un geste vers le sentier de gauche qui montait une pente.

— Allons par là.

Emma marcha à côté de lui.

— Quels sont ses sentiments à ton égard ?

Il haussa les épaules. Il savait qu'elle ressentait du désir pour lui, mais elle était peu disposée à l'admettre. Ou à admettre qu'elle était prise au piège dans le monde des vampires.

— Est-ce que tu l'as bécotée?

Il fit une grimace.

— Quoi? Ça me semble pervers.

Emma pouffa de rire.

— Oh, je suis certaine que ça le serait avec toi.

Il lui donna une petite poussée sur l'épaule.

Elle riait, avançant tant bien que mal.

— Je t'ai seulement demandé si tu l'avais embrassée.

— Oh.

Dans ce cas, il avait eu une séance de bécotage intense avec elle, et ça n'avait pas été désagréable du tout.

— Et alors?

Emma accéléra le pas pour se maintenir à son niveau.

— Est-ce que tu l'as embrassée?

— J'invoque le cinquième amendement pour ne pas répondre à ta question.

— Tu l'as *vraiment* embrassée!

— Je ne n'ai dit cela.

Elle poussa un petit grognement.

— Le fait d'invoquer le cinquième amendement est la même chose que d'admettre sa culpabilité.

— Nous sommes innocents jusqu'à preuve du contraire. En Angleterre, c'est le contraire.

Elle sourit.

— J'ai tout de même raison. Tu l'as embrassée, n'est-ce pas?

Il continua à marcher.

— Tu devrais faire attention, Austin. Que sais-tu vraiment sur elle, à l'exception du fait qu'elle fréquente l'ennemi?

— J'ai fait des recherches sur elle. Qui plus est, nous avons une… connexion. Je peux entrer dans son esprit très facilement, et crois-moi, je n'ai rien trouvé de maléfique.

— Je ne voudrais pas te contrarier, mais si elle sait que tu lis dans son esprit, elle pourrait manipuler ce que tu crois y lire.

— Elle ne sait pas que je suis là. Elle est totalement innocente.

Austin s'arrêta et regarda à droite. Il pouvait discerner les silhouettes des arbres et celle d'un gros rocher dans la pénombre.

— Parlant d'innocent, est-ce que tu as entendu quelqu'un crier?

— Je n'en suis pas certaine.

Emma pivota et jeta un coup d'œil autour d'elle.

Austin écouta attentivement, mais parvint seulement à entendre le bruissement des feuilles dans le vent et la respiration excitée d'Emma. Il ferma les yeux et se concentra. Un attaquant pouvait facilement étouffer les cris de sa victime, mais la victime crierait encore dans son esprit. Un jour, en Europe de l'Est, il avait localisé un groupe de femmes et d'enfants dans une chambre de torture souterraine en se concentrant sur leurs cris silencieux d'angoisse mentale.

« Oh, mon Dieu, aidez-moi ! »

— Là-bas.

Austin désigna un grand affleurement de granit. Une femme était attaquée du côté éloigné. Il tira son revolver et fit signe à Emma d'aller sur la droite. Elle se mit silencieusement en marche, puis s'empara d'un pieu de bois dans son sac.

Il contourna le grand rocher et fit ensuite une pause en entendant les gémissements d'une femme. Super. Ce serait bien sa chance de bondir sur deux amants en pleine action. Il bondit en s'éloignant du rocher, et pointa son arme sur eux. Merde, il n'y avait aucun doute. Deux vampires mâles avaient coincé une femme contre le rocher. L'un mordait son cou pendant que l'autre lui baissait le pantalon. Les bâtards !

— Relâchez-la !

Il s'approcha lentement d'eux, son revolver devant lui.

Le second vampire lâcha le pantalon de la femme, puis se tourna pour fixer Austin du regard.

« Laisse-nous, mortel moins que rien, et oublies ce que tu as vu. »

Heureusement, ce genre d'ordre mental venant d'un vampire avait très peu d'effet sur Austin. Il l'entendit et le rejeta.

— Je ne partirai pas. *Vous* allez partir. Pour toujours.

Le vampire poussa un sifflement et marcha à grands pas vers lui.

— Comment oses-tu me défier? Espèce d'imbécile, tu ne peux rien contre nous.

— Ah, ouais?

Austin nota que le vampire avait un accent russe, au moment où il visait et tirait un premier coup.

Le vampire tressaillit. Il agrippa son épaule, et du sang suintait de la blessure. Son visage se tordit de douleur.

— Qu'as-tu fait?

— J'utilise des balles d'argent. Ça pique un peu, non?

Le vampire grogna et bondit vers l'avant.

Austin tira de nouveau, et le vampire glissa, puis tomba sur ses genoux.

Pendant ce temps, le premier vampire retira ses canines du cou de la femme et se tourna vers Austin.

— Espèce de maudit *bâtard*.

Il plaça la femme devant lui pour se protéger.

— Tu penses que quelques balles en argent seront suffisantes pour nous arrêter?

Austin jura intérieurement. Il ne pouvait pas tirer tant que le vampire se servait de la femme comme bouclier. Il se déplaça lentement vers le côté gauche, cherchant une ligne de tir dégagée.

Le vampire blessé s'éleva dans les airs et se posa doucement sur ses pieds. Du sang coulait goutte à goutte de ses deux blessures. Il exposa ses dents en poussant un grognement.

— Je suis plus fort que toi. Tu ne peux pas m'arrêter.

— Peut-être pas, mais je peux enlever ton plaisir de l'équation.

Austin tira une nouvelle fois. Le vampire hurla de douleur et s'écroula au sol.

— *Bâtard!*

Le premier vampire marcha à grands pas vers Austin en traînant la femme avec lui.

— Tu vas mourir !

Il s'arrêta brusquement. Une expression de choc traversa son visage, suivi d'une expression de douleur. Il relâcha la femme, qui s'effondra sur le sol. Il arqua son dos, puis poussa un long gémissement tandis que son corps se transformait en poussière.

Emma se tenait debout à l'endroit où le vampire se trouvait quelques secondes auparavant, ayant entre les mains le pieu de bois avec lequel elle l'avait poignardé dans le dos. Elle regarda le tas de poussière tout juste devant ses chaussures sportives noires.

— Je l'ai fait, chuchota-t-elle. J'ai tué un vampire.

Le second vampire se remit sur ses pieds.

— Espèce de chienne ! Tu as tué Vladimir.

— Et maintenant, c'est à ton tour.

Emma marcha à grands pas vers le vampire blessé avec le pieu levé, prêt à frapper.

— Tu ne t'en sortiras pas comme ça. Vladimir sera vengé !

Le vampire blessé oscilla dans les airs, puis disparut.

— Non !

Emma lui lança son pieu, mais comme il s'était déjà téléporté en lieu sûr, le pieu traversa de l'air.

— Non, merde !

Austin courut vers la femme blessée, puis sortit rapidement son téléphone portable de sa poche. Il composa le numéro d'urgence, puis vérifia le pouls de la femme.

— J'ai besoin d'une ambulance. Vite. Elle est en train de mourir.

Le pouls de son cou était très faible. Il donna quelques indications relatives à leur emplacement tandis qu'Emma nettoyait la scène du crime. Elle rangea son pieu de bois dans son sac et dispersa les cendres de Vladimir.

— Nous l'avons fait !

Elle donna un coup de poing dans le vide.

— Notre premier vampire ! Tu es content de m'avoir accompagnée ?

— Oui, je suis content.

S'ils n'étaient pas arrivés à temps, cette femme aurait été violée et tuée par ces maudits vampires. C'était de vrais démons. Une fois de plus, son travail était significatif. Les vampires étaient mauvais, et méritaient de mourir.

Et il savait ce qu'il devait faire. Il aviserait Sean que sa fille était sur le point d'épouser un démon.

— Quelle heure est-il ? chuchota Maggie.

Elle s'impatientait en tentant de trouver une position confortable sur le dur banc de bois.

— Je ne sais pas, lui répondit Darcy en chuchotant à son tour. Il est environ cinq minutes plus tard que la dernière fois où tu m'as posé la question.

Vanda poussa un grognement.

— Et environ dix minutes après le désastre !

Sa voix tonitruante se répercuta sur le haut plafond voûté.

— Chut ! Pas si fort.

Maggie jeta un coup d'œil aux autres invités de la noce de l'autre côté de l'allée.

En entrant dans l'église, Darcy avait été scandalisée de voir tous les invités s'asseoir du côté du futur marié. C'était bien sûr tous les vampires de la bande de Roman, mais Darcy pensa que quelqu'un devait bien accueillir Shanna. Elle choisit donc de s'asseoir du côté de la future épouse. Vanda et Maggie s'étaient jointes à elle, mais les autres membres de son ancien harem avaient refusé. Elles étaient assises de l'autre côté de l'allée et chuchotaient entre elles. C'était samedi soir, et tout le monde attendait que le mariage commence.

Et attendait encore.

Gregori était finalement parti voir ce qui retardait les choses.

— Tu es très belle, Darcy, chuchota Maggie.

— Merci. Toi aussi.

Plus tôt en soirée, Darcy, Vanda et Maggie avaient fait une halte chez Macy's à la recherche de nouvelles robes élégantes pour le mariage. Darcy portait une robe fourreau en soie couleur bordeaux et une veste brillante assortie. Maggie portait une robe rose de jeune fille délurée des années 1920 avec des rangées de paillettes. La robe de Vanda était moulante, séduisante et mauve, assortie à ses cheveux.

Malheureusement, les autres femmes étaient habillées selon la mode de l'ancien temps propre à leur époque. La robe de bal de Cora Lee avait un arceau affublé de nombreuses rangées de volants bordés de dentelle, qui avaient l'air d'avoir été attaqués par une armée de rubans et de fleurs de soie. L'énorme atrocité qu'elle portait était jaune comme une jonquille, et lui donnait un air plus près d'un autobus d'écoliers que d'une délicate fleur.

La tête de la princesse Joanna était couverte d'un voile, et surmontée d'un fin bandeau d'or. Une guimpe blanche était fixée sous son menton. Sa robe de velours vert foncé avait une longue traîne dans le dos et sa cape assortie était remplie de broderies. Sa ceinture incrustée de bijoux était accrochée lâchement autour de ses hanches.

Quant à Maria Consuela, elle portait son chapeau favori — une coiffe conique posée sur sa tête couverte d'un voile de gaze transparente. Les manches évasées de sa robe de laine pendaient jusqu'à ses genoux, et les poignets étaient bordés de fourrure.

La porte de la sacristie s'ouvrit, et Gregori apparut avec un air inquiet. Il marcha à grands pas vers eux.

Darcy se leva et se glissa dans l'allée.

— Que se passe-t-il ?

Les membres de l'ancien harem se penchèrent vers eux pour les écouter parler.

— Je ne sais pas, dit doucement Gregori.

Darcy était convaincue que les autres vampires pouvaient les entendre avec leur ouïe ultrasensible.

— Ma mère aurait dû arriver ici, il y a 20 minutes. J'espère qu'elle va bien, ajouta-t-il.

— Est-ce que tu as tenté de l'appeler?

Darcy était également inquiète. La mère de Gregori, Radinka, venait de quitter l'hôpital quelques jours plus tôt. Elle avait été blessée lors de la dernière attaque des Mécontents contre les Industries Romatech. Elle s'était aussi liée d'amitié avec Shanna, de sorte que Shanna lui avait demandé d'être la dame d'honneur à leur mariage.

— Son téléphone portable est éteint, répondit Gregori. J'ai essayé d'appeler Angus, qui devait conduire ma mère et Shanna ici, mais il ne répond pas. Il y a vraiment quelque chose qui ne tourne pas rond.

Les membres de l'ancien harem se mirent à chuchoter frénétiquement entre elles. La nouvelle se répandit d'un banc à l'autre jusqu'à ce que tous les invités soient en train de discuter de cette situation à voix basse. Darcy se demanda si les Mécontents étaient derrière cela. C'était un groupe de vampires qui détestaient Roman avec passion. Ils étaient d'avis que les vampires avaient le droit sacré de se nourrir des humains, et avaient conséquemment rejeté le sang synthétique de Roman tout en faisant périodiquement des trucs désagréables, comme de faire exploser des bombes aux Industries Romatech.

Gregori soupira.

— Personne ne répond à leurs maudits téléphones. Le prêtre n'est pas ici. Je ne sais pas ce que je dois en conclure.

— Je sais, moi, ce qui se passe!

La princesse Joanna leva ses mains dans les airs d'un air triomphant. Ses bagues couvertes de joyaux miroitaient à la lueur des bougies.

— Le mariage a été annulé. Le maître est revenu à lui et a rejeté cette affreuse mortelle.

La coiffe conique de Maria Consuela dansait tandis qu'elle hochait la tête avec enthousiasme.

— Il a compris à quel point elle est inférieure à nous. Santa Maria, mes prières ont été exaucées.

Elle souleva son rosaire et embrassa la croix couverte de joyaux.

— Attendez une minute.

Gregori les regarda en fronçant les sourcils.

— J'aime bien Shanna.

— Moi aussi, dit Darcy en se portant à la défense de la future épouse.

— Ha !

La princesse Joanna se moqua de Gregori et de Darcy.

— Je m'attendais à ce que vous choisissiez son camp. Vous, les gens de l'ère moderne, vous vous serrez toujours les coudes. Vous vous plaignez en disant qu'il faut être sensible aux besoins des autres, mais vous ne considérez pas *notre* propre souffrance. Cette jeune femme mortelle nous a volé notre maître et notre maison !

Cora Lee prit ensuite la parole en ouvrant un petit éventail de dentelle jaune.

— Je déclare n'avoir jamais été autant humiliée de toute ma vie.

Lady Pamela Smythe-Worthing retira un mouchoir de son réticule de soie et se tamponna les yeux.

— C'était vraiment trop affreux à supporter. Si je n'avais pas été bénie avec une constitution aussi miraculeuse, j'aurais dépéri dans le plus total des désespoirs.

« Allez, et dépérissez toutes autant que vous êtes », pensa Darcy en poussant un grognement.

Elle en avait vraiment assez des plaintes sans fin de ces femmes. Il ne leur était jamais venu en tête de *faire* quelque chose de leurs vies au lieu de constamment s'en plaindre.

Maria Consuela fit cliqueter les grains de son rosaire.

— Ce fut si inattendu que c'en fut horrifiant. Cela me rappela la nuit au cours de laquelle on m'a traînée jusqu'aux chambres de torture au temps de l'Inquisition espagnole.

— Jésus Marie Joseph.

Maggie fit le signe de la croix.

Vanda grogna.

— Personne ne s'attend à ce que ce soit aussi grave que l'Inquisition espagnole.

Darcy retira son carton d'invitation de sa bourse.

— Nous sommes au bon endroit et au bon moment.

Elle montra son carton à Gregori.

Il secoua la tête.

— La cérémonie aurait dû commencer il y a 10 minutes.

— Alléluia !

Cora Lee bondit sur ses pieds, ce qui fit gonfler sa robe à arceaux à un point tel que cette dernière occupa ensuite la moitié du banc. Ses frisettes blondes, rassemblées en grappes au-dessus de ses oreilles, dansaient au même rythme que sa robe.

— Le mariage n'aura pas lieu ! Cela signifie que nous pouvons retourner dans la maison du maître.

— Oh, je souhaite vraiment qu'il en soit ainsi.

Lady Pamela appuya son mouchoir contre sa poitrine, qui était grandement exposée dans sa robe de bal de soie rose de style regency.

— Calmez-vous, leur dit Gregori. Je suis certain qu'il y a une explication logique pour tout ceci.

— Une explication logique ?

Lady Pamela replaça son mouchoir dans son réticule.

— La seule chose logique à faire pour Roman est d'écarter cette idiote de mortelle de son chemin et de l'envoyer faire ses boîtes.

Cora Lee referma son éventail dans un claquement.

— Nous allons donc retrouver nos anciennes chambres.

— Exactement.

La princesse Joanna se leva.

— Je propose que nous y retournions dès ce soir.

— Attendez !

Gregori sortit son téléphone portable d'une des poches intérieures de la veste de son smoking.

— Je vais faire un autre appel. Nous devons d'abord découvrir ce qui se passe. Alors, respirez bien par le nez, mesdames. Ne vous énervez pas les petites culottes.

La princesse Joanna s'assit en poussant un grognement.

— Voir si je porterais un sous-vêtement aussi ridicule.

— Bon Dieu !

Gregori recula d'un pas en frissonnant.

— Je ne veux même pas penser à ça.

Il composa un numéro sur le clavier de son téléphone.

— Tu dois les sortir de ma maison, chuchota-t-il à l'intention de Darcy. Je ne peux plus les endurer.

— Je veux bien, mais tu peux voir par toi-même à quel point elles sont têtues.

Darcy haleta ensuite en voyant Connor entrer dans l'église. Ses muscles se raidirent d'un seul coup, et ses poumons se comprimèrent dans sa poitrine, rendant sa respiration difficile. Bon Dieu, elle détestait la réaction qu'avait toujours son corps chaque fois qu'elle le voyait. Cela faisait maintenant quatre ans que les événements de cette affreuse nuit-là avaient eu lieu, et elle ne parvenait pas encore à faire la part des choses. Elle ouvrit la bouche pour avertir Gregori, mais les mots ne voulaient pas en sortir.

Connor parla tranquillement aux invités. Certains réagirent en se précipitant dehors par la porte d'entrée, tandis que d'autres utilisaient leurs téléphones portables pour se téléporter loin d'ici. Le mariage était-il donc réellement annulé ? Shanna avait-elle reconsidéré le fait de se marier avec un vampire ? Darcy se demandait souvent comment une telle relation pouvait fonctionner. Ce n'était tout simplement pas juste d'entraîner quelqu'un dans le monde des vampires. Elle le savait trop bien.

— Hé, Connor !

Gregori lui fit signe de le rejoindre.

— Que se passe-t-il?

Darcy recula involontairement de quelques pas à l'approche de Connor. Son cœur battait si fort dans sa poitrine qu'elle l'entendait jusque dans ses oreilles.

L'Écossais marcha à grands pas vers eux en tenue de soirée des Highlanders, ce qui comprenait une chemise blanche à jabot de dentelle, une veste noire, et un sporran en fourrure de rat musqué. Il s'inclina légèrement face à l'ancien harem.

— Mesdames.

Son regard s'attarda sur Darcy.

Elle se retourna, incapable de regarder ses yeux bleus pénétrants qui l'observaient toujours avec une pointe de regret.

— Il y a une urgence, annonça Connor. Ian et moi sommes venus ici avec une limousine pour évacuer les dames en vitesse. Nous devons partir immédiatement.

— Et le mariage? demanda Gregori.

— Je te donnerai des explications plus tard.

Connor fit un geste en direction de l'entrée.

— Vos vies pourraient être en danger. Veuillez, s'il vous plaît, vous diriger calmement et en silence vers la sortie.

Cora Lee poussa un petit cri, souleva les arceaux de sa robe et décampa en direction de la porte d'entrée. Les autres femmes se précipitèrent à sa suite. Darcy traîna à l'arrière du groupe afin de pouvoir entendre la discussion des hommes. Elle n'était pas à l'aise d'être aussi près de Connor, mais sa curiosité la dominait. C'était bien sûr sa vilaine curiosité qui avait déclenché son cauchemar quatre ans plus tôt.

— Où allons-nous? demanda Gregori.

— À Romatech, répondit Connor. Pour la réception.

— Et ma mère? demanda Gregori. Est-ce qu'elle va bien?

— Radinka va bien. Elle est avec Roman et Shanna. Angus et Jean-Luc sont là, eux aussi, alors ils bénéficient d'amplement de protection.

Darcy se demanda de qui ils devaient se protéger. Ce devait être lié aux Mécontents.

Gregori avait loué une limousine pour l'occasion, car il ne serait pas arrivé à trimballer dix femmes dans sa Lexus. L'espace était tout de même restreint dans le véhicule avec toutes ces robes de bal. Les femmes de l'ancien harem furent bien heureuses de se séparer en deux groupes, la première moitié s'engouffrant dans la limousine louée de Gregori tandis que l'autre faisait de même dans celle apportée par Connor.

Gregori se glissa dans la limousine de Connor.

— Je veux savoir ce qui se passe.

Il s'installa aussi près que possible du siège du conducteur.

Darcy voulait la même chose, et elle remonta le long siège de côté pour s'asseoir à côté de Gregori.

Connor était assis sur le siège avant du conducteur à côté d'Ian. Il se tourna de côté afin de voir les passagers par la fenêtre ouverte. Ils étaient six à l'arrière, soit Gregori, Darcy, Maria Consuela, la princesse Joanna, Lady Pamela et Cora Lee.

— Est-ce que le maître est revenu à la raison, décidant ainsi d'annuler ce mariage ? demanda la princesse Joanna.

— Non, Milady, répondit Connor. La cérémonie a lieu en ce moment même dans une chapelle privée de White Plains.

— Ça doit donc être pour ça qu'ils ne répondent pas à leurs téléphones.

Gregori déboutonna la veste de son smoking.

— Flûte alors !

Cora Lee occupait la totalité du siège arrière avec sa robe à arceaux.

— Nous ne pouvons donc plus retourner vivre dans la maison du maître.

Lady Pamela appuya une main contre sa poitrine.

— C'est tout à fait inadmissible. Cette gamine mortelle se moque de nous. Elle nous invite à la cérémonie de mariage, puis décide d'aller se marier ailleurs.

— Elle est maléfique, dit Maria Consuela. Roman maudira le jour où il aura épousé cette jeune femme Whelan.

— Assez.

Connor lança des regards noirs aux femmes.

— Shanna ne doit pas être blâmée pour les problèmes de ce soir. C'est son père qui fait des ravages. Il a appelé à la maison de Roman toute la journée en menaçant les gardes de jour et en promettant des ennuis si le mariage n'était pas annulé.

— Comment a-t-il su à propos du mariage ? demanda Gregori.

— Nous l'ignorons. Seules les personnes qui ont été invitées étaient au courant. Et ce soir, le Père Andrew a appelé Roman et lui a dit que Sean Whelan menaçait d'attaquer l'une ou l'autre des églises de la ville s'il permettait que des créatures démoniaques puissent y entrer.

— Attendez une minute, interrompit Darcy. Est-ce que vous êtes en train de dire que le père de Shanna est au courant de l'existence des vampires ?

— Oui.

Connor soupira.

— Je suppose qu'il n'y a pas de mal à vous en parler. Sean Whelan est un agent de l'Agence centrale de renseignement et le chef d'une équipe dite de Surveillance. Leur unique but est d'exterminer tous les vampires.

Darcy haleta.

— C'est épouvantable.

— Qu'est-ce que l'Agence centrale de renseignement ? demanda la princesse Joanna.

— Je te l'expliquerai plus tard, lui dit Gregori.

Darcy baissa son regard vers ses mains posées sur ses genoux. Il y avait donc maintenant deux ennemis, soit les Mécontents et ce groupe d'agents de l'Agence centrale de renseignement, cette équipe de Surveillance. Et la pauvre Shanna qui se mariait dans un monde très dangereux. Pas étonnant qu'Angus MacKay lui ait offert de l'accompagner dans l'allée et de lui servir de père. Son vrai père était un tueur de vampires. Quel épouvantable désastre !

Gregori prit la parole.

— Je ne vois toujours pas comment Sean Whelan a pu être au courant du mariage. Presque personne ne le savait. Pensez-vous que le prêtre…

— Non.

Connor secoua la tête.

— Le père Andrew est un bon ami de Roman depuis le jour où ce dernier s'est confessé à lui. Il n'en aurait pas parlé à personne.

Gregori se frotta le menton.

— Quelqu'un a divulgué l'information.

Darcy se mit à réfléchir. En avait-elle inconsciemment parlé à quelqu'un ? Corky Courrant n'avait cessé de la harceler pour des détails au sujet du mariage au cours des deux derniers jours. Corky et son équipe de tournage de l'émission *En direct avec ceux qui ne sont pas morts* avaient été invités à la réception à Romatech, mais Corky mourait d'envie de filmer la cérémonie en tant que telle. Darcy avait refusé de divulguer la moindre information à Corky, car elle était certaine que Shanna et Roman voulaient échanger leurs vœux en privé.

Et c'est alors qu'elle s'en souvint. Bon Dieu, elle avait parlé du mariage à Adam Olaf Cartwright. Elle avait oublié cela, ou plutôt elle avait fait de son mieux pour oublier tous les détails de cette rencontre. Elle avait particulièrement tenté d'effacer son baiser de sa mémoire, mais ce souvenir revenait toujours dans ses pensées. Comment pouvait-elle seulement oublier à quel point ce baiser avait été tendre et passionné, combien elle avait désespérément voulu la chaleur de son corps, et combien elle désirait le revoir.

Qu'est-ce que ça pouvait bien faire qu'elle lui ait parlé de ce mariage ? Il ne connaissait ni Shanna, ni Roman. C'était une personne ordinaire, qui ne savait même pas que le monde des vampires existait.

Elle trembla lorsqu'un frisson lui parcourut soudainement le corps. Et si elle avait tort ?

Sept

Les nouveaux mariés étaient déjà sur place à leur arrivée à Romatech. La nouvelle de leur mariage fit en sorte que la plupart des femmes de l'ancien harem se dirigèrent vers deux tables rondes dans un coin éloigné de la grande salle en se traînant les pieds d'un air fatigué. Là, elles se sont assises et se sont mises à bouder tout en lançant des regards maussades à la jeune mariée. Shanna se trouvait de l'autre côté de la pièce avec son nouveau mari, et bavardait joyeusement avec la mère de Gregori.

Gregori afficha un petit sourire entendu et se dirigea vers eux.

— Allons féliciter Roman d'avoir eu besoin de 500 ans pour se trouver une femme.

— Je suis sûre qu'il considère qu'elle valait la peine d'attendre aussi longtemps.

Darcy le suivit en compagnie de Maggie et de Vanda.

Gregori jeta un coup d'œil vers les femmes de l'ancien harem qui boudaient dans leur coin.

— Elles ajoutent vraiment une belle énergie à cette fête, tu ne trouves pas ? Est-ce qu'elles refusent encore de faire partie de ton émission de téléréalité ?

— J'ai bien peur que oui.

Darcy soupira. Le nombre de femmes du harem diminuait, ce qui n'était pas une mauvaise chose. Deux des femmes avaient décidé de se rendre à Paris et de devenir mannequins, et une autre les avait toutes laissées en état de choc en leur annonçant qu'elle s'enfuyait avec son amant secret. Puisque Maggie et Vanda étaient déjà impliquées dans l'émission, Darcy devait vraiment convaincre toutes les autres femmes qui restaient d'y participer.

Cependant, elles avaient toutes refusé.

Gregori salua Radinka d'une bise sur la joue.

— Maman, tu ne devrais pas être debout comme ça. Va t'asseoir.

— Ça va.

Radinka ajusta la cravate de son fils.

— Ne te fais pas de souci pour moi.

Darcy étreignit Radinka.

— Je suis heureuse de vous revoir.

— Notre Darcy, réalisatrice à la télévision !

Radinka rayonna en la regardant.

— Je suis si fière de toi.

Darcy sentit le sang réchauffer ses joues.

— Merci d'avoir communiqué avec l'agence de distribution pour moi.

— Ça m'a fait plaisir de t'aider. J'ai toujours su que tu serais une bénédiction pour nous tous. Ne l'avais-je pas d'ailleurs prédit ?

Radinka tapota son index contre sa tempe, ce qui était sa façon de rappeler à tous qu'elle pouvait prédire l'avenir, et qu'elle n'avait conséquemment jamais tort.

— Oui, murmura Darcy, les joues toujours empourprées.

En toute honnêteté, son emprisonnement lui avait toujours semblé être davantage un cauchemar qu'une bénédiction. Elle se tourna vers la jeune mariée, qui portait une robe élégante de satin blanc. Une série de plis accentuaient sa mince taille, et son voile descendait jusqu'à la moitié de son dos.

— Shanna, tu es magnifique. Et tu as l'air si heureuse.

Shanna rit et jeta un coup d'œil à son nouveau mari à côté d'elle.

— Je *suis* heureuse. Et je te remercie pour les peignoirs de bain assortis. J'ai bien aimé voir mes nouvelles initiales brodées sur la poche. C'est bien gentil de ta part.

Darcy fit un geste de la main pour signifier que le compliment n'était pas nécessaire.

— Ça m'a fait plaisir. Et je vous souhaite tous deux le…

— Fantastique!

La forte exclamation de Gregori attira l'attention de tout le monde. Il avait jusque-là été en grande conversation avec Roman, mais il agrippa maintenant Darcy par les épaules.

— Devine quoi? Roman a signé le bail de location de la propriété dont je t'avais parlé.

— Pour le restaurant des vampires?

— Non, pour l'appartement de grand luxe. Pour ton émission de téléréalité.

Darcy haleta.

— L'énorme appartement de *Raleigh Place*? Avec la piscine et le spa sur le toit?

— Ouais.

Gregori sourit.

— Il est construit sur deux étages, et il y en a un troisième pour les domestiques.

— C'est parfait!

Darcy se tourna vers Roman.

— Oh, je vous remercie!

— Je suis heureux de pouvoir vous aider.

Le sourire de Roman s'effaça tandis qu'il se penchait vers Gregori.

— En échange, j'aimerais que le RTNV accepte de diffuser gratuitement des annonces publicitaires de ma cuisine Fusion et du nouveau restaurant.

— Aucun problème, l'assura Gregori. Je m'en charge sans plus attendre.

Darcy se tourna vers Maggie et Vanda.

— Vous avez entendu ça ? Nous avons l'appartement de grand luxe !

Maggie poussa des cris aigus et lui donna une étreinte.

— Je savais que ça allait s'arranger. Tout se passe comme il se doit.

Vanda sourit.

— Ça va être trop génial !

Darcy remercia Roman une nouvelle fois, puis elle se rendit auprès des autres femmes de l'ancien harem avec Maggie et Vanda.

— Avez-vous entendu la bonne nouvelle ?

Maggie s'assit à côté de la princesse Joanna.

— Quelle bonne nouvelle pourrais-tu vraiment nous apporter ?

La princesse but quelques petites gorgées de Sang Pétillant dans une flûte de champagne.

— Est-ce que le maître va annuler son mariage ?

— Non.

Vanda se laissa tomber sur une chaise vide.

— Roman a signé le bail de location d'un appartement de grand luxe géant. Et puisque je vais faire partie de l'émission de téléréalité, je vais avoir le droit d'y vivre. J'aurai une chambre à coucher tout à moi. Et ma propre salle de bains. Et un spa.

— Pour l'amour du ciel, chuchota Cora Lee.

Elle jeta un coup d'œil vers la princesse Joanna.

— Ça me semble vraiment agréable.

— Nous n'allons pas nous humilier à la télévision pour une bande de paysans, annonça la princesse. Qui plus est, le départ de trois des nôtres du harem nous donnera bientôt plus de place dans la maison de Gregori.

— Exactement, acquiesça Lady Pamela Smythe-Worthing.

Elle regarda Darcy de haut.

— Je suppose que Maggie et toi vous vous joindrez à Vanda dans ce ridicule appartement de grand luxe?

— Probablement que oui.

Darcy prit la dernière place vide à la table.

— Alors, nous ne serons plus que quatre avec Gregori.

La princesse Joanna sourit d'un air suffisant.

— Nous serons tout à fait confortables.

Darcy poussa un soupir las. Ces femmes étaient de vraies têtes de mule. Elle allait avoir de gros ennuis avec Sly, si elle ne parvenait pas à convaincre l'ancien harem. Ses mornes pensées furent interrompues par le son de la musique. Un orchestre venait de commencer à jouer.

— N'est-ce pas le même orchestre qui avait joué au bal du gala d'ouverture? demanda Maggie.

— Oui. Les High Voltage Vamps.

Vanda donna un peu de volume à ses cheveux mauves.

— Le batteur est plutôt mignon, n'est-ce pas?

— Voyons un peu.

Maggie l'examina du regard.

— Pas aussi mignon que Don Orlando.

«Et vraiment pas aussi mignon qu'Adam Olaf Cartwright.», pensa Darcy.

Cet homme continuait à envahir ses pensées. Elle jeta un coup d'œil dans la salle et examina les autres invités. Il y avait plusieurs beaux hommes à cette réception, dont Jean-Luc Écharpe et Angus MacKay. Même Gregori était mignon, à la façon d'un grand frère.

«Ces hommes n'étaient toutefois pas du calibre d'Adam.»

Merde, la voilà qu'elle comparait les hommes, vivants ou morts, avec Adam Cartwright. Et pire encore, aucun de ces hommes ne pouvait s'y comparer avantageusement. Comment cela pourrait-il être le cas? C'était de froides créatures de la nuit, tandis qu'Adam était Apollon, le dieu du soleil. Il émettait de la chaleur et de la passion. Il était vivant.

Il était interdit.

Elle avait trop souffert d'avoir ainsi été traînée dans le monde des vampires. Elle refusait de faire subir cela à quelqu'un d'autre. Autant elle souhaitait que le bonheur soit au rendez-vous pour Roman et Shanna, autant elle ne pouvait voir comment une telle relation pouvait fonctionner. Elle poussa un soupir et regarda Roman escorter sa jeune mariée sur la piste de danse. Il la prit dans ses bras, et ils se regardèrent avec tant d'amour que c'en était presque douloureux à voir. Darcy détourna le regard, se sentant coupable de cette envie qui venait de s'insinuer dans son cœur.

Un serveur s'approcha de leur table pour remplir leurs flûtes de Sang Pétillant, la boisson fusion de Roman à base de sang synthétique et de champagne. Un autre serveur contourna la table et laissa devant chaque personne un bol de nourriture.

Darcy grimaça en regardant le mélange grumeleux et rouge foncé devant elle.

— Quelle est cette substance?

— Oh, Gregori m'a parlé de cela.

Maggie s'empara d'une cuillère et donna un petit coup sur la substance gluante dans son bol.

— C'est lui qui y a goûté en premier pour Roman.

Lady Pamela arqua un sourcil.

— Es-tu en train de me suggérer que je devrais manger cet étrange mélange?

— Oui.

Maggie en souleva une cuillerée pour la regarder.

— Roman l'a inventé pour la réception. Ça s'appelle du Pouding rouge velouté. C'est un mélange de sang synthétique et de gâteau blanc de mariage.

— C'est répugnant.

La princesse Joanna poussa son bol vers le centre de la table.

Cette fois, Darcy fut d'accord avec la vieille femme vampire autoritaire du Moyen Âge. Elle poussa aussi son bol à côté d'elle, non sans avoir un peu la nausée.

Maggie déposa sa cuillère, puis regarda les nouveaux mariés valser sur la piste de danse.

— Ils semblent très heureux.

Le rire de Shanna retentit au moment où elle foula accidentellement le pied de Roman.

Lady Pamela poussa un léger grognement.

— Elle n'a évidemment jamais eu de leçons d'un professeur de danse digne de ce nom.

— Bien sûr que non.

Maria Consuela hocha la tête, ce qui fit danser son chapeau conique.

— Vous pouvez la parer dans une belle robe, mais cela ne change pas la réalité. Elle n'est rien d'autre qu'une serve.

Roman fit une pause au moment où il faisait tourner Shanna. Il la tint dans ses bras et lui planta un lent baiser sur la bouche.

Maggie soupira rêveusement.

— C'est si romantique. C'est exactement le genre de chose que Don Orlando ferait.

Vanda grogna.

— Selon ce que j'ai entendu dire, Don Orlando préfère valser dans une position horizontale.

Maggie râla.

— Ces rumeurs sont fausses. Don Orlando attend la femme qui lui convient. Moi.

Darcy échangea un regard avec Vanda. Elles espéraient toutes les deux que Maggie n'allait pas se faire briser le cœur.

— Oh, regardez, d'autres gens commencent à danser.

Cora tapota sa bouche avec une serviette blanche en lin. Darcy frissonna quand elle comprit que la belle du Sud avait en fait englouti la totalité de son Pouding Rouge Velouté.

Cora Lee ouvrit son éventail jaune.

— J'espère que quelqu'un m'invitera à danser.

— Moi aussi, dit Lady Pamela. J'adore la danse. Oh, voilà Connor qui vient par ici. Il danse vraiment bien le menuet.

Darcy se raidit. Elle serra ses mains ensemble et se concentra sur la nappe blanche vide devant elle. Elle avait déjà eu du mal à lui faire face plus tôt. Avec un peu de chance, il demanderait à Lady Pamela ou à Cora Lee pour danser.

— Bonsoir, mesdames.

Sa voix basse avait la même sonorité douce que Darcy avait trouvée si adorable à une autre époque. À présent, cette voix lui rappelait seulement des souvenirs de cette épouvantable nuit.

— Eh bien, Connor, c'est très gentil de votre part de vous arrêter en passant.

Cora agita son éventail, et aussi ses cils.

— Avez-vous goûté au pouding ? C'est vraiment très bon.

— Je n'y ai pas encore goûté.

Un silence gênant s'installa.

Lady Pamela tripota un bouton de son gant rose pâle.

— Quel beau temps nous avons.

Connor était silencieux. Darcy leva les yeux et vit qu'il la regardait avec cette pointe de regrets dans ses yeux bleus. Les souvenirs de cette vilaine nuit furent projetés dans son esprit. La terreur se combina avec l'odeur du pouding au sang. Son cœur se souleva.

— Vous êtes très jolie, Darcy, dit doucement Connor.

Elle avala avec difficulté la bile qui venait de monter dans sa gorge. Ouais, le vert putride était toujours une couleur seyante pour elle.

— Voudriez-vous danser ?

Elle secoua la tête, évitant de regarder ses yeux tristes. Maggie lui donna un coup de coude sous la table et lui fit un froncement de sourcils désapprobateur.

— Je… je suis désolée. Je ne peux pas, chuchota Darcy.

Maggie se leva.

— Je serais enchantée de danser avec vous.

Connor hocha la tête.

— Merci, jeune fille.

Il leva son bras et escorta Maggie à la piste de danse.

Vanda se pencha près de Darcy et chuchota.

— Pourquoi es-tu si méchante avec Connor ? Il t'a sauvé la vie.

Darcy secoua la tête, incapable de lui expliquer. Elle ferma les yeux avec force pour cesser de voir le Sang Pétillant et le Pouding Rouge Velouté.

Vanda soupira.

— Tu dois cesser de te battre avec ça. Souviens-toi de ce que Maggie dit : rien n'arrive pour rien. Et ta place est ici.

« Ici ? »

Dans ce monde où son esprit lui criait à chaque battement de cœur de prendre ses jambes à son cou et de s'échapper ? Elle ne cessait de rêver au soleil. Elle avait vraiment envie d'être avec sa famille. Elle voulait courir sur la plage. Elle voulait être avec Apollon, le dieu du soleil.

« Adam. »

Elle voulait être avec Adam.

Elle respira à fond et se prépara pour le dur retour à la réalité. Cette dernière la submergea, effaçant ses rêves et la laissant aux prises avec une sensation de froid et de vide.

— Oh non ! haleta Lady Pamela. Regardez qui vient juste d'entrer dans la salle de bal.

Darcy jeta un coup d'œil derrière elle. Corky Courrant et son équipe du RTNV. Corky jeta un coup d'œil dans la pièce, et fit ensuite signe à son caméraman de la suivre. Elle marcha vers la piste de danse, avec l'intention bien évidente de commencer sa soirée en obtenant des images des jeunes mariés.

— Cette femme est maléfique, annonça Maria Consuela. Je crois qu'elle torturait des gens pendant l'Inquisition espagnole.

— Ce n'est qu'une rumeur, lui assura la princesse. Elle a par contre réellement travaillé à la Tour de Londres, pour le compte d'Henry VIII.

— Oh, pitié.

Cora Lee ferma son éventail.

— Que ferons-nous, si elle nous remarque ?

— Je suis sûre que c'est déjà fait, murmura Vanda.

— Elle viendra nous torturer.

Maria Consuela fit cliqueter ses grains de rosaire avec nervosité.

— Elle dira à tout le monde que le maître nous a rejetés pour une simple *mortelle*.

— Et elle montrera notre humiliation à la télévision. Je ne peux le supporter.

La main de Lady Pamela s'approcha de sa poitrine.

— Oh, mon Dieu, voilà que j'ai des vapeurs.

— Tiens.

La princesse Joanna approcha un bol de pouding au sang près du nez de Lady Pamela.

— Respire profondément.

Lady Pamela renifla le tout et se redressa immédiatement.

— Oh, cette odeur est vraiment délicieuse.

Elle se pencha pour en sentir l'odeur de nouveau.

— Qu'allons-nous faire ?

Cora Lee lança son éventail sur la table.

— Je suis si embarrassée.

Elle fit ensuite un signe en direction du visage de Lady Pamela.

— Tu as une tache sur le nez.

Lady Pamela essuya rapidement la goutte de pouding au sang au bout de son nez arrogant.

— Nous devrions peut-être partir. Nous pourrions toutes courir aux toilettes des dames pour nous cacher.

Darcy en avait assez.

— Pourquoi ne cessez-vous donc pas de vous comporter comme des victimes ?

Cora Lee inclina la tête sur le côté, faisant rebondir ses frisettes.

— Parce que c'est ce que nous sommes.

— Vous n'avez pas à être des victimes.

Darcy se pencha vers l'avant.

— Prenez votre propre destin en main.

La princesse Joanna râla.

— Mais le maître…

— Oubliez le maître. Il vous a trompé avec une autre femme, non ?

Darcy jeta des coups d'œil insistants vers chaque femme et leur donna une version de la vérité qui avait le potentiel de les motiver. Du moins, l'espérait-elle.

— Vous méritez mieux que cela. Vous méritez un homme qui vous veut, et qui vous traitera avec respect et honneur.

Lady Pamela pinça le bouton de son gant.

— Je suppose, mais…

— Écoutez, interrompit Darcy. C'est ce qui est arrivé. Vous avez refusé de ne pas être bien traitées, et vous êtes parties.

— Ce n'est pas vrai, dit Maria Consuela. Il s'est débarrassé de nous.

— Aucun vampire qui regarde le RTNV ne sait cela.

La princesse Joanna plissa les yeux.

— Es-tu en train de suggérer que nous devrions mentir ?

— Je suggère que vous preniez le contrôle, dit Darcy. Lorsque Corky Courrant viendra vous voir, elle fera de son mieux pour vous humilier. Vous pouvez toutefois l'arrêter. Vous n'avez qu'à dire que Roman vous a trahis avec une autre femme, si bien que vous avez toutes décidé de le quitter.

Cora Lee mordit sa lèvre inférieure.

— Nous croiront-ils ?

— Pourquoi pas ? Adoptez une position ferme, et croyez-moi, toutes les autres femmes vampires vous acclameront.

Les femmes se regardèrent, des expressions douteuses se lisant encore sur leurs visages.

Darcy en rajouta.

— Si vous voulez vraiment que tout le monde croie que vous avez rejeté Roman, vous pouvez dire que vous avez même l'intention de choisir votre prochain maître vous-mêmes.

Lady Pamela secoua la tête.

— Ça ne se fait pas.

— Il y a une première fois pour tout. Dites à Corky que vous planifiez de choisir votre propre maître. Personne ne pensera que vous avez honte. On pensera plutôt que vous êtes fortes et courageuses.

— J'ai toujours voulu être courageuse, chuchota Cora Lee. J'avais cependant trop peur.

— Elle s'en vient.

Vanda fit un signe vers Corky Courrant, qui s'approchait de leur table avec un sourire vicieux et suffisant.

— Ne la laissez pas vous humilier, les avertit Darcy. Vous avez le pouvoir de l'en empêcher.

Les femmes jetèrent des regards désespérés à la princesse Joanna.

Elle se redressa les épaules. Sa guimpe de lin bougea tandis qu'elle soulevait son menton.

— Nous allons le faire. Nous allons participer à ton émission et nous choisirons nous-mêmes notre prochain maître.

— Oui !

Vanda frappa la table de son poing.

— Ça va être tellement génial !

Maria Consuela serra son rosaire dans ses mains.

— Je ne peux que prier pour que ce ne soit pas aussi douloureux que l'Inquisition espagnole.

— Rien n'est aussi douloureux que l'Inquisition espagnole.

Vanda sourit de façon rusée, avec de l'éclat dans les yeux.

— Et lorsque nous aurons identifié l'homme le plus séduisant sur terre, il pourra me torturer à sa guise.

Darcy se détendit sur sa chaise et esquissa un sourire. Elle avait réussi. Elle avait les 5 femmes restantes de l'ancien harem comme juges, l'énorme appartement de grand luxe avec un spa, et 15 concurrents masculins prêts à rivaliser pour le titre. Tout tombait parfaitement en place.

— Que l'émission commence.

Huit

— Comment ça se passe ? lui demanda Gregori tandis qu'ils traversaient le pont de Brooklyn en route vers la maison.

— C'est super !

Maggie se reposait sur le siège arrière, le sourire aux lèvres.

— J'allais à la salle de la pause café et je suis passée devant le studio où ils tournent l'émission *Comme un vampire qui se transforme*. J'ai jeté un coup d'œil par la fenêtre et j'ai vu Don Orlando en personne.

— Génial.

Gregori sourit à Darcy.

— Et comment va l'émission de téléréalité ?

— Bien.

Darcy repensa à ce qu'elle avait accompli au cours de la nuit. Les limousines avaient été louées. Elle avait embauché une entreprise propriété de vampires pour installer des stores en aluminium sur les fenêtres des chambres à coucher de l'appartement de grand luxe, afin qu'aucun des invités ne se fasse frire en plein sommeil. Deux cameramen du RTNV avaient aussi été choisis. Un traiteur avait été embauché pour alimenter les concurrents humains. L'artiste travaillait fort, peignant deux portraits par nuit.

— Je n'ai plus qu'un seul problème. J'ai besoin de trouver un hôte.

— Quel sera le rôle de l'hôte ? demanda Gregori.

— Eh bien, il sera bon pour donner de mauvaises nouvelles. Il sera bien habillé, et dira, par exemple : « Messieurs, il n'y a plus qu'une seule rose », comme si personne dans la pièce ne sait compter jusqu'à un.

Gregori éclata de rire.

— Et c'est tout pour les compétences requises de l'emploi ?

— Sérieusement, je dois pouvoir compter sur lui et avoir une entière confiance en lui.

Gregori lui jeta un coup d'œil inquiet.

— Tu veux dire quelqu'un qui n'ira pas voir Sly dans ton dos pour lui dire ce que tu fais, même si c'est Sly qui signe les chèques.

— Exactement.

Gregori garda le silence tout en prenant la direction sud sur l'avenue FDR. Il contourna l'extrémité sud de Manhattan, puis fonça vers le nord, sur l'autoroute du West Side. C'est alors qu'il prit une grande inspiration avant d'annoncer ceci.

— D'accord, je le ferai.

— Pardon ? demanda Darcy.

— Je serai ton hôte. Tu as confiance en moi, n'est-ce pas ?

— Bien sûr, mais tu as déjà un travail. Il ne faudrait pas que tu brûles la chandelle par les deux bouts.

— Je ne ferai pas cela, l'interrompit-il. Je n'ai pas pris de vacances au cours des trois dernières années. Tu sais, je suis un peu limité quant aux endroits où je peux aller. Je prendrai donc quelques semaines de congé. L'émission ne durera pas bien plus longtemps que ça, non ?

— Non, quelques semaines devraient suffire.

Maggie se pencha vers l'avant.

— C'est génial ! Gregori fera un hôte superbe.

— Eh bien, je te remercie.

Gregori sourit.

— Après tout, je m'habille bien, et je peux même compter jusqu'à un.

Darcy éclata de rire.

— Gregori, tu es le meilleur. Merci.

— C'est à moi de te remercier. Tu es parvenue à faire sortir ces femmes de ma maison. Je t'en serai éternellement reconnaissant.

Darcy hocha la tête.

— Une fois qu'elles auront choisi l'homme le plus séduisant sur terre, ce dernier remportera un million de dollars et sera leur nouveau maître.

— Le pauvre bougre.

La nuit suivante, Darcy emmena Maggie et les cinq femmes de l'ancien harem dans les bureaux du RTNV. Elle les présenta à Sylvester Bacchus. Il examina sans retenue le décolleté de Lady Pamela, gracieuseté de sa robe de style regency. Il décampa ensuite de son bureau pour aller diriger des auditions.

— Quel homme affreux, dit Lady Pamela alors qu'elles s'assoyaient autour de la table de la salle de conférences du RTNV.

Darcy leur remit les contrats.

— Ce qui est bien en tant que juge sur une émission de téléréalité, c'est que vous pouvez expulser un candidat qui a pu vous offenser.

Cora Lee regarda le contrat en fronçant les sourcils.

— Je déclare que tous ces grands mots ne veulent pas dire grand-chose pour moi.

Maria Consuela se tortilla inconfortablement dans sa chaise.

— Je… je n'ai jamais appris à lire.

— Oh.

Darcy essaya de cacher sa surprise.

— Bon. Essentiellement, le contrat stipule que vous acceptez de demeurer juge de l'émission jusqu'à la fin, que vous jugerez les hommes impartialement au meilleur de vos capacités, et que vous vous abstiendrez de... mordre l'un ou l'autre des candidats, ou encore d'avoir des communications mentales de tout genre au cours de l'émission.

La princesse Joanna fronça les sourcils.

— Nous ne pouvons pas lire dans leurs esprits ?

— Non. Aucun contrôle de l'esprit et aucune lecture dans les pensées.

— Nous pouvons cependant avoir des relations sexuelles avec eux, n'est-ce pas ? demanda Vanda.

Darcy tressaillit. Le fait de penser qu'une autre femme puisse toucher Adam lui faisait un pincement au cœur.

— Je suppose que oui, si les hommes le désirent.

Vanda sourit et joua avec le bout du fouet dont elle se servait comme ceinture.

— Oh, ils le désireront.

Lady Pamela frissonna.

— Je ne peux pas imaginer vouloir qu'un homme me touche. Je préfère de beaucoup le sexe des vampires. C'est beaucoup plus civilisé.

— *Si*, acquiesça Maria Consuela. Les ébats amoureux des mortels sont trop physiques et sales. Ça me rappelle les séances de torture.

— Bien. C'est réglé.

Darcy tourna les pages jusqu'à la dernière de leurs contrats.

— C'est ici que vous signez, ou faites votre marque.

Maggie ramassa les contrats signés, et Darcy remit un bloc de papier à Lady Pamela puisqu'elle était capable d'écrire.

— Maintenant, j'ai besoin que vous pensiez aux qualités nécessaires pour qu'un homme soit l'homme le plus séduisant sur terre.

Maria Consuela tripota son rosaire du doigt.

— Je ne comprends pas.

— L'homme qui gagnera le concours deviendra votre nouveau maître, expliqua Darcy. Là, j'ai besoin que vous choisissiez les qualités que vous voulez que votre futur maître possède. Vous utiliserez ensuite ces critères pour juger les hommes pendant l'émission.

Les femmes la regardèrent avec des yeux vides.

— Écoutez, quel genre de maître voulez-vous avoir ?

— Oh, je sais, je sais ! dit Cora Lee en levant la main comme si elle était à l'école. Il doit être extrêmement beau et très riche.

Darcy hocha la tête.

— L'homme qui gagnera le concours deviendra riche. Et pour le fait d'être beau, ça peut en effet faire partie de vos critères. J'ai besoin que vous établissiez dix critères et que vous les placiez en ordre d'importance.

— Je suis d'accord avec Cora Lee, dit Vanda. Numéro un, il devrait être riche. Numéro deux, il devrait avoir un beau visage.

— Laissez-moi rendre ça bien clair pour vous, dit Darcy en guise d'avertissement. Les critères que vous choisirez détermineront quel genre de maître vous aurez à la fin. Vous pourriez donc souhaiter qu'il soit intelligent, honnête, fiable…

— C'est ennuyeux, dit Vanda en bâillant. Je veux qu'il soit riche et beau.

— Je suis d'accord.

Lady Pamela inscrivit les chiffres 1 et 2 sur son bloc-notes.

— La richesse et la beauté sont essentielles.

Darcy soupira.

— Et la bonté ?

— Flûte alors ! dit Cora Lee. Il pourrait être un genre de saint, mais s'il a le visage d'une mule, je ne serai pas capable de le regarder.

— Voilà qui est bien dit.

La princesse Joanna fit un geste vers le bloc-notes.

— Le numéro un doit être la richesse, et le numéro deux le fait d'avoir un beau visage.

Darcy gémit intérieurement, mais s'abstint de s'en mêler. Après tout, c'était *leur* maître qu'elles choisissaient.

— Excellent.

Lady Pamela nota leur décision.

— Maintenant, pour le critère numéro trois, je propose la civilité. Quelqu'un qui sait comment se comporter en société et qui s'adresse à nous par notre titre approprié.

— Je suis d'accord, annonça la princesse Joanna. Critère numéro quatre, il devrait avoir la voix d'un troubadour et être capable de charmer une femme avec des mots recherchés.

— Oh, j'aime ça.

Cora Lee hocha la tête, et ses frisettes blondes rebondirent.

— Et il doit être soigné. Et bien habillé.

— En effet.

Lady Pamela ajouta ces critères à sa liste.

— Et il devrait être un très bon danseur, ajouta Cora Lee.

— Et un bon amant, dit Vanda en souriant. Il devrait savoir comment nous satisfaire.

— Bah, se moqua Lady Pamela. Je n'ai aucunement l'intention de m'impliquer physiquement avec un homme.

—D'accord, murmura Vanda. Nous ferions tout de même mieux de nous assurer qu'il aime les femmes et qu'il fait bien le sexe des vampires. Il devrait aussi avoir un corps magnifique. Nous allons devoir le regarder pendant des siècles.

Darcy était prête à crier. Et l'intelligence, l'honnêteté et la fiabilité ?

— Vous progressez bien, alors je vais vous laisser continuer votre liste.

Elle se dépêcha de quitter la pièce, avant que sa frustration n'éclate. Leur homme idéal était un troubadour beau parleur, bien habillé, qui pouvait danser et faire du sexe de vampires ? Beurk.

Elle se dirigea vers la salle de la pause café, qui était située près des studios d'enregistrement à l'arrière de l'édifice. Elle tourna le coin et se buta contre Gregori.

— Hé !

Elle salua sa compagne de la tête.

— Simone.

— Bonsoir[3], répondit Simone avec un sourire suffisant.

Ce n'était pas étonnant que Simone soit devenue une mannequin célèbre, car sa beauté était stupéfiante. Elle était grande, dangereusement mince, avait des yeux bruns en amande et de longs cheveux noirs, et était vêtue de son ensemble fétiche, soit une combinaison-pantalon noire avec une ceinture ornée de faux diamants.

— Simone vient de se téléporter depuis Paris, expliqua Gregori. Ce soir, nous allons commencer à enregistrer un DVD d'exercices.

— C'est intéressant, murmura poliment Darcy.

— C'était l'idée de Roman, continua Gregori. Puisque les vampires modernes ne mordent plus les humains, il s'inquiétait du fait que nous pourrions perdre nos canines à force de ne plus nous en servir.

— Oh.

Darcy hocha la tête.

— Ces canines ne doivent pas tomber.

« En fait, ne serait-ce pas là une bonne chose ? »

— Je serai la vedette de ce DVD, annonça Simone.

Elle fit passer ses cheveux par-dessus son épaule.

— Nous attendons le célèbre directeur de Milan, Giovanni Bellini. Naturellement[4], je travaille seulement avec les meilleurs.

— Évidemment.

Darcy hocha la tête.

Un petit homme aux vêtements chiffonnés et au béret noir arriva justement en flânant.

— Ah, *bellissima* ! Vous voilà, belle comme toujours.

Il embrassa Simone sur chaque joue.

— Signor Bellini, voici Gregori.

---

3. En français, dans le texte original.

4. En français, dans le texte original.

Simone hésita en regardant Darcy.

— Et j'oublie quel est son nom, mais ce n'est pas important.

— Merci.

Elle serra les dents.

— Je suis Darcy.

Giovanni hocha la tête, puis regarda de nouveau Simone.

— *Bellissima*, ce sera le plus grand film de vampires de tous les temps. Je prévois tourner certaines parties essentielles du film en noir et blanc, pour représenter le désespoir morne des temps modernes.

Gregori se racla la gorge.

— M. Bellini, il ne s'agit que d'un programme d'exercices pour nos canines.

Giovanni recula en posant une main contre sa poitrine.

— L'exercice peut aussi être présenté d'un point de vue artistique. Imaginez le conflit. L'homme contre sa propre nature corrompue et indolente. Venez, *bellissima*.

Il l'escorta dans le studio.

Gregori tressaillit.

— Je n'aurais pas dû l'embaucher, mais Simone a insisté.

— Tu veux dire, *bellissima*?

Darcy lui tapota l'épaule, puis sourit.

— Bonne chance.

— Ouais, j'en aurai besoin.

Gregori marcha dans le studio en se traînant les pieds, puis ferma la porte. Une lumière rouge s'alluma.

Darcy se hâta vers son bureau. Elle ouvrit la porte et figea.

Adam Olaf Cartwright était assis à son bureau.

Neuf

Il leva les yeux et sourit.

— Bonsoir, Darcy.

Son cœur martelait dans sa poitrine. Son monde était assez fou comme ça. Est-ce qu'elle avait vraiment besoin que cet homme le vire sens dessus dessous en plus ? Elle ferma la porte et se demanda pourquoi il était assis à son bureau. Avait-il examiné ses papiers ? Elle se retourna pour lui faire face. Il souriait toujours. S'il avait fourré son nez dans ses affaires, il n'en semblait pas du tout embarrassé. Qui plus est, pourquoi Adam s'intéresserait-il à des contrats avec des traiteurs ou avec des agences de location de limousines ?

Et pourquoi réagissait-elle ainsi chaque fois qu'elle le voyait ? Son cœur battait la chamade, mais tout le reste semblait ralentir. Elle remarquait tous les petits détails le concernant, et il y avait un bon 10 secondes de retard dans toutes ses réponses parce que son cerveau refusait de travailler correctement. À ce rythme, il en viendrait sûrement à penser qu'elle fonctionnait avec un seul neurone.

— Bonsoir.

Il se leva et contourna le bureau.

— Désolé de m'être assis sur votre chaise, mais les autres sont occupées.

Il fit un geste vers les chaises qui faisaient face à son bureau. Deux paquets, enveloppés avec du papier d'emballage et de la ficelle, étaient posés sur chaque chaise.

— Ce sont des portraits, expliqua-t-il, avant même qu'elle puisse poser la question. J'arrive de son atelier, où il a fait le mien. Fred est en fait très doué.

Adam sourit, exposant ainsi ses fossettes à leur maximum.

— Il faut bien admettre que Fred est un nom peu commun pour un artiste.

«C'est également peu commun pour un vampire», pensa Darcy avec une ironie désabusée.

Elle tenta d'ignorer sa réaction face à Adam, mais c'était difficile de le faire quand son cœur était dangereusement prêt à exploser dans sa poitrine. Et tout ça, à cause d'une paire de fossettes et de ses yeux turquoise. Elle se demanda si Fred avait réussi à lui rendre honneur.

— Est-ce que l'un de ces portraits est le vôtre?

— Non, le mien était encore un peu mouillé.

Oh ouais, un peu mouillé. Elle pouvait comprendre cela.

— Fred a dit que ces quatre portraits étaient terminés, continua Adam. Il était trop occupé pour les apporter ici, alors je lui ai offert de m'en charger à sa place.

— Vous n'aviez pas vraiment besoin de faire ça.

— Oh, mais je l'ai fait.

Un coin de sa bouche se releva.

— Il m'a donné l'excuse parfaite pour vous revoir.

Son cœur battit encore plus fort dans sa poitrine.

— Et demain, quand mon portrait sera sec, j'aurai une autre raison de passer vous voir. C'est une bonne stratégie, vous ne pensez pas?

Sa fossette gauche s'approfondit.

Elle déglutit. Il était magnifique. Il avait un beau visage, et une voix séduisante comme celle d'un troubadour. Mince alors, il convenait parfaitement aux critères des femmes de l'ancien harem. Peut-être qu'elles avaient vu juste, en fin de compte.

Il s'assit sur le bord de son bureau.

— Vous avez passé un beau week-end?

Elle se raidit, se rappelant comment le père de Shanna avait presque ruiné le mariage de sa fille. Adam n'avait certainement rien à voir avec ça.

— Je suis allée à un mariage.

Elle l'observa de près, à l'affût d'une réaction.

Il plissa les yeux comme s'il tentait de s'en souvenir, avant de hocher la tête.

— Ah oui. Vos amis. Raoul et Sherry. Comment ça s'est passé?

Darcy poussa un soupir de soulagement. Comment aurait-il pu en parler à quiconque, s'il ne se souvenait même pas des noms des mariés?

— C'était bien.

— Bon.

Il détourna le regard. Sa mâchoire changea légèrement de position, et elle se demanda s'il grinçait des dents. Il lui fit soudainement un de ses fabuleux sourires où ses fossettes étaient mises en valeur.

— Et où iront-ils en lune de miel? Quel est l'endroit de l'heure, ces temps-ci?

Son cœur palpita dans sa poitrine. Pourquoi lui demandait-il cela?

— Je... je ne sais pas.

Il hocha la tête.

— Une de mes sœurs est allée dans les montagnes, au Canada. Une autre est allée en Hawaii.

Ses fossettes s'approfondirent.

— Je parie que vous choisiriez la plage.

Elle détourna le regard à son tour, et ses joues prirent une belle teinte colorée. Il avait raison sur ce point, mais cela ne se produirait sûrement jamais. Elle se déplaça vers la porte.

— Je suis très occupée...

Il s'empara d'une photo sur son bureau qui montrait l'édifice où l'appartement de grand luxe était situé.

— Alors, c'est à *Raleigh Place* que nous tournerons l'émission ?

— Euh, oui.

Il avait donc regardé ses choses. C'est bien normal d'être curieux, non ? Après tout, c'était sa propre curiosité qui avait changé sa vie pour toujours. Un frisson lui parcourut l'échine.

« La curiosité n'avait pas tué que le chat. »

Il marcha vers elle.

— Est-ce que ça va ?

— Je... je vais bien.

« S'en souciait-il vraiment ? »

— Vous travaillez certainement de longues heures. Il est presque minuit.

Son œil fut pris d'un tic. Comment pouvait-elle expliquer les heures étranges du RTNV à un mortel ?

— Je... j'ai beaucoup de travail à faire.

Et elle devait le faire sortir de son bureau. Si Sly ou une des femmes de l'ancien harem le voyait, ils découvriraient tout de suite que c'était un mortel, et elle se ferait bombarder de questions auxquelles elle ne voulait pas répondre.

— Je comprends.

Il la regarda tristement.

Elle soupçonna soudainement qu'il comprenait plus de choses qu'il ne le laissait entendre. Elle monta sa garde.

— Est-ce que vous vouliez quelque chose d'autre, M. Cartwright ?

— Je veux que vous soyez en sécurité.

Il toucha une mèche de cheveux qui reposait contre son épaule.

— Je veux que vous ayez confiance en moi.

— Je vous connais à peine.

Il fit rouler la mèche de cheveux entre son pouce et son index.

— Nous pouvons changer cela n'importe quand.

Elle voulut s'avancer vers lui et s'appuyer contre sa large et forte poitrine. Elle s'obligea néanmoins à résister.

— Je n'ai pas de temps libre.

Elle ouvrit la porte et jeta un coup d'œil au corridor. Ce dernier était désert.

— Merci d'avoir apporté les portraits.

— Je vous en prie.

Il se glissa dans le corridor.

— Quand l'émission commence-t-elle?

— Nous devrions être prêts dans deux semaines. J'enverrai toute l'information à votre agente.

Darcy s'engagea dans le corridor, et figea ensuite en constatant que Sly parlait avec la réceptionniste. Merde! Pourquoi n'était-il pas dans son bureau en train de profiter des attributs physiques de Tiffany? Zut alors. Même les hommes les plus pervertis étaient peu fiables. Elle saisit le bras d'Adam et lui fit tourner les talons dans la direction opposée.

— Aimeriez-vous une visite guidée des lieux?

— Ce serait super!

Il lui jeta un regard inquiet, mais lui permit de l'escorter plus loin encore que la porte de son bureau.

— Je croyais que vous n'aviez pas vraiment de temps libre.

— Quelques minutes de pause ne me feront pas de mal.

Elle lui fit tourner le coin, ce qui les plaça hors de la vue du secteur de la réceptionniste.

— C'est ici que se trouvent les studios d'enregistrement.

Elle fit un geste vers la droite.

— Dans le studio 1, ils enregistrent les *Actualités de la nuit*, avec Stone... Cauffyn.

Elle fit un geste rapide vers la gauche.

— Et là, c'est...

— Laissez-moi deviner.

Il désigna du doigt le numéro sur la porte.

— Se pourrait-il que ce soit le studio 2 ?

Elle sourit.

— Oui. Vous êtes vraiment intelligent. C'est là où est tournée *En direct*…

Son sourire se figea.

— Enfin, c'est le magazine qui s'intéresse aux célébrités.

Bon Dieu, elle avait presque dit : « avec ceux qui ne sont pas morts. »

Il ne sembla pas avoir remarqué son hésitation. Il essaya de jeter un coup d'œil par la fenêtre, mais les stores étaient fermés.

— Ça me semble bien sombre là-dedans.

— Ces émissions sont terminées pour la nuit. Le dernier feuilleton de la soirée est diffusé en ce moment même.

Elle fit un geste vers un corridor menant à l'arrière de l'édifice.

— Les studios 4, 5 et 6 sont les grandes salles de tournage où ils tournent les feuilletons.

— Et le studio 3 ?

Adam passa devant ce dernier et essaya de voir au-delà des stores fermés.

— Que se passe-t-il là-dedans ?

Il était certainement très curieux.

— C'est un petit studio où ils tournent des annonces publicitaires et des trucs de ce genre.

— La lumière rouge est allumée. Est-ce qu'ils tournent une annonce publicitaire en ce moment ?

— Non, pas exactement.

Elle ne pouvait pas vraiment lui expliquer qu'il s'agissait d'un programme d'exercices pour les canines des vampires.

Il examina un panneau de contrôle près de la porte.

— Est-ce que c'est ce bouton pour entendre le son ?

— Non, n'appuyez pas.

Darcy tendit le bras pour l'arrêter dans son mouvement, mais elle arriva trop tard. Les voix de l'intérieur du studio se firent entendre par le petit haut-parleur situé à côté de la porte.

— Je ne pense pas qu'elle peut tenir cette position très long-temps, dit Gregori. Cela me semble plutôt inconfortable.

— Elle peut le faire, insista Giovanni. C'est une professionnelle. Et elle est si belle. Si séduisante.

Les yeux d'Adam s'agrandirent.

— Qu'est-ce qu'ils font là-dedans?

Darcy s'appuya contre le mur.

— Ça ressemble à… un exercice.

— Un exercice pour adultes? demanda doucement Adam.

— Je ne dirais pas que…

Darcy fut interrompue par la voix de Giovanni.

— C'est le moment, *bellissima*. Sortez-les. Montrez-les-moi.

Adam lui jeta un regard sceptique.

— Un exercice pour adultes… en costume d'Adam?

— Non!

Darcy râla.

— Le RTNV ne donne pas dans ce genre de choses.

— Voilà, *bellissima*! s'exclama Giovanni. C'est si beau. Si blanc, et avec une forme si parfaite.

Adam arqua un sourcil.

Elle tressaillit.

— Ce n'est pas ce que vous pensez.

— Maintenant, replacez-les, *bellissima*. Dissimulez-les complètement.

Adam se pencha et posa sa main sur le mur près de sa tête.

— Peut-être que j'ai un esprit tordu, mais tout ceci me semble plutôt pervers.

Embarrassée, elle baissa les yeux. C'est alors qu'elle se rendit compte qu'elle regardait fixement son entrejambe. Elle se dépêcha donc de croiser de nouveau son regard.

Il sourit légèrement, révélant seulement une fossette naissante dans sa joue gauche. Elle résista à l'envie de la toucher du doigt.

Il appuya son autre main sur le mur de l'autre côté, la coinçant entre ses bras.

— J'ai repensé souvent à ce baiser que nous avons partagé. Et vous ?

Elle ouvrit la bouche avec l'intention de lui mentir, mais fut interrompue par la voix excitée de Giovanni.

— Voilà, *bellissima* ! Faites-le maintenant en suivant le rythme de la musique.

Les notes d'un lent morceau de jazz se firent entendre dans le haut-parleur. Un saxophone jouait des notes doucereuses.

— Faites-le encore, *bellissima*. Sortez-les. Rentrez-les.

La musique faisait vibrer le mur derrière Darcy. Adam se pencha tout près d'elle, et elle pouvait sentir son souffle doux contre son front. La chaleur de son corps était vraiment invitante. Elle avait été froide depuis si longtemps.

Il lui embrassa le front, puis la tempe, puis sa pommette. Elle s'agrippa à sa chemise. Le désir humidifiait son entrejambe, lui faisant sentir ce besoin qu'elle avait de lui en elle. Il glissa le lobe de son oreille dans sa bouche et le suçota.

Elle gémit. Que faisait-elle ? Elle avait juré de ne plus perdre le contrôle. Sans parler du fait que quelqu'un pourrait se pointer dans le corridor à tout moment.

— Non.

Elle lui poussa les épaules.

Il recula, ses yeux brûlants de désir.

— Pourquoi pas ?

Elle prit une inspiration chancelante.

— Nous sommes dans un lieu de travail. Quelqu'un pourrait nous voir.

Elle désactiva le haut-parleur.

— Alors, allons chez moi.

— Non.

Darcy marcha à grands pas dans le corridor. Elle avait vraiment été idiote de se laisser emporter ainsi. Et Adam ? Est-ce qu'il avait tenté sa chance uniquement à cause des paroles pleines de sous-entendus et de la musique lascive ?

« Merde ! »

— Je n'avais pas réalisé à quel point vous vous excitiez facilement, M. Cartwright.

— Ce n'est pas le cas.

Sa voix semblait plus pénétrante tandis qu'il marchait derrière elle.

— Avec vous, je suis toujours excité, mais ça n'arrive pas avec d'autres.

Elle eut un tic à l'œil. Bon Dieu, il agissait comme s'ils formaient un couple. Elle devait mettre un terme à cela avant que ça n'aille trop loin.

— Ce n'était rien de plus qu'une réponse physique face à un corps qui convenait.

— Merde alors. Vous pensez que vous n'étiez qu'un corps qui convenait pour moi ?

Elle se tourna pour le regarder.

— Non, je dis que vous étiez un corps qui convenait pour moi.

Il s'immobilisa d'un seul coup.

Merde, elle avait froid. Aussi froid que lors de cette terrible nuit quatre ans auparavant. Cela devait toutefois être fait. C'était pour son propre bien.

Ses yeux bouillonnaient de colère tandis qu'il marchait vers elle avec raideur.

— Rien ne convient de près ou de loin dans cette relation. Elle est presque impossible.

Elle respira un coup sec. Pourquoi continuait-elle à avoir l'impression qu'il en savait trop ? Il y avait quelque chose de dangereux en lui, mais bon Dieu, cela lui donnait encore plus envie de lui.

Il s'arrêta devant elle. La colère dans ses yeux était enflammée.

Oh Dieu, elle voulait cette chaleur. Elle en avait besoin.

— Je vous veux encore, chuchota-t-il.

Elle cligna des yeux pour chasser ses larmes. Il était diablement tentant.

Des bruits de pas et des voix se firent entendre dans le corridor. La voix stridente de Corky Courrant retentit. Merde! Il était impossible pour Darcy de faire sortir Adam par la porte arrière sans que Corky ne le remarque.

Darcy se retourna en cherchant frénétiquement une solution, et c'est alors qu'elle découvrit une porte.

— Par ici.

Elle poussa Adam à l'intérieur.

— Eh bien! Ça fait partie de ma visite guidée? demanda-t-il sèchement.

— Oui.

Elle ferma la porte, puis tâtonna dans le noir à la recherche d'un interrupteur. Les lumières s'allumèrent et révélèrent d'innombrables rangées de vêtements suspendus à des supports.

Adam erra entre deux longues rangées de vêtements.

— Nous sommes dans la salle des costumes, expliqua-t-elle fort inutilement.

Il retira un cintre du lot et sourit admirativement à la vue d'un minuscule déshabillé rouge étriqué.

— Est-ce qu'un défilé de mode privé fait partie de ma visite guidée?

— Non.

Elle lui arracha le vêtement des mains et le replaça sur son support.

— M. Cartwright, vous allez devoir cesser de me courtiser. Notre relation est purement professionnelle.

Sa mâchoire se raidit.

— Avez-vous embrassé d'autres candidats à votre émission? Dans un sens purement professionnel, bien sûr.

Elle croisa ses bras contre sa poitrine.

— Cela ne vous concerne pas.

— Avez-vous embrassé un autre candidat? dit-il les dents serrées. Ou avez-vous eu envie de le faire?

— Non.

Elle le regarda fixement.

— Cela ne signifie cependant pas que ce flirt devrait continuer.

Il marcha vers elle.

— C'est beaucoup plus qu'un flirt, et vous le savez. Ce qui se passe entre nous est spécial. C'est vraiment frustrant… et très beau à la fois.

D'une façon ou d'une autre, il réussissait toujours à trouver les mots justes. C'était vraiment embêtant.

— Il ne peut rien y avoir entre…

— Vite!

La voix de Corky se fit entendre tout juste de l'autre côté de la porte.

— Par ici.

Darcy haleta et pivota vers la porte. Elle haleta de nouveau lorsque Adam la saisit par-derrière et l'entraîna à l'abri derrière un support de vêtements.

— Que…

Il lui couvrit la bouche de sa main.

— Silence, chuchota-t-il.

— Vite!

Corky ouvrit la porte. Il y avait plus que les bruits de pas d'une personne.

— Fermez la porte, siffla-t-elle. Et éteignez les lumières.

— Oui, ma chérie, répondit une voix basse.

La voix masculine était familière, mais Darcy ne parvint pas à l'identifier avec certitude. Les lumières s'éteignirent, et voilà qu'elle se retrouvait dans l'obscurité avec Adam. Il avait encore la main posée doucement contre sa bouche, et son bras contre sa taille comme une ceinture d'acier. Il respirait rapidement, et sa large poitrine frottait contre son dos. Sa main se retira de sa bouche et glissa le long de son cou. Il appuya son menton contre ses cheveux. Ils demeurèrent ainsi parfaitement immobiles et silencieux.

Ce n'était pas le cas pour Corky et son petit ami. Leurs lèvres produisaient de forts bruits de baisers tandis qu'ils s'embrassaient. Leurs corps entrèrent en collision avec des supports à vêtements alors qu'ils tournaient sur eux-mêmes. Les vêtements commencèrent à se balancer, et vinrent se buter contre Darcy.

Une main posée contre son ventre, Adam la guida tranquillement derrière un deuxième support à vêtements. Elle était extrêmement consciente du fait que ses hanches et ses fesses se frottaient contre lui pendant qu'ils se déplaçaient.

Ils s'arrêtèrent contre un mur couvert de tablettes. Il l'approcha de lui, et ses fesses se retrouvèrent tout contre le devant de ses pantalons. Elle prit une vive inspiration et réalisa que son membre était totalement engorgé de sang, ou du moins qu'il l'était à 95 %. Le membre d'un homme ne pouvait pas devenir bien plus gros que ça, non?

— Ma belle Corkarina, tu me rends fou de désir, murmura l'intrus masculin avec un accent latin.

Corky gémit.

— Oh, prenez-moi, Don Orlando.

Darcy se raidit tout d'un coup. Oh non! Les rumeurs étaient donc fondées. Pauvre Maggie. C'était terrible. Darcy s'affaissa contre Adam, et ce dernier en profita pour se coller à elle de plus belle.

«Oh, mon Dieu.»

Il n'avait probablement été qu'à 75 % de son potentiel. Il grandissait encore.

Elle déplaça ses hanches afin qu'il puisse se blottir dans la crevasse de son derrière. Oh ouais, la tension était à la hausse, et son cœur retentissait avec fracas. Il baissa la tête et mordilla son oreille. Heureusement, il n'y avait aucune chance qu'on puisse les entendre, tant l'autre paire d'amants étaient bruyants.

Adam caressa son cou sur toute sa longueur avec ses longs doigts, puis sa bouche prit le relais en la bombardant de doux baisers. Elle appuya sa tête contre son épaule, lui donnant un meilleur accès. Ses doigts descendirent dans son t-shirt. Elle frissonna lorsque sa paume couvrit son sein. Il le serra tout doucement.

La voix de Don Orlando murmura.

— Oh, Corkarina, tes seins ressemblent à des mangues succulentes.

Darcy colla aussitôt sa main contre sa bouche pour s'empêcher de réagir. Elle ne savait pas si elle devait pousser un cri ou éclater de rire.

— Et j'ai un tamal bien chaud pour vous, ajouta-t-il.

Darcy serra ses lèvres pour s'empêcher de hurler. C'était ça, Don Orlando, le meilleur amant du monde? La poitrine d'Adam vibra contre elle tandis qu'il étouffait son propre éclat de rire.

Tout à coup, la porte s'ouvrit, et un hurlement flotta dans l'air.

— Don Orlando, comment pouvez-vous me faire cela? Vous avez dit que vous m'aimiez.

— Je vous aime, Tiffany.

— Quoi? cria Corky.

— J'aime toutes les belles femmes, expliqua calmement Don Orlando. Et elles m'aiment toutes.

— Alors, ressentez bien l'amour que j'ai pour vous, espèce de bâtard.

On entendit le son retentissant d'une claque assénée en plein visage.

— Je vais vous détruire à mon émission.

Corky décampa de la pièce d'un pas lourd.

— Corkarina! dit Don Orlando en courant derrière elle.

— Fumier! hurla Tiffany.

Elle fit une pause, puis s'aventura dans la pièce sombre. Elle dépassa plusieurs supports à vêtements avant d'arriver au mur couvert de tablettes.

Darcy et Adam s'immobilisèrent, à quelques mètres de là.

Elle ne les remarqua pas, car son regard était concentré sur des paires de souliers.

— Oh, ceux-ci sont plutôt beaux.

Elle s'en empara et se dirigea dans le corridor, en fermant la porte derrière elle.

— Enfin seuls, chuchota Adam. Je croyais qu'ils ne partiraient jamais.

Elle se tourna dans ses bras pour lui faire face.

— Je ne pensais pas qu'il y aurait tant de vie ici ce soir.

— Ouais. Je me serais attendu à ce que ce soit plus… mort.

Elle jeta un coup d'œil rapide à son visage, mais ne pouvait pas voir son expression dans l'obscurité.

Il glissa sa main dans la poche de son pantalon.

— J'ai quelque chose ici pour nous.

— Un tamal bien chaud ?

Darcy tressaillit. Elle n'aurait pas dû dire cela.

Il rit sous cape.

— Pardonnez-moi un instant pendant que je le sors de mes pantalons.

Elle entendit des clés cliqueter, puis il alluma une petite torche électrique fixée à son porte-clé. Il pointa la lumière sur son visage.

Elle plissa les yeux et fit une grimace.

— Toujours aussi adorable.

Il baissa ensuite la lumière sur son sein droit, puis sur son sein gauche.

— Vous pouvez cesser cela ?

— Je tenais seulement à m'assurer que je n'avais pas endommagé les mangues succulentes.

Elle poussa un grognement.

— Non, mais vous avez entendu ce type ?

Elle saisit la main d'Adam et détourna la lumière de ses seins. Malheureusement, la lumière visait maintenant son aine. Oh, il devait bien être à 100 %, maintenant. Le plus gros tamal qu'elle n'avait jamais vu, et elle en avait vu quelques-uns, en Californie du Sud.

— Oh, chuchota-t-elle.

— Je suis enchanté que cela vous impressionne.

Il éclaira le plafond.

— Par contre, je vais finir par être fort embarrassé, si vous continuez à me regarder.

— Oh.

Elle recula.

— Nous ferions mieux de vous faire sortir d'ici.

— Passez devant.

Il éclaira devant elle jusqu'à ce qu'elle atteigne la porte.

— Je n'ai pu m'empêcher de remarquer que vous ne voulez pas que personne ne me voie.

Darcy haussa les épaules.

— Je ne devrais pas avoir un lien aussi privilégié avec un acteur.

Elle ouvrit la porte et regarda fixement à l'extérieur.

— La voie est libre.

Il tendit la main, puis ferma la porte.

— Est-ce que vous trouvez que notre relation est embarrassante ?

— Non.

Elle lui fit face, son dos contre la porte.

« Elle est seulement impossible. Tentante comme ce n'est pas possible, et impossible à avoir. »

— Alors, pourquoi me cachez-vous ?

Son œil eut un tic.

— Ma douce.

Il lui toucha le coin de l'œil et caressa sa peau tout doucement en faisant de petits cercles.

— Vous n'avez plus à avoir peur, à présent. Vous pouvez avoir confiance en moi.

— Je... je n'ai pas peur.

— Alors, pourquoi refusez-vous ceci ?

Ses doigts soulignèrent la forme de sa pommette et de sa mâchoire. Il se pencha vers elle et l'embrassa sur les lèvres.

— Allez-vous me le dire ?

— Hmm ?

Elle ne pouvait pas penser clairement pendant que sa bouche mordillait son cou.

— Pourquoi avez-vous peur que quelqu'un me voie ici ?

— Oh.

« Parce qu'ils sauront que vous êtes vivant ? »

Elle ne pouvait lui dire cela.

— Les juges de l'émission de téléréalité sont ici, et elles ne doivent pas voir les concurrents à l'avance. Ça gâcherait tout.

— C'est tout ?

Il l'examina attentivement.

— Rien d'autre ?

— Non, je veux seulement que vous soyez un secret. Pour tout de suite.

— Vous avez d'autres secrets ?

Un éclair de chaleur la traversa. Il avait pris naissance dans ses tempes, avant de glisser contre son cou, de réchauffer son cœur et d'enflammer son entrejambe. Elle s'appuya contre la porte. Bon Dieu, il n'avait même pas besoin de la toucher pour qu'elle devienne toute chaude. Comment parvenait-il à lui faire cela ? Elle n'avait jamais autant désiré un homme de toute sa vie.

Il recula et éteignit sa torche électrique. Elle ne pouvait pas voir l'expression de son visage dans l'obscurité, mais elle savait qu'il avait le regard fixé sur elle. Elle pouvait sentir la chaleur de ses yeux.

La chaleur dans son corps se dissipa lentement, la laissant de nouveau froide et vide.

— Venez.

Elle jeta un coup d'œil par la porte. Il n'y avait personne en vue, mais elle pouvait entendre des cris perçants provenant du bureau de Sly. Corky avait un trop-plein à déverser sur lui.

— Par ici.

Elle fit signe à Adam de la suivre.

Ils progressèrent rapidement dans le corridor menant à la lourde porte arrière, que Darcy ouvrit.

Adam fit une pause.

— Quand pourrai-je vous revoir ?

— Dans deux semaines. S'il vous plaît, promettez-moi de ne pas revenir ici.

— D'accord.

Il fronça les sourcils, puis retira un petit bloc-notes et un stylo d'une poche intérieure de sa veste. Il nota quelque chose.

— Si vous avez besoin de quoi que ce soit, appelez-moi. Ou soyez à l'aise de venir faire un tour.

Elle accepta la feuille de papier. Il lui avait donné son adresse et son numéro de téléphone.

Il tendit la main vers elle et fit glisser le bout de son doigt sur le côté de son visage. Il le glissa légèrement sur ses lèvres.

— Merci pour la visite guidée.

Il se glissa ensuite dans l'obscurité.

La brise fraîche de la nuit pénétra dans le corridor, dissipant la chaleur qu'il venait de susciter là où il l'avait touchée.

Darcy poussa un soupir et laissa la porte se refermer. Les deux prochaines semaines allaient être bien longues.

Austin dut prendre une douche froide afin de pouvoir se concentrer de nouveau sur son travail. Il entra à pas feutrés dans sa cuisine, portant le caleçon à l'effigie de Bob l'éponge que sa plus jeune sœur lui avait donné pour Noël. Le fait de penser ainsi à sa famille fit en sorte qu'il se demanda encore une fois pourquoi Darcy vivait parmi les vampires. Ses recherches lui avaient permis de découvrir que ses parents et ses deux sœurs plus jeunes vivaient encore à San Diego. Est-ce que ses liens avec sa famille étaient complètement coupés ? Est-ce que les vampires la retenaient prisonnière dans leur monde parce qu'elle en savait trop ? Avaient-ils menacé sa famille pour qu'elle demeure ainsi auprès d'eux ?

C'était sûrement ça, car il avait la certitude qu'elle aurait déjà tenté de s'échapper dans le cas contraire. Il avait pu comprendre, d'après ses reportages, qu'elle était courageuse et ingénieuse. Les vampires avaient donc un genre d'influence sur elle pour qu'elle reste avec eux.

Qu'est-ce qui avait bien pu se passer quatre années auparavant ? Austin avait pu mettre la main sur une copie du rapport de police, mais il n'était pas possible d'en tirer une conclusion véritable. Elle s'était rendue dans une boîte de nuit de vampires, à Greenwich Village, un soir d'Halloween, pour faire un reportage sur les jeunes qui prétendaient être des vampires. D'une façon ou d'une autre, elle s'était ensuite retrouvée dans l'allée derrière la boîte de nuit. La mare de sang et le couteau retrouvé sur place avaient été associés à elle. La police soupçonnait qu'elle avait été tuée, mais personne ne savait vraiment ce qui s'était passé dans cette allée.

La veille, Austin avait retrouvé son ancien caméraman, Jack Cooper. Jack parvenait à peine à survivre dans un appartement qui ne comptait qu'une seule pièce, et qui était situé dans un sous-sol encrassé avec des feuilles de papier d'aluminium collées sur de minuscules fenêtres. C'était facile de comprendre que Jack ne s'était jamais remis de cette soirée. Peut-être que le chapeau fabriqué avec une feuille de papier d'aluminium qu'il portait sur sa tête était un indice. Ça, ou sa conclusion que les vampires étaient des extra-terrestres sanguinaires qui contrôlaient les esprits et qui cherchaient à le retrouver pour l'enlever comme ils l'avaient fait avec Darcy. C'était triste de constater que tout le monde pensait que Jack n'avait plus toute sa tête, parce qu'il avait raison à propos des suceurs de sang, du contrôle de l'esprit et de l'enlèvement de Darcy. Les vampires l'avaient enlevée, et ils ne la laissaient pas partir.

Austin saisit une bière du réfrigérateur. Que devrait-il faire pour qu'elle ait confiance en lui ? Il l'avait bien incitée à se confier à lui, et lorsqu'il avait compris qu'elle ne le ferait pas, il avait envahi son esprit, espérant pouvoir se servir à même ses pensées secrètes.

Ce qu'il avait vu dans son esprit l'avait abasourdi. Aucun secret sombre. Les pensées les plus secrètes de Darcy tournaient autour du fait qu'elle le désirait vraiment. Il avait dû résister comme jamais auparavant pour ne pas la coucher sur le sol et lui faire l'amour à ce moment précis.

Faire l'amour sur le plancher de la salle d'habillage? Cela l'aurait rendu aussi sordide que Don Orlando. Austin poussa un petit grognement et posa sa bière sur la petite table. Il s'empara de son bloc-notes et ajouta le nom de Don Orlando à la liste de vampires qu'il avait déjà commencé à compiler.

Il fit glisser une des bandes vidéo de Darcy dans le magnétoscope. Il les avait toutes visionnées, et certaines à plus de deux reprises. Mince alors. Il la regardait tous les soirs au lieu de s'intéresser aux émissions sportives. Il pensait tout le temps à elle. Et si ça n'avait été que du désir physique, il ne s'intéresserait qu'à son corps magnifique, non? Ce n'était pas le cas, car il était inquiet pour elle. Était-il en train de tomber amoureux?

Il s'affala sur le canapé. Non, cela ne pouvait être de l'amour. C'était une chose intellectuelle. Le mystère de son style de vie étrange l'intriguait, et il voulait des réponses. Et il était également préoccupé par sa sécurité. C'était normal.

Il avait grandi en protégeant ses sœurs plus jeunes que lui. C'était naturel. Rien de spécial là-dedans.

Il s'empara de la veste posée sur le bras du canapé et fouilla dans la poche intérieure. Il en retira un petit carnet et parcourut les notes qu'il avait prises dans le bureau de Darcy. Elle avait retenu les services de l'entreprise Aux volets fermés pour installer des stores d'aluminium aux fenêtres de l'appartement de grand luxe. Cela signifiait donc que Garrett et lui vivraient là avec des vampires. Il ferait mieux d'apporter quelques pieux de bois dans ses valises.

Il avait aussi noté le nom du traiteur que Darcy avait embauché. Il veillerait à ce qu'Alyssa ou Emma puisse s'en servir comme couverture. De cette façon, une de ses collègues pourrait venir à l'appartement de grand luxe en plein jour, récupérer des informations auprès de Garrett ou de lui-même, et les transmettrent ensuite à Sean.

Il avait aussi noté l'adresse de *Raleigh Place*. Il irait là pendant le jour et y installerait des caméras cachées et des micros. Il retira enfin une clé USB de la poche de sa veste. Il était parvenu à télécharger les dossiers des employés du RTNV à partir du vieil ordinateur de Darcy, avant qu'il n'entende le bruit de ses pas approcher de son bureau. Il posa la clé sur la table à côté de sa liste de vampires.

Il s'étira et jeta un coup d'œil à la télévision. Darcy venait de commencer un nouveau reportage. Oh, et c'était un de ses favoris. Il saisit la télécommande et monta le son.

— Je suis ici dans le sud du Bronx pour l'ouverture d'un nouveau parc.

Darcy sourit à la caméra tout en marchant dans un sentier.

— Ce n'est pas un parc pour les enfants. Ce n'est pas pour les basketteurs, les adeptes de patins à roues alignées, ou même pour les joueurs d'échecs. Ce parc est pour les chiens.

Le caméraman fit un zoom sur une femme au loin, qui faisait un tour avec son caniche blanc au poil duveteux. Il revint ensuite vers Darcy.

— Comme vous pouvez le voir, le parc est divisé en sections, selon la taille de votre… ahhh!

Elle glissa sur une distance d'environ un mètre et demi, ses bras s'agitant tels des moulinets dans les airs. Après quelques secondes d'efforts, elle parvint à retrouver son équilibre. Elle jeta un coup d'œil à ses chaussures, plissa son nez, puis fit un sourire désabusé à la caméra.

— De toute évidence, cette section est réservée aux chiens de *très grande taille.*

Austin rit sous cape. Peu importe le sujet de ses reportages, Darcy parvenait toujours à en faire un succès. Elle était courageuse, drôle, intelligente et belle. Rien ne pouvait affecter son moral.

Quelque chose s'était cependant produit. Il serra la télécommande dans sa main. Quelque chose était venu la priver de cette vie heureuse et ensoleillée, pour ensuite l'emprisonner dans un monde sombre rempli de créatures démoniaques. Et cela la faisait souffrir. Il pouvait lire la douleur dans ses yeux. Il avait remarqué comment elle serrait ses mains ensemble d'une manière tendue. La peur qui entraînait ce tic nerveux à son œil droit. Ce tic ne se manifestait jamais sur ces bandes vidéo. C'était quelque chose de nouveau. Et cela avait fort probablement commencé un soir d'Halloween, quatre ans plus tôt.

Dix

L'appartement de grand luxe, à *Raleigh Place*, pouvait s'enorgueillir de deux étages au décor somptueux, comprenant des planchers et des colonnes de marbre italien ainsi que des lustres de cristal de Baccarat. Darcy estimait qu'un petit orchestre de chambre aurait pu s'installer dans la baignoire de la chambre principale, ou qu'il aurait été possible de nourrir la population entière du Liechtenstein avec ce que contenait l'énorme garde-manger de la cuisine.

Malgré tout cela, c'était le toit qu'elle préférait. Elle aimait se retrouver ainsi en plein air, et cela était peut-être attribuable à son enfermement obligatoire. Elle aimait la caresse de la brise du soir sur son visage et le parfum des roses qui flottait jusqu'à elle depuis la serre de verre situé dans un des coins de l'endroit. Elle aimait le miroitement de la piscine au clair de lune et les reflets qui dansaient le long des murs peints en blanc qui entouraient le toit. Une brume planait au-dessus du spa, l'invitant à s'abandonner à son agréable chaleur. D'énormes pots d'argile étaient alignés à cinq pieds d'intervalle le long des murs dont la hauteur atteignait celle de sa poitrine, et chacun de ces pots contenait une plante verte luxuriante dont le sommet dépassait amplement sa tête. Certaines plantes étaient taillées de façon à reproduire de très gros cônes, tandis que d'autres ressemblaient à des animaux imaginaires. Chaque arbre ainsi taillé était couvert de lumières blanches qui scintillaient comme les étoiles dans le ciel.

Dans le coin opposé à la serre se trouvait un petit cabanon. Ce dernier abritait deux pièces où l'on trouvait le strict minimum, ce qui était tout à fait le contraire de la splendeur de l'appartement de grand luxe. Darcy était toutefois à ce point fascinée par le toit qu'elle décida de se servir de ce cabanon à titre de bureau et d'endroit où elle pouvait se retirer en paix.

Elle marcha à pas mesurés autour de la piscine, tendue par l'excitation. Elle portait l'étincelante robe bordeaux qu'elle s'était procurée pour le mariage de Shanna, car elle allait devoir apparaître quelques minutes devant la caméra. Ce soir, ils allaient commencer le tournage de la téléréalité *L'homme le plus séduisant sur terre*, et elle allait revoir Adam après deux longues semaines de séparation.

— Les voilà ! annonça Gregori depuis l'extrémité nord du toit.

À ses côtés, Bernie pointa sa caméra vers la rue, douze étages plus bas.

Darcy se précipita vers le mur et jeta un coup d'œil à son tour. Une limousine noire avançait lentement dans la rue. Maggie et les juges de l'ancien harem arrivaient. Le deuxième caméraman, Bart, était dans la limousine. Il pouvait donc filmer leurs réactions face à leur nouvelle maison. Darcy combinerait les images des deux caméramans au montage. La limousine s'immobilisa devant l'entrée couverte de tapis rouge du *Raleigh Place*.

Gregori mit la main aux écouteurs qu'il portait.

— Voilà le son. Je peux les entendre parler.

Darcy glissa ses écouteurs dans ses oreilles, et put aussitôt entendre les voix excitées des femmes à l'intérieur de la limousine.

— Pour l'amour de la terre! s'exclama Cora Lee. Cet immeuble est grandiose!

— Regardez, dit Lady Pamela. Un valet de pied vient nous ouvrir la porte.

— C'est un portier, murmura Vanda.

— Ça demeure un domestique, râla Lady Pamela. Je dois toutefois dire qu'il est épouvantable, de nos jours, de voir à quel point les domestiques négligent de porter leurs perruques poudrées.

— Ou la livrée appropriée, déclara la princesse Joanna. Il est impossible de savoir à quel seigneur il appartient.

Darcy soupira, en observant tout cela depuis le toit. Les femmes de l'ancien harem étaient vraiment coincées dans le passé. Elle avait insisté pour qu'elles se nantissent d'une nouvelle garde-robe pour l'émission, mais elle avait maintenant l'affreuse impression qu'elles avaient totalement ignoré sa requête. Bart descendit le premier de la limousine avec sa caméra afin de pouvoir filmer les femmes à leur sortie de la voiture. Vanda descendit et marcha à grands pas sur le tapis rouge. Il était facile de la remarquer avec ses cheveux et sa robe dans le même ton de mauve. Jusqu'ici, pas de problèmes.

Puis, Lady Pamela descendit. Elle ajusta le corsage de sa robe de soie bleu pâle de style regency. Son réticule assorti pendait depuis un ruban qu'elle portait au poignet. Darcy gémit.

Maria Consuela et la princesse Joanna marchèrent elles aussi sur le tapis rouge, portant toutes les deux de longues robes médiévales dont les voiles couvraient les cheveux.

— Je pensais que tu leur avais acheté de nouveaux vêtements, murmura Gregori.

Darcy soupira.

— Il est difficile de déranger les vieilles habitudes.

Cora Lee déploya des efforts pour s'extirper de la voiture, mais sa jupe à arceaux resta coincée dans l'étroite ouverture de la porte. Maggie la poussa donc de l'intérieur, et Cora Lee bondit sur le trottoir. Ce fut enfin au tour de Maggie de descendre et elle ferma la porte derrière elle.

Elles entrèrent dans l'édifice les unes après les autres, murmurant leur appréciation du plancher de marbre et du plafond illuminé.

— Je déclare que cet ascenseur est vraiment brillant! s'exclama Cora Lee.

— Oui, acquiesça Maggie. C'est l'ascenseur qui mène à l'appartement de grand luxe. Les portes sont en laiton.

— Comme c'est charmant, dit Lady Pamela d'un ton prétentieux. Sois gentille et appuie sur le bouton pour nous.

— Oh, en réalité, vous devez me suivre, dit Maggie. Par ici, je vous prie.

— Où vas-tu nous conduire? demanda la princesse Joanna.

— À un autre ascenseur, expliqua Maggie.

— Ce corridor est si sobre et morne, geignit Cora Lee.

— Pourquoi n'allons-nous pas à l'appartement de grand luxe? demanda la princesse sans délicatesse. Où cet autre ascenseur mène-t-il?

— Oh, il mène à l'appartement de grand luxe, dit Maggie pour les rassurer. Il mène tout simplement… à l'étage de la cuisine et des domestiques. C'est très beau et privé.

— *L'étage des domestiques?* cria la princesse.

Darcy et Gregori grimacèrent tous les deux tandis que le cri de la princesse écorchait leurs oreilles par le truchement des écouteurs.

— Oui, répondit Maggie. Nous aurons de très belles chambres à coucher juste à nous à… l'étage des domestiques.

— L'étage des domestiques?

La voix de Lady Pamela trembla.

— Je suis la fille d'un baron et la veuve d'un vicomte. Je ne peux pas vivre avec des domestiques!

— Il n'y aura personne d'autre que nous six, la rassura Maggie. Nous allons toutes avoir notre propre chambre à coucher. Nous y sommes. C'est le monte-charge.

— C'est affreux. Tout simplement affreux.

La voix de Lady Pamela était stridente.

— Je... je commence à avoir des vapeurs !

— Espèce d'idiote, gronda la princesse Joanna. Où sont tes sels ?

Darcy roula des yeux. Les prétendus sels de Lady Pamela étaient en fait une fiole remplie de Chocosang.

— Je ferais mieux d'aller aider Maggie.

Darcy se dirigea vers la cage d'escalier située tout près de la serre. Elle jeta un coup d'œil vers Gregori et Bernie.

— Je vous verrai dans le hall, à 22h.

Gregori hocha la tête.

— Nous y serons.

Darcy fit une pause à la porte de la cage d'escalier.

— Bernie, pouvez-vous retenir les services d'un pilote d'hélicoptère ? J'aimerais avoir un plan aérien de ce toit. C'est si beau.

— Aucun problème.

Bernie posa sa caméra sur le sol et sortit son téléphone portable.

Darcy ouvrit la porte de la cage d'escalier. La réception dans ses écouteurs était faible, à présent, mais elle pouvait encore entendre le son des voix qui hurlaient. Pauvre Maggie. Darcy dévala trois escaliers avant d'ouvrir la porte à l'étage des domestiques. Elle pouvait entendre l'ancien harem dans le monte-charge.

— Calmez-vous, s'il vous plaît, implora Maggie. Il y a six chambres à coucher à l'étage des domestiques. Elles sont petites, mais très agréables. Vous aurez chacune votre propre chambre avec une belle vue sur Central Park.

— La vue n'a pas d'importance, dit hargneusement la princesse Joanna. C'est un étage pour les paysans. Je ne dormirai pas dans ce taudis.

— Ce n'est pas un taudis, insista Maggie.

— C'est tout à fait inadmissible, déclara Lady Pamela. Nous devrions vivre dans l'appartement de grand luxe.

— Il y a seulement cinq chambres à coucher dans l'appartement de grand luxe, expliqua Maggie. Nous avons besoin de ces chambres pour loger tous les concurrents. Qui plus est, ils vont même devoir partager ces chambres.

— Ils pourraient partager des chambres à l'étage des domestiques, dit Cora Lee.

— Ces chambres sont trop petites pour être partagées, rétorqua Maggie.

— C'est ridicule, siffla la princesse Joanna. Les hommes devraient nous donner leurs chambres à coucher. N'ont-ils jamais entendu parler de la chevalerie?

Les portes d'ascenseur s'ouvrirent. Le caméraman Bart se tourna vers Darcy.

Elle les accueillit avec un sourire.

— Bonsoir, et bienvenue dans votre nouvelle maison.

— C'est un scandale!

La princesse Joanna la regardait fixement.

— Tu avais dit que nous allions vivre dans l'appartement de grand luxe.

— L'étage des domestiques fait partie de l'appartement de grand luxe, et vous aurez toutes votre propre chambre.

Darcy passa devant le salon des domestiques.

— Je crois que vous les trouverez tout à fait agréables.

Elle ouvrit la porte.

Les femmes franchirent le seuil de la porte en se traînant les pieds et en bougonnant. Elles s'arrêtèrent dans le salon et regardèrent autour d'elles. Les canapés et les chauffeuses étaient de grande taille et bien rembourrés; la télévision était aussi grosse que celle dont elles avaient pu profiter dans la maison de Roman. Vanda entra nonchalamment dans la cuisine et vérifia le contenu du réfrigérateur. Des bouteilles de sang synthétique Chocosang et Sang Pétillant s'y trouvaient.

— Pas mal.

Vanda s'empara d'une bouteille de Chocosang et la glissa dans le four à micro-ondes.

— Ça, c'est vraiment bien.

La princesse Joanna poussa un grognement.

— Les paysans ne devraient pas vivre dans d'aussi bonnes conditions. C'est impie.

Darcy sourit.

— Mettez-vous à votre aise, et choisissez la chambre à coucher que vous préférez.

Le portier se pointa avec leurs bagages. Il traîna les coffres jusqu'aux chambres à coucher selon les instructions des femmes de l'ancien harem. À en juger par l'excitation que trahissaient leurs voix, Darcy fut d'avis qu'elles s'adaptaient à leur nouvel environnement.

Une fois le portier parti avec un généreux pourboire entre les mains, Darcy convoqua toutes les femmes dans le salon.

— Avant que l'émission ne commence, j'aimerais vous interviewer à tour de rôle. Ce sera l'occasion pour chacune de parler de vous au monde des vampires. Chaque entrevue sera par la suite intégrée à l'émission un peu plus tard.

Une à une, les femmes s'installèrent devant la caméra et firent un bref compte rendu de leurs vies. Darcy les conduisit ensuite un étage plus haut à la cuisine par l'ascenseur avant de les guider vers le hall de l'appartement de grand luxe. Elle pouvait entendre derrière elle les soupirs et les halètements d'approbation des femmes. Bart les devança à la hâte afin de capter leurs réactions avec sa caméra.

— C'est beau, chuchota Lady Pamela.

— J'ai un grand faible pour les escaliers de cette largeur, s'exclama Cora Lee. Et celui-ci est assez large pour permettre à trois femmes de marcher côte à côte en portant des robes de bal comme la mienne.

De larges vestibules partaient du hall vers les ailes est et ouest de l'appartement de grand luxe. Le grand escalier montait vers une cage d'escalier intermédiaire où il se divisait alors en deux, et les sections de droite et de gauche suivaient ensuite une courbe pour atteindre le deuxième étage. Un balcon intérieur était disposé sur toute la longueur du deuxième étage en surplombant le hall. Les lumières de l'imposant lustre au plafond se reflétaient sur le plancher de marbre poli.

— Par ici.

Darcy les conduisit en haut de l'escalier jusqu'à l'étage. Là, elle les positionna en une seule rangée.

— Hé, mesdames ! dit Gregori alors qu'il entrait dans le hall avec Bernie. À vous regarder, on dirait bien que l'émission peut commencer.

— Oui, en effet.

Darcy descendit l'escalier en vitesse et alla retrouver Maggie derrière les caméramans. Elle fit signe à Gregori de commencer.

— Bienvenues, mesdames, à *L'homme le plus séduisant sur terre*, annonça Gregori d'une voix claire. Quinze hommes rivaliseront pour ce titre. En tant qu'ancien harem de la bande de vampires de Roman Draganesti, toutes les cinq avez l'honneur d'être les femmes vampires les plus prestigieuses en Amérique du Nord. Conséquemment, vous êtes les plus aptes à juger ce concours.

Darcy regarda les femmes réagir à ce dernier compliment. Elles soulevèrent leurs mentons et parurent un peu plus grandes. C'était une bonne chose de voir cela après le choc que leur amour-propre respectif avait dû encaisser à la suite de la décision de Roman de les écarter de sa vie.

— Princesse Joanna Fortescue.

Gregori la salua.

— Je vous souhaite la bienvenue.

— Merci, mon bon monsieur.

La princesse descendit l'escalier la tête bien haute.

— Ne la quittez pas avec votre caméra, chuchota Darcy à Bart.

C'est à ce moment que Darcy insérerait la biographie de la princesse Joanna, après avoir effectué quelques modifications prudentes au montage. Darcy avait eu un mouvement de recul lorsque la femme issue de l'époque médiévale avait mentionné que les Écossais étaient tous des barbares. La princesse avait évidemment grandi à une époque où l'Écosse représentait une menace pour l'Angleterre. C'était cependant plus de 800 ans auparavant ! Combien de temps une personne pouvait-elle entretenir de la rancune ? Apparemment, pendant une très longue période. Il semblait maintenant clair pour Darcy que l'ancien harem ne s'accrochait pas seulement aux vieux vêtements. En effet, leurs vieux préjugés avaient survécu au passage des siècles.

La princesse Joanna se tenait fièrement à côté de Gregori. Ainsi vêtue de sa robe médiévale, elle ressemblait à une reine qui contemplait son domaine.

Gregori salua de nouveau.

— Señora Maria Consuela Montemayor, je vous souhaite la bienvenue.

En sa qualité de deuxième femme la plus âgée parmi les vampires du groupe, Maria Consuela était la deuxième à descendre l'escalier.

— Lady Pamela Smythe-Worthing, je vous souhaite la bienvenue.

Gregori salua la femme vampire de l'époque regency. Elle souleva l'ourlet de sa robe et descendit l'escalier.

— Mademoiselle Cora Lee Primrose, je vous souhaite la bienvenue.

Cora Lee descendit l'escalier en sautillant, ce qui fit rebondir sa robe à arceaux.

Gregori salua la dernière juge, qui était aussi la plus jeune.

— Vanda Barkowski, je vous souhaite la bienvenue.

— Merci, mec.

Vanda fit un sourire entendu à la caméra tout en descendant l'escalier.

— Par ici, mesdames.

Gregori les conduisit vers l'aile l'ouest où se trouvait une porte à deux battants. Elles franchirent son seuil les unes après les autres, puis s'assirent dans les deux canapés en cuir lui faisant face.

— Nous sommes dans la salle des portraits.

Gregori désigna le mur derrière lui.

Darcy alluma les lumières et les 15 portraits furent illuminés par le projecteur fixé au plafond. Elle s'était chargée de l'installation des portraits, en disposant sept sur la rangée supérieure et huit sur la rangée inférieure. Ses yeux se mirent automatiquement à la recherche de son portrait préféré.

L'artiste avait fait un travail convenable, quoiqu'elle fût d'avis que les yeux d'Adam étaient d'un bleu plus intense. Pour une raison qu'elle ignorait, il n'avait pas souri devant l'artiste, de sorte que ses fossettes n'étaient pas représentées sur son portrait. En dépit de l'allure sérieuse qu'il affichait, son portrait parvenait tout de même à lui couper le souffle et à faire palpiter son cœur. Au cours des deux dernières semaines, elle s'était toujours endormie en se souvenant de la sensation de sa bouche sur la sienne, du goût de ses lèvres et de la chaleur de son corps. Elle devait maintenant être forte et maintenir une certaine distance entre eux, car si elle n'agissait pas ainsi, elle ne pourrait pas lui résister bien longtemps.

— L'homme le plus séduisant sur terre sera choisi selon votre propre liste de critères, expliqua Gregori. Selon vous, le critère le plus important est qu'il soit riche, ce qu'il sera à la fin de l'émission. Le second critère est qu'il ait un beau visage. Ce soir, vous allez donc juger de la beauté de ces hommes en vous servant de ces portraits. Maggie remettra cinq orchidées noires à chacune d'entre vous. Il y a une petite tablette sous chaque portrait. Vous placerez une orchidée sous les portraits des hommes que vous voulez éliminer. Cinq hommes doivent être éliminés ce soir.

Cora Lee fronça les sourcils en regardant les orchidées noires que Maggie venait de déposer sur ses cuisses.

— Nous devons prendre une décision ce soir? *Cinq* décisions?

— Oui, répondit Gregori. Qui voudrait commencer ?

Les femmes se regardèrent.

La princesse Joanna se leva avec lenteur, ses cinq orchidées noires dans ses mains.

— En tant qu'aînée, je vais commencer.

Darcy n'avait jamais vu la princesse si agitée. La femme vampire de l'époque médiévale marcha devant les deux rangées de portraits. Elle serra ses mains l'une contre l'autre, écrasant les fleurs. Elle jeta un coup d'œil vers les autres femmes à la recherche de conseils.

— Eh bien, dit Cora Lee. Je crois qu'il est évident que nous devrions éliminer l'Africain. Je ne pourrais vraiment pas avoir un maître noir. Mon cher papa se retournerait dans sa tombe.

— Nous devons également nous débarrasser des Maures, ajouta Maria Consuela.

— Coupez !

Darcy marcha à grands pas vers les femmes.

— Mesdames, je ne permettrai pas qu'il y ait de la discrimination raciale dans cette émission. S'il vous plaît, mettez vos vieux préjugés de côté. Mais enfin, nous sommes au XXIᵉ siècle !

— Vraiment ?

Cora Lee inclina la tête.

— J'ai pourtant l'impression d'avoir fêté mon 100ᵉ anniversaire, il y a peu de temps. Mais où va donc ce temps qui file ainsi ?

— Tes chiffres ne signifient rien pour nous.

La princesse Joanna regarda Darcy de haut.

— Seul un mortel tient compte du temps qui passe, parce qu'il en a si peu à sa disposition.

— Je ne peux pas faire ce que tu recommandes, dit Maria Consuela à Darcy. Tu ne comprends pas à quel point nous, les Espagnols, avons souffert pour nous débarrasser de ces affreux Maures.

— Je sympathise avec les épreuves que vous avez pu vivre dans le passé, mais c'était il y a bien longtemps, insista Darcy. Et franchement, il est temps de tourner la page. Je ne permettrai pas que vous choisissiez ces hommes en fonction de leur race ou de leur religion. Ce soir, vous devrez prendre votre décision en vous basant seulement sur la beauté. Toutes les remarques que je n'aimerai pas seront coupées au montage. Vous avez bien compris ?

Cora Lee poussa un grognement.

— Et moi qui pensais que nous avions la liberté d'expression.

Darcy soupira.

— Faites seulement attention à ce que vous dites.

Maria Consuela la regarda fixement.

— C'est ce qu'ils nous ont dit lors de l'Inquisition espagnole.

Darcy secoua la tête de frustration tout en retournant derrière la caméra.

— Action !

Bart activa la caméra. La princesse Joanna jeta un regard provocateur à Darcy, puis disposa ses cinq orchidées noires devant cinq portraits. Darcy gémit.

Maggie se pencha vers elle.

— Tu ne peux pas t'attendre à ce que des siècles de haine s'évaporent en une nuit.

— J'imagine que non.

Darcy observa avec consternation les juges utiliser leurs orchidées noires pour rejeter cinq hommes. Vanda était la seule à ne pas avoir tenu compte de la race, mais elle fut déclassée dans une proportion de quatre contre un.

Darcy observa les cinq femmes tandis qu'elles revenaient s'asseoir à leurs places. Elles souriaient et étaient apparemment bien fières d'elles. Plus elle y pensait, plus Darcy trouvait que c'était une bonne chose. C'était des femmes qui étaient sur terre depuis des siècles, et elles n'avaient jamais pu prendre de décisions importantes pour elles-mêmes. Ce soir, elles étaient parvenues à le faire. Oui, c'est vrai, elles l'avaient fait en refusant d'obéir à ses instructions, mais tout de même, c'était un grand pas vers l'indépendance. Elles avaient toutes les raisons du monde d'être fières.

Leur moment de gloire ne serait toutefois pas de très longue durée, car c'était l'heure de la grande surprise de la soirée. Darcy fit signe à Gregori de s'approcher.

— Est-ce que tu es prêt à déclencher le scandale ?

Elle lui donna une torche électrique munie d'une ampoule ultraviolette.

— Oui. Tu n'as qu'à me dire avec quel candidat je dois terminer.

Darcy lui dit, puis il marcha à grands devant la caméra.

— Il est temps d'examiner de plus près les cinq hommes que vous avez rejetés ce soir.

Gregori pointa sa torche électrique vers un portrait et l'alluma.

— Avec un total de cinq orchidées noires, Tadayoshi, de Tokyo, est éliminé du concours.

Darcy éteignit le projecteur fixé au plafond. La lampe ultraviolette de Gregori illumina de la peinture précédemment invisible sur le portrait de Tadayoshi. On vit soudainement apparaître de longues canines blanches.

— Oh, ses canines sont belles, murmura Cora Lee. J'avais toutefois peur qu'il soit un de ces épouvantables maîtres *ninja*.

Darcy tressaillit. C'était là une belle phrase à couper au montage.

— Avec quatre orchidées sous son portrait, Derek, de Philadelphie, sera aussi éliminé du concours.

Gregori dirigea sa lumière ultraviolette sur le portrait de Derek. Ses longues canines rougeoyaient dans l'obscurité.

Vanda soupira.

— Quel dommage d'avoir perdu Noircula. Il était si beau.

Darcy acquiesça, en dépit du fait que les autres femmes semblaient en douter.

— Également détenteur de quatre orchidées noires, Harsha, de New Delhi, sera aussi éliminé du concours.

Les canines blanches d'Harsha apparurent comme par magie lorsque la lumière ultraviolette illumina son visage.

— C'est intéressant, cette façon de procéder, admit la princesse Joanna. Je ne comprends toutefois pas quel est le but derrière cela.

— Avec trois orchidées noires, nous dirons au revoir à Ferdinand, de Salzbourg.

Gregori tourna sa torche vers le visage de Ferdinand, et les canines de l'Autrichien brillèrent.

Lady Pamela soupira.

— C'est plutôt idiot, n'est-ce pas ? Nous savons déjà que ces hommes sont des vampires.

Maria Consuela joua avec son rosaire.

— Et quand on a vu une canine, on les a toutes vues.

— Je ne suis pas si sûre de cela, dit Vanda avec un sourire.

— En y réfléchissant bien, je me souviens d'en avoir vu qui avaient un horrible ton jaunâtre.

Lady Pamela frissonna.

— Il n'y a rien de pire qu'un vampire avec une pauvre hygiène dentaire.

La princesse Joanna fronça les sourcils.

— Et certaines canines sont croches.

— Mais certaines sont plus longues que d'autres, dit Vanda. Vous savez, la taille *est* importante.

Cora Lee poussa un énorme soupir.

— Mon pauvre Beauregard, paix à son âme. Il avait les canines les plus longues que je n'avais jamais vues.

Gregori les regarda en fronçant les sourcils, clairement mal à l'aise.

— Mesdames, si vous n'avez pas d'objections, nous avons encore un concurrent à éliminer. Seth, du New Jersey, a reçu trois orchidées noires.

Gregori dirigea sa torche électrique sur le portrait de Seth.

Les dames attendirent.

Vanda échangea un regard avec Darcy.

— Où sont ses canines ? demanda Lady Pamela.

— Je ne le trouvais pas beau, dit Cora Lee. Son crâne commence à se dégarnir.

— Ses maudites canines aussi, on dirait, bougonna la princesse Joanna.

— Il doit y avoir un problème avec cette peinture.

Maria Consuela la regarda du coin de l'œil.

— Non, dit tranquillement Gregori. Il n'y a rien de mal avec la peinture.

Le silence s'installa dans la pièce. Les femmes échangèrent des regards embarrassés.

Vanda roula des yeux, manifestement impatiente de la vitesse de réflexion des femmes.

— Eh bien ! Je me demande pourquoi il n'a pas de canines.

Les quatre femmes haletèrent. Bart tressaillit lui aussi et en échappa presque sa caméra.

La princesse Joanna bondit sur ses pieds.

— Est-ce que vous êtes en train de dire qu'il y avait un mortel dans le concours ?

Gregori haussa les épaules.

— On dirait bien que oui, n'est-ce pas ?

Maria Consuela se leva et pressa son rosaire contre sa poitrine.

— J'exige une réponse franche. Est-ce que cet homme est un mortel ?

— Oui, admit Gregori. Il est l'un des mortels du concours.

Les femmes haletèrent de nouveau.

— Oh, mon Dieu ! C'est affreux, tout simplement affreux !

Lady Pamela farfouilla gauchement dans son réticule à la recherche de ses sels.

— C'est une atrocité !

La princesse Joanna se tourna vers Darcy, les yeux bouillants de colère.

— Comment oses-tu souiller notre concours avec des mortels ?

Vanda haussa les épaules.

— Ils pourraient être mignons.

Lady Pamela s'en moqua.

— Un mortel ne pourrait jamais être l'homme le plus séduisant sur terre. Le simple fait d'y penser est risible.

Elle dévissa le bouchon de sa fiole de Chocosang.

— Je suis tout à fait certaine de cela.

La princesse Joanna marcha à grands pas vers Darcy.

— Comment as-tu pu nous faire cela ! Nous t'avons fait confiance, et tu nous as trahis.

— En effet.

Lady Pamela renifla le contenu de sa fiole.

— Tout d'abord, tu nous as installées dans les affreux quartiers des domestiques.

— Et maintenant, continua la princesse Joanna, tu nous insultes en nous obligeant à endurer la compagnie des mortels.

Cora Lee bondit sur ses pieds.

— Nous ne pouvons pas avoir un maître mortel !

— Alors, ne choisissez pas de mortel, leur dit Darcy. Vous avez encore le contrôle de votre destinée. Vous êtes celles qui choisissent les hommes qui seront éliminés.

Les femmes se regardèrent.

— Alors, dis-nous lesquels de ces hommes sont des mortels, exigea la princesse.

Darcy secoua la tête.

— Je ne peux pas faire ça. Vous aurez à le découvrir par vous-mêmes.

— Nous pouvons faire cela.

Maria Consuela fit glisser ses doigts sur son rosaire.

— Nous pouvons les sentir.

— En réalité, vous ne serez pas capables de le faire.

Darcy les regarda avec un air contrit.

— Ils porteront une chaîne de cheville dotée d'un répulsif à vampire qui les rendra impossibles à détecter par l'odeur.

La princesse Joanna râla.

— Alors, nous lirons leurs pensées.

— Non, car vous avez signé un contrat qui stipulait que vous ne le feriez pas.

— C'est affreux, tout simplement affreux.

Lady Pamela but sa fiole entière de Chocosang.

— Qu'est-ce que nous allons faire? pleurnicha Cora Lee. Nous ne pouvons pas avoir un maître mortel.

— Ça n'arrivera pas.

La princesse Joanna souleva son menton.

— Darcy pense qu'elle peut jouer à ce jeu maléfique avec nous, mais nous allons lui montrer. Les hommes mortels ne peuvent pas se comparer aux hommes vampires. Nous les détecterons aussi facilement qu'un terrier qui chasse les animaux nuisibles.

Maria Consuela inclina la tête.

— *Oui*, c'est vrai. Les hommes vampires seront naturellement supérieurs.

— Bien sûr!

Lady Pamela posa une main contre sa poitrine.

— Les hommes mortels échoueront misérablement chacun de nos tests.

— Oui.

La princesse Joanna fit face à ses collègues juges avec une expression féroce dans les yeux.

— Écoutez-moi bien, mesdames. Nous devrons être vigilantes et éliminer cette menace mortelle.

Les femmes se rapprochèrent dans un cercle et échafaudèrent leurs plans.

— Jésus Marie Joseph.

Maggie regarda Darcy.

— Je savais qu'il y avait une raison pour que tu sois ici. Est-ce que tu réalises ce que tu as fait?

— Ouais. Elles me détestent encore plus que jamais.

— Non. Regardez-les. Je ne les ai jamais vues si excitées, si passionnées. Vous leur avez donné une raison d'exister.

Un frisson parcourut l'échine de Darcy. Maggie exagérait, sans aucun doute. Elle avait tendance à être plus dramatique que nécessaire.

Un bourdonnement émana des écouteurs de Darcy, et elle les enfila pour écouter le message.

— Puis-je avoir votre attention, s'il vous plaît ?

Darcy attendit que Bart tourne sa caméra vers elle.

— Les messieurs arrivent.

Onze

Austin était assis à l'arrière d'un Hummer converti en limousine avec six autres hommes. Quatre d'entre eux étaient des humains. Il se souvenait d'avoir vu George, Nicholas et Seth aux auditions. Et il y avait aussi Garrett, c'est-à-dire Garth. On avait dit aux humains de se présenter aux bureaux de l'agence Les étoiles de demain, à 21 h, avec leurs bagages.

Un homme des Industries Romatech était venu à leur rencontre. C'était un petit chimiste connu sous le nom de Laszlo Veszto. Il leur avait remis à tous une chaîne de cheville en plastique que les hommes devaient porter sous leurs chaussettes. La chaîne devait être en contact avec leur peau, et ils auraient à la porter pour toute la durée de l'émission. Lorsque les hommes posèrent des questions sur sa pertinence, le chimiste leur répondit en leur donnant une explication complexe à propos des phéromones.

À 21 h 30, deux limousines Hummer se pointèrent à l'agence avec 10 hommes à bord. Austin supposa que c'était les concurrents vampires, mais il trouva étrange que le petit chimiste leur donne des chaînes de cheville à eux aussi. Les 15 hommes montèrent dans les limousines pour le court trajet les menant à *Raleigh Place*. Austin remarqua que les vampires ne réagissaient pas comme ils le faisaient normalement en présence des humains. Aucun d'eux ne reniflait l'air ou ne les regardait avec des regards affamés.

La conversation fut pratiquement inexistante pendant le trajet. Personne ne voulait révéler de faiblesses à un autre concurrent. Une fois les hommes arrivés devant *Raleigh Place*, la femme vampire nommée Maggie les salua et les escorta jusqu'à l'appartement de grand luxe. L'énorme hall était désert. Maggie positionna ensuite les hommes en trois rangées dans l'escalier, et la rangée du haut se tenait à l'étage. Elle leur dit d'attendre là, avant de se diriger dans un vestibule. Les hommes échangèrent des regards nerveux, mais personne ne parla ou ne reconnut être nerveux.

Un caméraman arriva au pas de course dans le vestibule. Il grimpa l'escalier et filma des plans rapprochés de chacun des hommes. Austin ne voyait Darcy nulle part. Il entendit ensuite des bruits de pas et des voix féminines. Les femmes arrivaient. Un autre caméraman marchait à reculons devant elles. Le vampire mâle, Gregori, devançait un groupe composé de cinq femmes. Les juges, à n'en point douter. Une des femmes était la Vanda aux cheveux mauves, mais les quatre autres femmes lui étaient inconnues. Elles étaient également étrangement vêtues. Elles devaient être vraiment très vieilles.

Austin se pencha vers l'avant pour voir plus loin dans le vestibule. Oui, elle était là. Loin derrière les autres. Darcy s'approchait en compagnie de la femme vampire Maggie. Il se pencha un peu plus et perdit presque l'équilibre. Heureusement qu'il se tenait près de la rampe, sinon il aurait dégringolé l'escalier. Merde, comme elle était belle. Comme elle était vraiment belle.

Elle entra dans le hall et son regard se posa sur tous les concurrents avant de s'attarder sur lui. Il hocha légèrement la tête et sourit. Elle détourna le regard. Austin ne cessa de la regarder, espérant qu'elle jetterait de nouveau un coup d'œil vers lui, mais plus il la regardait, plus il se rendait compte qu'elle regardait partout, sauf dans sa direction.

— Messieurs, bienvenue à *L'homme le plus séduisant sur terre*.

Austin cessa de regarder Darcy pour se concentrer sur le présentateur.

— Mon nom est Gregori, et je serai votre hôte.

Il fit un signe vers une femme vampire.

— Pour sa part, Maggie sera votre hôtesse.

Austin jeta un coup d'œil vers Darcy, se demandant quel type de rapport elle pouvait entretenir avec ce Gregori. Est-ce qu'il avait accepté d'être l'hôte de l'émission pour lui rendre une faveur ?

— Les cinq juges de ce concours se tiennent devant vous, continua Gregori. Laissez-moi vous présenter la princesse Joanna, Maria Consuela, Lady Pamela, Cora Lee et Vanda.

Vanda fit un signe de la main. Les autres femmes firent la révérence. Austin jeta un coup d'œil vers Darcy, se demandant pendant combien de temps elle allait l'ignorer ainsi.

— Vous êtes en ce moment une quinzaine de candidats, mais seulement dix d'entre vous demeureront avec nous ce soir, annonça Gregori. Nos juges ont déjà voté pour exclure cinq candidats de l'émission. Mais avant tout, cédons l'antenne à notre commanditaire.

Il y eut une pause silencieuse. Les concurrents masculins échangèrent des regards. Austin supposa que c'était l'heure d'une annonce publicitaire pour la cuisine Fusion des vampires.

— Nous sommes maintenant de retour en ondes.

Gregori sourit à une caméra tout près de lui

— Il est temps de découvrir qui sont ces cinq concurrents qui nous quitteront ce soir.

Il fit une pause pour obtenir un effet plus dramatique.

— Tadayoshi, Derek, Harsha, Ferdinand et Seth. Messieurs, vous devez partir. Les limousines vous attendent. Quant aux autres, vos bagages arriveront bientôt. Maggie et moi, nous vous conduirons à vos chambres. Félicitations, et bienvenue.

Austin se sentit soulagé en serrant la main de Seth, car cela lui faisait un humain de moins à protéger dans l'appartement de grand luxe. Il jeta un coup d'œil vers le hall et constata que les cinq juges vampires avaient quitté les lieux, tout comme Darcy et les caméramans. Mince alors, c'était tout ? Apparemment, le tournage de l'émission était complété pour la soirée.

Les chauffeurs des limousines apportèrent les bagages dans le hall, et les hommes descendirent l'escalier pour rassembler leurs effets personnels. Les cinq perdants de la nuit quittèrent l'édifice avec les chauffeurs.

Maggie escorta Austin et cinq autres concurrents dans l'aile est de l'appartement de grand luxe. Elle leur présenta la cuisine, la salle de mise en forme et le sauna.

— Il y a trois chambres à coucher de ce côté. Vous devrez partager ces chambres.

Elle examina le presse-papiers qu'elle avait entre les mains.

— J'ai ici Reginald et Pierre dans une chambre, Garth et George dans une autre, et Nicholas et Adam dans la troisième.

Austin échangea un regard de soulagement avec Garrett. Dieu merci, ils n'avaient pas à partager des chambres avec un vampire.

— Où est le bureau de la réalisatrice ? demanda Austin.

— Le bureau de Darcy est dans le cabanon près de la piscine.

Maggie le regarda d'un air curieux.

— Pourquoi ? Il y a un problème ?

— Non, pas du tout.

Il ragea silencieusement tout en traînant son sac par l'escalier arrière jusqu'au deuxième étage. Le cabanon près de la piscine ? Qui pouvait bien se servir d'un tel endroit pour son bureau ? Il avait dissimulé une caméra dans la bibliothèque de l'appartement de grand luxe, en s'imaginant que cet endroit lui servirait de bureau, mais il n'avait pas caché de caméra dans le cabanon près de la piscine.

Maggie montra d'abord à Reginald et à Pierre leur chambre, et elle se chargea ensuite de guider les quatre humains dans leurs chambres respectives. La chambre à coucher d'Austin était à côté de celle de Garrett.

— La cuisine a été entièrement approvisionnée en boissons et en casse-croûte, expliqua Maggie. Chaque jour, un traiteur vous apportera des repas chauds. Pour des raisons de sécurité, n'entrez pas dans les chambres à coucher des autres concurrents. Vous pouvez quitter l'édifice à condition d'être de retour à temps chaque soir pour l'émission. Puisque nous tournons en soirée, nous encourageons tous les concurrents à dormir pendant le jour.

Austin réprima un éclat de rire. Bien sûr, certains des concurrents étaient morts pendant le jour.

— Nous commencerons à tourner demain soir, à 20 h, dans la bibliothèque. Bonne nuit.

Maggie sourit une dernière fois, puis s'en alla.

Les hommes firent rouler leurs bagages dans leurs chambres à coucher. Austin souleva sa valise sur son lit et en retira son ordinateur portable. Il jeta un coup d'œil à Nicholas.

— J'espère que ça ne t'embête pas si j'utilise le bureau.

— Non, pas du tout.

Nicholas laissa tomber son sac sur son lit.

— Je suis affamé. Tu veux venir inspecter la cuisine ?

— Désolé, j'ai un peu de travail à faire. Ne t'empêche surtout pas d'y aller sans moi.

Austin posa son ordinateur portable sur le bureau.

— À plus tard.

Nicholas se dirigea vers la porte.

Ouf. Enfin seul. Austin composa le code lui donnant accès aux caméras cachées qu'il avait installées. Il remarqua un groupe d'hommes dans l'aile ouest de l'appartement de grand luxe. Gregori présentait les chambres aux autres concurrents. Ils étaient probablement tous des vampires. Gregori les quitta et se dirigea vers l'escalier principal. Où allait-il ? Voir Darcy ?

Austin sentit un tiraillement désagréable qu'il reconnut comme étant de la jalousie. Ça ne l'aidait pas non plus que Darcy ait installé son quartier général dans le maudit cabanon près de la piscine, où il n'avait pas dissimulé de caméra. Est-ce qu'elle allait également dormir à cet endroit?

Il passa ensuite à la caméra du hall. Gregori était maintenant en bas de l'escalier et il se dirigeait vers la pièce où se trouvaient les portraits. Merde. Darcy était là. Cet affreux Gregori la rencontrait seul à seul.

Darcy était occupée à retirer un portrait du mur, probablement un des candidats rejetés de ce soir. Elle transporta le portrait dans le coin éloigné de la pièce et le posa sur le plancher en l'appuyant contre le mur. Elle se redressa en vitesse et se tourna vers la porte.

— Gregori!

Elle traversa la pièce en courant, le serra dans ses bras et lui donna un bisou sur la joue.

— Tu as été génial!

C'était une ordure. Austin observa la scène pour voir où le vampire plaçait ses mains sur Darcy. Un bref contact sur ses épaules. Austin décida de laisser son pieu de bois dans sa valise pour le moment.

— Merci. C'était amusant.

Gregori jeta un coup d'œil aux portraits sur le mur.

— Alors, tu enlèves les portraits des perdants?

— Oui.

Darcy retira un second portrait du mur.

— Est-ce que tu peux te charger de celui de Derek?

— D'accord.

Gregori retira le portrait et suivit Darcy dans le coin où elle les empilait.

— J'ai trouvé cela très embarrassant de constater à quel point les femmes sont racistes.

— C'est épouvantable! Je vais devoir être très prudente au montage.

— Ouais. Elles sont vraiment prises dans le passé.

Gregori déposa son portrait.

— Je pense toutefois que tu as bien su gérer la situation.

— Merci.

Darcy trouva le cinquième portrait à retirer du mur.

Gregori se dirigea lentement vers elle en examinant les portraits. Il s'arrêta devant l'un d'eux et se pencha pour lire la plaque.

— Adam Olaf Cartwright. Qui est-ce ?

Austin se raidit et retint son souffle.

Darcy s'immobilisa pendant quelques secondes, et s'empara
ensuite du cinquième portrait sur le mur. Elle marcha à grands pas
vers le coin.

— C'est un concurrent, bien sûr.

— Mortel ou vampire ?

Darcy déposa la peinture, puis se redressa.

— Nous nous sommes mis d'accord sur le fait que tu ne le saurais pas à l'avance.

— Je sais, mais…

Gregori regarda fixement le portrait d'Austin.

— Ce type ne t'a pas quitté des yeux de toute la soirée.

Darcy serra ses mains l'une contre l'autre.

— Je ne dirais pas *toute* la soirée. C'était seulement une période
de 10 minutes.

— Dix minutes pendant lesquelles il ne t'a pas quitté des yeux.

Austin plissa les yeux.

« Tu as un problème avec ça, ordure ? »

Le rire de Darcy fut court et forcé.

— Ne dis pas de bêtises. Il regardait probablement la caméra,
pas moi. Je vais devoir rappeler aux hommes d'ignorer la caméra et
d'agir de façon naturelle.

Gregori croisa ses bras sur sa poitrine.

— Est-ce que tu as eu des contacts avec lui ?

Elle haussa les épaules.

— À quelques reprises, mais c'était toujours lié au travail.

Austin poussa un petit grognement.

« Plus de plaisir que de travail, mon cœur. »

Gregori fronça les sourcils.

— Je ne veux pas que tu te blesses.

Darcy s'en moqua.

— Ne t'en fais pas. Il ne se passe rien.

Austin grinça des dents.

« Rien ? »

Au cours des deux dernières semaines, il avait été hanté par le souvenir de l'avoir embrassée, d'avoir touché ses seins et d'avoir senti ses belles fesses appuyées contre son membre. Et elle disait qu'il ne se passait rien ?

— Salut, mec !

Garrett jeta un coup d'œil dans sa chambre.

Austin sursauta dans sa chaise et ferma rapidement le volume de son ordinateur portable.

— Merde, Garrett. La prochaine fois, avertis-moi de ta présence, d'accord ? Je ne veux pas que mon compagnon de chambre voie ce que je fais.

— Qu'est-ce que tu fais ?

— Je m'assure que toutes les caméras fonctionnent.

— Super.

Garrett ferma la porte et s'approcha de l'ordinateur.

— Tu as remarqué quelque chose d'intéressant ? Qui est là ? L'hôte et la réalisatrice ?

— Ouais, mais c'est vraiment ennuyeux.

— Monte le son, insista Garrett. Je veux entendre.

Austin ressentit un pincement intérieur, mais monta tout de même le volume.

— J'ai cru que les femmes allaient virer la pièce sens dessus dessous lorsqu'elles ont découvert qu'il y avait des concurrents mortels, dit Gregori.

Darcy soupira.

— Ouais, ce n'était pas beau.

Austin se détendit. Il n'était plus le sujet de leur conversation.

— J'espère juste que ton patron comprendra, dit Gregori.

— Ouais.

Darcy se dirigea vers la porte et éteignit les lumières.

Austin passa à la caméra dissimulée dans le vestibule. Le son était faible, alors il monta le volume.

— Je pensais vraiment être en mesure de faire la différence entre les mortels et les vampires.

Gregori marcha d'un pas nonchalant vers le hall.

— Personne ne peut les sentir à cause des chaînes de cheville, dit Darcy pendant qu'elle marchait à côté de lui. Ça fonctionne vraiment bien. Les vampires portent même des chaînes de type placebo. De cette façon, personne ne pourra les différencier lorsqu'ils porteront des maillots de bain.

— Merde alors.

Austin descendit une de ses chaussettes et examina la chaîne.

— Je croyais que c'était un genre d'appareil de localisation, mais il semble plutôt que ce soit un truc chimique servant à bloquer notre odeur.

Garrett hocha la tête.

— Je trouvais aussi que les vampires dans la limousine semblaient un peu trop… indifférents.

Austin retira sa chaîne de cheville.

— Je la donnerai à Emma demain lorsqu'elle viendra sur place avec le traiteur. Elle pourra la faire analyser.

Bien sûr, sans la chaîne, il dégagerait une odeur appétissante pour le nez des vampires.

— Tu es sûr de vouloir l'enlever ? demanda Garrett.

— J'en demanderai une autre. Je dirai à la réalisatrice que j'ai perdu la mienne.

— Tu veux dire mademoiselle Darcy ? Tu penses encore qu'elle est humaine ?

— Oui. Je ne sais pas pourquoi elle est impliquée avec ces vampires, mais elle fera de son mieux pour nous protéger contre les morsures des vampires.

Garrett poussa un petit grognement.

— Tu as plus confiance en elle que moi. Tu sais ce que notre contrat disait… le RTNV n'est pas responsable des blessures par perforation.

Austin éclata de rire.

— Je n'ai nullement l'intention de me faire mordre.

Il avait toutefois une bonne raison de partir à la recherche de Darcy, à présent, et il savait exactement où la trouver. Le cabanon près de la piscine.

Darcy errait près de la serre, laissant l'air chaud et humide caresser son visage et soulager la tension qui s'était accumulée tout au cours de la soirée. Des tablettes semblables à des marches d'escalier s'alignaient de chaque côté du passage, et chacune d'elles accueillait des pots de fleurs vivement colorées, soit des impatientes, des lys, des pivoines, et d'autres fleurs exotiques qu'elle ne reconnaissait pas.

Un côté de la serre était consacré aux roses. Quelques rosiers grimpants avaient été disposés de façon à couvrir une arche qui constituait le point de départ du sentier menant au jardin de roses. Au centre, contre le mur, se trouvait une petite fontaine qui s'écoulait dans un bassin.

À l'arrière de la serre se trouvait un petit jardin tropical où poussaient des citronniers et des bananiers. Un banc de pierre avait été installé sous un palmier élancé. Darcy s'assit et retira ses chaussures. Ce serait l'endroit idéal pour mettre les deux prochains critères à l'épreuve, soit les bonnes manières et l'expression orale.

— Darcy !

Elle vit Maggie venant vers elle.

— Hé. Est-ce que tu as installé les hommes dans leurs chambres ?

— Oui. Et j'ai placé les mortels ensemble, comme tu me l'avais demandé.

— Merci. Je ne sais pas comment je me débrouillerais sans toi.

Tant qu'elle aurait l'aide de Maggie, Darcy pourrait éviter de passer du temps avec les mortels. Ou plutôt avec un mortel en particulier.

Maggie s'arrêta près d'elle.

— En fait, c'est de cela que je voulais te parler. Demain soir, je suis censée retourner au RTNV pour une autre audition.

— Oh, c'est vrai.

Darcy lui fit un sourire encourageant.

— Ne t'en fais pas. Tu seras géniale.

Maggie tressaillit.

— Je suis terriblement nerveuse. Je vais faire une lecture face à Don Orlando. J'espère qu'il m'aimera.

— Je... je suis certaine qu'il t'aimera.

Darcy étouffa un gémissement. Elle n'avait pas parlé à son amie des relations entre Don Orlando et Corky et Tiffany, et Dieu sait combien d'autres femmes. Elle ne pouvait pas supporter l'idée de détruire le rêve de Maggie. Maggie était toujours l'optimiste qui disait que tout arrivait parce que ça devait arriver. Même si Darcy ne pouvait pas être en accord avec ça, elle n'avait pas réalisé jusqu'à maintenant à quel point elle avait besoin que Maggie y croie dur comme fer. Tant que Maggie croyait aux fins heureuses, cela semblait toujours possible.

— Je pense que nous devrions tourner l'émission ici, demain soir.

Darcy se leva et ramassa ses chaussures.

Maggie marcha à côté d'elle.

— Tu veux mettre les bonnes manières des hommes à l'essai, ici même ?

— Oui, j'ai pensé que... ahhh !

Darcy glissa sur une flaque d'eau.

— Est-ce que ça va ?

Maggie tendit la main pour la stabiliser.

— Tu ne devrais pas marcher sur tes bas. C'est trop glissant.

— Ouais, et je vais aussi les déchirer. Attends une minute.

Darcy retira ses collants et les glissa dans ses chaussures.

— Tu sais, c'est exactement de ça que nous avons besoin. Nous allons former une grande flaque boueuse au milieu du passage demain soir et nous verrons comment les hommes parviendront à faire en sorte que les femmes ne salissent pas leurs chaussures.

— Oh, j'aime ça! Ça ressemble à cette histoire à propos de Sir Francis Drake, qui avait posé son manteau par terre afin que la reine puisse marcher dessus.

— Exactement.

Darcy portait ses chaussures dans ses mains tout en marchant pieds nus.

— Nous pourrions concevoir un parcours d'obstacles dans la serre, et je pense que nous pourrions demander à Lady Pamela d'en faire l'essai. Elle semble être l'experte dans le domaine des convenances.

Maggie poussa un petit grognement.

— C'est vrai.

Elles quittèrent la serre et s'arrêtèrent près de la cage d'escalier. Maggie ouvrit la porte.

— Je m'en vais à l'étage des domestiques. Est-ce que tu as envie de te joindre à nous dans le salon?

— Non, je suis fatiguée. Bonne chance avec ton audition demain.

— Merci.

Maggie se glissa dans la cage d'escalier. La lourde porte claqua en se refermant. Darcy ferma les yeux et sentit la brise fraîche contre son visage. La première nuit était finie. C'était l'heure de se détendre. Elle soupira et se dirigea vers le cabanon en traversant le toit.

Des éclaboussures dans l'eau attirèrent son attention. Il y avait un homme dans la piscine qui faisait des longueurs. Son corps long et mince fendait l'eau. Il dégageait une combinaison parfaite de force et de grâce. Elle s'approcha de la piscine. Son dos était nu et bronzé, et ses épaules étaient larges. Les muscles de son dos et de ses épaules ondulaient à chaque mouvement. Ses jambes étaient longues et puissantes.

C'était sûrement un mortel. Les vampires n'étaient jamais aussi bronzés. Et rien d'aussi beau ne pouvait durer pendant une éternité. Même le plus spectaculaire des couchers de soleil ne durait que pendant quelques instants. C'était le moment de grâce de ce mortel, le point culminant de sa jeunesse, de sa force et de sa grâce — tout cela était encore plus beau parce que ce zénith était d'une durée limitée, et ce moment était rare dans le temps.

Les yeux de Darcy se remplirent de larmes. Les vampires avaient tort. Ils pensaient qu'ils étaient beaux parce qu'ils parvenaient à rester jeunes pour toujours. Ils ne s'étaient pas rendu compte qu'une éternité de jeunesse et de beauté perdait de sa valeur quand elle était volée, et qu'elle n'avait plus de signification quand elle devenait la norme.

L'homme arriva à l'extrémité de la piscine et repoussa ses cheveux épais et mouillés de son visage. Darcy retint son souffle. Oh mon Dieu, elle aurait dû savoir que c'était lui. Ses chaussures glissèrent de sa main et tombèrent avec fracas sur le ciment.

Il se tourna vers la source du bruit et lui sourit.

Ses genoux devinrent mous comme du caoutchouc. Il se donna une poussée sur le bord de la piscine et nagea vers elle. Elle jeta un coup d'œil vers le cabanon. Ce serait lâche de s'éloigner de lui en courant, mais elle était vraiment décidée à demeurer loin de lui.

Il s'arrêta et reposa un avant-bras bronzé sur le rebord carrelé de la piscine.

— Hé, Darcy.

Le simple fait d'entendre Adam prononcer son nom la fit sentir chaude et légère, comme si elle pouvait s'envoler vers le soleil et ne plus jamais avoir froid.

— Hé.

— L'eau est bonne. Tu veux te joindre à moi ?

Elle s'en moqua.

— Au cas où tu ne l'aurais pas remarqué, je porte une robe.

— Oh, je l'ai remarquée. Je ne peux pas te quitter des yeux.

Son visage devint tout chaud.

— En fait, je voulais justement t'en parler. Tu ne devrais pas me regarder, car je suis habituellement près de la caméra.

Il pencha la tête sur le côté, ne cessant pas de la regarder.

— Il n'y a pas de caméra, en ce moment. Il n'y a que toi et moi.

— Et j'ai du travail à faire. Bonne nuit.

Elle se pencha pour ramasser ses chaussures.

— Comment fait-on pour enlever cette robe ? Y a-t-il une fermeture éclair dans le dos ?

Elle se redressa brusquement, oubliant ses chaussures sur le sol.

— Pardon ?

— Tu dois enlever cette robe pour nager.

— Je ne nagerai pas avec toi. L'eau est beaucoup trop froide.

— Oh. Dans ce cas...

Il planta ses paumes sur le bord carrelé de la piscine. Les muscles de ses bras et de ses épaules se gonflèrent tandis qu'il sortait de l'eau.

Darcy recula. Elle fut bouche bée.

Il se redressa lentement. L'eau scintillait sur sa peau bronzée. De petits ruisseaux s'écoulaient sur son corps, cherchant le chemin le plus facile à suivre le long de ses muscles pectoraux et abdominaux bien définis. Les poils de sa poitrine étaient mouillés et collés contre elle. Ils avaient l'air brun foncé comme les cheveux sur sa tête. L'eau et l'obscurité avaient uni leurs forces pour dissimuler les mèches blondes qui rendaient habituellement ses cheveux dorés comme le dieu du soleil. Ce soir, il semblait plus sombre, et encore plus dangereux pour sa paix intérieure.

— Nous trouverons donc quelque chose de plus chaud.

Il marcha à pas feutrés jusqu'au spa.

Muette, Darcy le regarda marcher devant elle. Son maillot de bain de style caleçon court ne pourrait jamais être classé parmi les maillots séduisants, mais le matériel mouillé s'était moulé à son corps. C'est alors qu'il passait devant elle qu'elle devint très consciente du fait que son maillot reposait bien bas sur ses hanches étroites. Le matériel s'accrochait à son derrière, soulignant distinctement chaque fesse et les muscles qui jouaient à chacun de ses pas.

La bande de tissu de la taille était si basse qu'elle pouvait voir deux fossettes dans le bas de son dos. Oh Dieu, voilà qui portait son nombre total de fossettes à quatre, et qui lui donnait encore plus envie d'examiner chaque pouce de son corps.

Il pénétra dans le spa et appuya sur un bouton du panneau de contrôle. L'eau se mit à tourbillonner dans un ronronnement. Il lui sourit tout en s'installant sur un siège.

— C'est génial.

De la vapeur s'échappait à la surface de l'eau, lui faisant la promesse de la chaleur et du confort, et lui annonçant la fin d'un froid qui l'avait tourmentée pendant quatre longues années.

— Allez, Darcy, dit-il doucement.

Mon Dieu, c'était le diable en personne. Il savait exactement comment la tenter et la torturer en même temps. Elle marcha lentement vers lui.

— Si c'était moi, la juge de ce concours, tu gagnerais haut la main. Mais puisque ce n'est pas le cas, tu perds ton temps.

— Je me fiche de ce concours. Et le temps que je passe avec toi n'est jamais perdu. Viens dans l'eau avec moi, et je te montrerai.

Elle poussa un petit grognement.

— Oh, tu es doué, mais il n'y a pas de but à cela.

Seulement la peine de vouloir quelque chose qu'elle ne pouvait pas avoir.

— Pas de but ?

Il la regarda en fronçant les sourcils.

— Et l'amitié ?

Elle éclata de rire.

— Tu veux seulement être mon ami ? J'ai déjà entendu ça avant.

Il sourit.

— Et moi aussi. Je suis toutefois sincère, Darcy. Tu n'as pas besoin de quelqu'un à qui parler ?

Comment pourrait-elle confier à un mortel qu'elle vivait parmi des vampires ?

— Je suis désolée.

Elle se tourna pour s'en aller.

— Attends.

Il s'avança brusquement dans le spa, ce qui fit sortir de l'eau chaude qui vint réchauffer ses pieds nus.

— Je dois te dire quelque chose. C'est à propos de la chaîne de cheville que je suis censé porter.

Elle se tourna vers lui.

— Qu'est-ce qu'elle a ?

— Je… je semble l'avoir perdue. Est-ce que c'est important ?

Elle déglutit. Plus qu'important. C'était essentiel pour sa sécurité.

— Je vais m'assurer que tu en obtiennes une autre.

— Qu'est-ce que c'est, exactement ?

Ses yeux étaient grands et lui donnaient un air innocent.

— Laszlo ne vous l'a pas expliqué ?

Adam haussa les épaules.

— Il nous a dit quelque chose à propos des phéromones et de la façon dont nous sommes attirés les uns aux autres par notre nez.

— C'est vrai.

Et Adam sentait toujours très bon… c'était chaud, sain, et séduisant.

— Viens t'asseoir un moment.

Il tapota le rebord carrelé du spa.

— Fais tremper tes pieds et détends-toi. Ça a été une longue nuit.

Elle retrouva le sourire.

— Tu n'abandonnes jamais, n'est-ce pas ?

— Pas avec toi.

Il lui retourna son sourire.

— Tiens, je vais même garder mes distances.

Il se laissa flotter jusqu'à l'autre bout du spa.

Darcy retira sa veste étincelante et la laissa tomber sur une chaise de patio.

— Bon, pour quelques minutes seulement.

Elle s'assit soigneusement sur le bord en s'assurant de ne pas déchirer sa robe fourreau de soie sur le ciment. Elle fit tremper ses pieds sur le côté, mais l'eau chaude et bouillonnante lui faisait tant de bien qu'elle immergea ses jambes tout juste sous ses genoux. Sa robe étroite remontait jusqu'au milieu de ses cuisses.

— Ça fait du bien ? demanda-t-il doucement.

— Oui.

— Est-ce que tout a bien été ce soir pour l'émission ?

— Oui.

— Est-ce que tu dors dans le cabanon ?

Quel vaurien.

— Oui.

— Seule ?

— Oui.

Il sourit.

— Tu sembles très ouverte à mes suggestions ce soir.

Elle supprima un éclat de rire.

— Oui.

Et maintenant, il allait lui demander de passer la nuit avec elle, s'imaginant qu'elle allait continuer à lui dire oui.

— Est-ce que tu as déjà été amoureuse ?

Elle cligna des yeux. Cette question l'avait étonnée.

— Oui. Je suppose.

Elle soupira.

— Je n'en suis pas certaine. Peut-être que je voulais seulement être amoureuse.

— Est-ce qu'il t'aimait ?

— Il a dit qu'il m'aimait. Nous avons été ensemble pendant environ une année au collège. Je pensais que nous étions fiancés, mais…

Elle haussa les épaules.

— Manifestement, nous avons eu un désaccord à ce sujet.

— Il a été stupide de ne pas te garder.

— Je pense qu'il était un peu trop jeune pour s'engager.

Adam poussa un petit grognement.

— Ce type était stupide.

— C'est un peu dur comme jugement, tu ne penses pas ?

— Non. N'importe quel homme qui te laisserait partir ne peut être autrement que stupide.

— Il était juste immature.

— C'est un mot plus gentil qui veut dire la même chose que « stupide ».

Darcy éclata de rire.

— Bon, d'accord, il était stupide.

Chose étonnante, cette affirmation la fit sentir bien.

— Alors, j'imagine que la question est maintenant de savoir quel est ton degré d'intelligence.

Il sourit lentement, ce qui accentua ses fossettes.

— Je suis assez intelligent.

Et il vivait aussi dans un monde différent du sien. Elle ne devait vraiment pas flirter avec ce pauvre type. Malheureusement, il était pratiquement irrésistible. D'une façon ou d'une autre, elle devait résister.

Il se déplaça vers elle. Sa main se referma autour du cou-de-pied de son pied gauche.

— Puis-je te masser le pied ?

— N…

Le mot mourut dans sa gorge au moment où ses doigts forts appuyaient contre la plante de son pied. Oh, bon sang, qu'il était doué !

— Oui.

Il fit des cercles lents sous son pied.

— Ça fait du bien ?

Elle soupira et ferma les yeux.

— Oui.

Il tira doucement sur ses orteils.

— Tu fais du très bon travail avec ton émission.

Ce compliment lui parcourut le corps comme un rayon de soleil.

— Merci.

Il s'attarda maintenant à son pied droit.

— Est-ce que je peux te dire un secret ?

Elle ouvrit les yeux.

— Ne me dis pas que tu assassines des gens avec une hache.

Il sourit et continua à masser son pied.

— Non, je ne fais pas ça. Crois-le ou non, je suis plutôt... sensible pour un homme.

Elle poussa un petit grognement.

— Tu ne peux pas être homosexuel. Pas de la façon dont tu sais embrasser.

Ses yeux scintillèrent.

— En es-tu certaine ? Tu aurais peut-être besoin d'un autre échantillon pour compléter ta vérification.

Elle éclata de rire.

— Tu es certainement attiré par les femmes.

— C'est vrai. Pour en revenir à mon secret...

Ses mains remontèrent ses jambes jusqu'à ses mollets, dont il massa les muscles.

Elle haussa les sourcils.

— Si tu me dis que tu tentes ta chance avec moi, laisse-moi te dire que ce n'est pas un secret.

Il posa sa joue contre son genou.

— Mon secret, c'est que je peux, en quelque sorte, me brancher sur ce que les gens ressentent.

— Tu veux dire que tu es bon pour décoder le langage corporel ?

— Non.

Il lui jeta un regard inquiet.

— Je peux simplement le sentir.

Elle s'inclina vers l'arrière.

— Tu veux dire que tu es empathique ?

— Ouais.

Il s'approcha lentement d'elle, jusqu'à ce que sa poitrine soit appuyée sur ses jambes.

— Tu sais ce que je ressens chez toi ?

— Est-ce qu'il serait possible d'en douter ?

Elle le regarda d'un air sceptique.

— Laisse-moi deviner. Tu as l'impression soudaine que je voudrais coucher avec toi.

Il sourit.

— Tu penses que cela fait partie d'un processus que je suis pour te faire tomber dans mes bras ?

Elle hocha la tête.

— Tu obtiens toutefois des points pour l'originalité.

Il embrassa son genou gauche.

— Merci. Sérieusement, j'ai l'impression que tu es prise au piège quelque part où tu ne voudrais pas être.

Elle se raidit. Bon Dieu, peut-être était-il empathique.

Il la regarda attentivement.

— Est-ce vrai, Darcy ? Est-ce que tu as besoin d'aide ?

Elle avala difficilement sa salive.

— Je… non. Ça va.

— Il n'y a rien que tu voudrais me dire ?

Ses yeux se remplirent de larmes. Et voilà que le chevalier dans son armure brillante venait à sa rescousse ? Quel maudit monde cruel. Pourquoi ne l'avait-elle pas rencontré il y a quatre ans ? Il était tout ce qu'elle avait voulu. Tout ce dont elle avait besoin.

Il était debout devant elle. L'eau chaude qui coulait sur son corps dégouttait sur ses cuisses. Elle voulait fondre avec lui.

Il toucha ses épaules.

— Laisse-moi t'aider.

Elle se leva. Elle était environ un pied plus grande que lui parce qu'elle était debout sur le bord du spa. Elle baissa les yeux vers lui et glissa ses doigts dans ses cheveux.

— Adam, tu es tout ce que j'ai toujours voulu avoir, mais c'est trop tard.

— Non.

Il la saisit autour de la taille et la tira vers lui.

— Il n'est jamais trop tard.

Il se laissa aller dans l'eau chaude bouillonnante en la maintenant tout contre lui.

Et sa dernière résistance fondit.

Douze

Austin tira Darcy sur ses cuisses et lui couvrit le visage de baisers. Ces derniers se rapprochèrent de plus en plus de sa bouche. Elle tourna la tête, et la chaleur monta entre eux. Leurs langues s'entrelacèrent et leurs bras s'enveloppèrent l'un autour de l'autre dans une position serrée.

Ils n'étaient néanmoins pas encore assez près. Il la souleva légèrement et remonta sa robe afin qu'elle puisse s'asseoir à califourchon sur lui. Ils se tenaient très fort, et ses seins se pressaient contre sa poitrine. Il pouvait sentir sa respiration irrégulière tandis qu'elle tremblait entre ses bras.

— Mon cœur.

Il flaira son cou. Il voulait tellement qu'elle puisse avoir confiance en lui, mais d'une façon ou d'une autre, en cours de route, ce désir s'était transformé en quelque chose de plus puissant. Il avait besoin qu'elle soit amoureuse de lui. Il avait besoin de la protéger. Il avait besoin de la garder près de lui pour toujours.

Elle glissa ses mains sur ses épaules, avant de les laisser descendre dans son dos.

— Tu es si beau.

Il frotta son menton contre ses cheveux doux en souriant.

— Honte à toi. C'était ma phrase fétiche.

Elle s'inclina vers l'arrière sur ses cuisses.

— Honte à toi de m'avoir fait entrer dans le spa, alors que je porte ma plus belle robe.

— Nous pouvons nous occuper de ça.

Il chercha la fermeture éclair dans son dos. Il glissa sa main le long de sa colonne vertébrale, ce qui lui fit arquer le dos.

Elle lui fit un sourire taquin.

— Tu comprends que cette robe n'est pas censée se retrouver dans l'eau chaude.

— Alors, nous l'enverrons dans le cycle d'eau froide.

Il fit passer sa robe par-dessus sa tête et la lança dans la piscine.

Darcy éclata de rire.

— Bon. Génial. Dans l'eau chlorée. Voilà qui va aider sa cause.

Il examina le soutien-gorge humide qui collait à sa peau.

— Je suis heureux du résultat.

Il glissa un doigt sur un mamelon, et ce dernier se plissa. Il fit un mouvement circulaire sur son mamelon jusqu'à ce que son extré-mité durcisse. Darcy poussa un gémissement, puis ferma les yeux.

Il mordilla son cou jusqu'à son oreille, puis il lui chuchota qu'il voulait la goûter.

Elle répondit en couvrant sa joue et sa mâchoire de légers bai-sers. Ça devait être un oui. Il l'embrassa profondément. Son cœur martelait dans ses oreilles. Son membre se gonfla, demandant de l'attention. Il défit son soutien-gorge, le fit glisser et le lança sur le ciment. Une brise soudaine fit tourbillonner la brume du spa autour d'elle, lui donnant une apparence presque irréelle. Une vision magique de beauté, trop parfaite pour qu'un homme puisse s'y accrocher.

Ses yeux s'ouvrirent lentement.

— Quelque chose ne va pas ?

Pendant un instant, il pensa avoir vu une lueur rouge briller dans ses yeux, mais cela devait être l'effet d'une réflexion mystérieuse.

Ses propres photos affichaient toujours des yeux rouges.

— Tu es parfaite.

Il prit ses seins dans le creux de ses mains, puis se pencha vers l'avant pour donner un baiser sur le vallonnement supérieur de son sein gauche. Il pouvait sentir le fort battement de son cœur. Son propre cœur tonnait dans ses oreilles. Le bruit semblait devenir de plus en plus fort.

Il saisit sa taille et la souleva jusqu'à ce que ses seins soient à la hauteur de sa bouche. Il s'empara d'un mamelon et le suça. Elle gémit en arquant le dos. Ses mains se déplacèrent plus bas sur son corps, pressant ses hanches contre son ventre. Il glissa ses mains dans ses sous-vêtements et s'empara de ses fesses. Elle réagit en se balançant contre lui, se frottant contre son ventre.

Il était si excité qu'il vint tout près de jouir. Il serra les dents, posa sa joue contre ses seins et lutta pour reprendre son contrôle. C'est alors qu'il réalisa que la nuit était bien moins sombre qu'elle l'avait été, et que le grondement dans ses oreilles ne venait pas de son intérieur. Il leva les yeux et grimaça. Ce bourdonnement était reconnaissable entre tous. Tout à coup, un rayon de lumière se manifesta et illumina le spa.

— Qu'est-ce que c'est?

Darcy se raidit. Elle leva les yeux, mais Austin lui bloqua la vue avec sa main.

— Ne regarde pas dans la lumière.

Il regarda du coin de l'œil à travers la lumière.

— C'est un hélicoptère.

— Quoi?

Elle lui lança un regard frénétique.

— Un hélicoptère?

— Oui.

Austin jura.

— J'aurais dû l'entendre arriver.

— Oh non !

Darcy se couvrit la bouche d'une main tremblante.

— J'ai dit à Bernie de louer un hélicoptère, mais je ne pensais pas qu'il pourrait en trouver un ce soir. C'est épouvantable !

Plus épouvantable qu'elle pouvait se l'imaginer. D'après ce qu'il en savait, Darcy et lui étaient filmés. Il les fit s'enfoncer tous les deux dans le spa jusqu'au menton.

— Je m'occuperai de ça. Peu importe ce que tu fais, ne lève pas les yeux au ciel.

Elle gémit.

— Tout sera fichu. Je ne travaillerai plus jamais.

— Fais-moi confiance. Je vais te faire sortir d'ici.

— Comment ? Je suis pratiquement nue.

— J'ai apporté une grande serviette avec moi, qui vient de ma chambre. Attends-moi ici. Reste ainsi enfoncée dans l'eau, et ne regarde pas en haut.

— D'accord.

Elle referma ses bras sur elle et tint son menton bas.

Austin sortit du spa et marcha à grands pas vers la chaise de patio où il avait laissé une serviette. Il s'organisa pour ne pas regarder l'hélicoptère et se hâta à retourner au spa. Il déplia la serviette pour cacher Darcy. Elle sortit de l'eau et s'entoura le corps avec la serviette. L'hélicoptère était assez près maintenant pour déplacer beaucoup d'air, ce qui fouettait la serviette et la faisait frissonner. Elle rentra les épaules et pencha sa tête.

— Tiens bon.

Il s'empara de sa veste sur la chaise de patio et lui couvrit la tête. Il localisa son soutien-gorge et ses chaussures et les lui donna. Il repêcha enfin sa robe de la piscine.

L'hélicoptère continuait de planer au-dessus d'eux. Le rayon de lumière suivait chaque mouvement d'Austin. Il remit la robe détrempée à Darcy et vit la panique sur son visage.

— Ne laisse pas cela t'atteindre, cria-t-il avec force pour se faire entendre malgré le hurlement des pales vrombissantes. Ils ne savent pas qui tu es. Où sont les autres femmes ?

— À l'étage des domestiques, trois étages plus bas.

Il jeta un coup d'œil vers la cage d'escalier est.

— Parfait. C'est là que tu iras. Tout le monde pensera que tu es une des juges. Tu pourras revenir dans le cabanon plus tard.

— D'accord.

Austin la conduisit vers l'escalier. Le projecteur de l'hélicoptère continua de les suivre. Austin regarda au sol. Avec la lumière ainsi derrière lui, son corps projetait une grande ombre sur le ciment.

Il s'arrêta subitement.

Darcy s'arrêta.

— Qu'est-ce qui ne va pas ?

Il se tenait là, immobile, incapable de répondre. Tout l'air avait été aspiré de ses poumons. Tout son sang quittait sa tête. Le sol se mit à bouger, et il s'écroula sur le côté.

— Est-ce que ça va ?

Elle tendit la main pour toucher son bras.

Il vacilla par-derrière. Non, ça ne pouvait être vrai. Il regarda sur le sol encore une fois. Son ombre était là, toute seule, se moquant de lui et du fait qu'il avait été si aveugle. Qu'il avait été un véritable imbécile.

— Adam ?

Elle semblait si inquiète. Merde, pourquoi était-elle inquiète à son sujet ? C'était elle qui avait le problème. Darcy Newhart n'avait pas d'ombre. Elle était morte.

— Est-ce que ça va ? hurla-t-elle plus fort que le bruit.

Il avala sa salive avec difficulté.

— Continue sans moi. Je… je vais m'assurer que nous n'avons pas laissé d'indices derrière nous.

Ou de preuves qu'il s'était trouvé là, à fréquenter l'ennemi.

— D'accord.

Elle courut vers la cage d'escalier et entra.

La porte se referma dans un claquement, et il était là à la fixer tandis que ce maudit hélicoptère vrombissait au-dessus de lui. Son estomac se noua. Sainte nécrophilie. Il s'était livré à des attouchements avec une morte.

Il se rendit lentement compte que l'hélicoptère s'éloignait de lui. Il examina la piscine et remarqua que ses sandales se trouvaient près d'une chaise de patio. Il s'en empara et marcha à pas mesurés à travers le toit. La demi-lune brillait sur lui, se moquant de lui avec la cruelle vérité. Darcy était une créature de la nuit.

— Non !

Il lança une sandale vers la lune. Elle passa par-dessus le mur et disparut. Il courut vers le mur et lança l'autre sandale.

— Merde ! Non !

Il descendit l'escalier au pas de course, puis réalisa qu'il ne pourrait pas passer la nuit dans l'appartement de grand luxe. Pas avec tous ces vampires. Pas alors que sa propre Darcy...

Il prit l'ascenseur jusqu'au rez-de-chaussée, puis courut sur le trottoir. Il ignora la dureté du ciment sous ses pieds nus. Il continua sa course jusqu'à ce qu'il parvienne à Central Park. Et là, encore, il ne cessa de courir. Il courut jusqu'à ce qu'il soit en sueurs et qu'il manque d'air.

Il ralentit et s'effondra sur un banc. Maudit enfer ! Il ne pouvait pas se sauver de la terrible vérité.

Darcy était une femme vampire.

— Je pense que j'ai fait une erreur épouvantable.

Darcy se tenait dans la chambre à coucher de Vanda, tremblant dans ses sous-vêtements humides et sa serviette.

— Tiens.

Vanda lui lança une autre serviette.

— Sèche-toi pendant que je te trouve quelque chose à te mettre sur le dos.

Elle fouilla dans un tiroir de sa commode-coiffeuse.

— Ceci devrait te faire.

Elle choisit un slip blanc en coton.

— Quel genre d'erreur ?

— Je suis devenue excessivement amicale avec Adam dans le spa.

Les yeux de Vanda s'agrandirent.

— Oh. Dans ce cas…

Elle rangea le slip blanc et lui donna un string de soie rouge.

— Ça conviendra mieux.

Darcy poussa un grognement et enfila le slip blanc.

— Je n'aurais pas dû faire ça. Je ne sais pas où j'avais la tête.

— C'est du désir, ma chérie.

Vanda lui lança un t-shirt et un bas de pyjama.

— Il n'y a rien de mal à ça.

— C'est très mal !

Darcy se glissa dans le t-shirt.

— C'est un mortel. Ça ne pourra jamais fonctionner.

Elle s'effondra sur le lit de Vanda.

Vanda s'assit à côté d'elle.

— Tu as des sentiments pour lui ?

Les yeux de Darcy se remplirent de larmes.

— J'ai essayé de les combattre. Je sais qu'une relation à long terme avec lui est impossible.

— En amour, tout est possible.

Darcy secoua la tête.

— Pas ça.

Vanda se leva et marcha à pas mesurés à travers la chambre.

— Est-ce que je t'ai déjà raconté ce qui m'était arrivé ?

— Non.

Darcy s'essuya le visage. Vanda était toujours d'un grand secours, mais elle confiait rarement quoi que ce soit de personnel.

— Je suis venue au monde dans un petit village juste au sud de Cracovie. Nous étions une grande famille. Très pauvre. Quand ma mère est morte, en 1935, je suis devenue la mère de mes frères et sœurs.

— Cela a dû être difficile, murmura Darcy.

Vanda haussa les épaules.

— Le pire était encore à venir. Quand les blindés allemands se sont dirigés vers notre village, les hommes ont préparé une résistance. Mon père m'a suppliée de m'enfuir avec mes deux plus jeunes sœurs. J'ai préparé des réserves de nourriture, et nous nous sommes enfuies au sud vers les Carpates. Je... je n'ai plus jamais revu mon père ou mes frères.

Darcy cligna des yeux pour s'empêcher de pleurer.

— Je suis réellement désolée.

— Le voyage a été très difficile pour ma sœur âgée de 13 ans, continua Vanda. Quand j'ai finalement trouvé une caverne peu profonde, Frieda pouvait à peine marcher. Je lui ai donné ce qu'il nous restait de nourriture et d'eau. Ma sœur de 15 ans, Marta, est partie pour chercher de l'eau et n'est jamais revenue. J'ai voulu partir à sa recherche, mais je craignais que Frieda meure si je la laissais seule. J'ai finalement dû partir. J'ai trouvé un ruisseau et j'ai rempli nos gourdes d'eau. Je me dirigeais vers notre caverne lorsque la nuit est tombée. J'ai ensuite vu Marta sortir de l'ombre, et j'ai été vraiment heureuse de la revoir. Elle se tenait toutefois là, toute pâle, avec un regard étrange. Elle fonça vers moi si vite que je ne comprenais pas ce qui se passait. Elle m'a renversée et a enfoncé ses canines dans mon cou. J'étais à peine consciente lorsqu'elle m'a portée dans ses bras — elle était soudainement très forte — jusqu'à une caverne plus profonde où elle m'a présentée au vampire qui l'avait transformée. Sigismund. Il m'a transformée, ce soir-là.

Darcy frissonna.

— Je suis réellement désolée.

Vanda s'assit sur le lit.

— La nuit suivante, je me suis précipitée au chevet de ma petite sœur pour voir comment elle allait. Elle était morte. Toute seule.

— Oh, non. C'est vraiment terrible.

Darcy toucha l'épaule de Vanda.

Les yeux de Vanda miroitaient de larmes non versées.

— J'ai trouvé une raison d'être à la faim qui me tourmentait chaque nuit. Je me suis nourrie de nazis. J'en ai laissé plusieurs mourir dans le sud de la Pologne.

Darcy déglutit.

— Je suis désolée que tu aies ainsi souffert.

Vanda renifla.

— Est-ce que tu crois que je t'ai raconté tout cela pour que tu aies pitié de moi? Ce que je veux dire, c'est que je serais prête à revivre cette horreur un million de fois, si je pouvais seulement sauver la vie de ma sœur. Si tu aimes Adam, tu devrais laisser ce sentiment t'habiter, peu importe le reste. Il n'y a rien de plus sacré que l'amour.

Le lendemain midi, Austin s'aventura dans la cuisine de l'appartement de grand luxe et trouva Emma occupée à faire chauffer de la nourriture chinoise. Il lui donna la chaîne de cheville.

— Nous devons faire analyser ça.

— Aucun problème.

Elle glissa la chaîne dans son sac fourre-tout et l'examina des pieds à la tête.

— Tu as vraiment l'air d'une loque.

— Je me sens comme une loque.

Il s'assit à la table.

Elle se servit d'une cuillère pour prendre quelques crevettes aigres-douces et du riz frit et les déposa dans une assiette, qu'elle glissa devant lui.

— Tu as envie d'en parler?

— Non.

Il pointa du doigt une contusion noire et verte qu'elle avait le long de son avant-bras.

— Qu'est-ce qui t'est arrivé ?

— J'ai eu une empoignade. Rien de bien inquiétant.

Il plissa les yeux.

— Tu es retournée à la chasse, n'est-ce pas ?

— Tu ferais mieux de manger, avant que ça refroidisse.

— Je t'ai déjà dit de ne pas aller chasser seule.

Elle posa une main sur sa hanche.

— Et qui pourrait venir avec moi, maintenant que Garrett et toi travaillez ici ? Ce n'est pas le genre d'Alyssa.

— Attends que notre mission soit terminée ici. Ça ne durera qu'une semaine ou deux.

Ses lèvres se serrèrent.

— Je n'aime pas attendre. Qui plus est, je m'en suis très bien tirée toute seule.

— Tu en as tué un ?

— Tué quoi ?

George entra dans la cuisine.

Emma sourit.

— J'ai tué un cafard dans la laverie. Ne vous en faites pas. À mon retour, j'apporterai un insecticide.

— Très bien.

George se servit une assiette bien remplie.

— Je déteste les cafards.

— Je déteste la vermine.

Emma regarda Austin avec intensité.

« De la vermine. »

Elle ajouterait Darcy à sa liste de vermine. Putain de merde. Qu'allait-il faire ? Comment pourrait-il ajouter Darcy à sa liste de vampires ? Cela ferait d'elle une cible à exterminer. Ce n'était déjà pas assez de se faire assassiner une fois dans sa vie ? Il se remémora toutes les bandes vidéo qu'il avait pu visionner. Elle avait été si intelligente, si heureuse, si pleine de vie.

— Tu ne manges pas ? lui rappela Emma.

— Je n'ai pas faim.

« J'ai perdu mon cœur. »

Putain de merde. La réalité était devenue un cauchemar. Est-ce que Darcy vivait aussi cela d'une façon aussi terrible ?

Darcy prépara le parcours à obstacles avec l'aide de ses caméramans.

Bernie ajouta un peu de terreau à la flaque d'eau afin de la rendre plus boueuse.

— Mademoiselle Newhart, devinez quoi ? J'ai les images aériennes que vous vouliez avoir.

Il échangea un sourire avec l'autre caméraman.

Bart pouffa de rire tandis qu'il déplaçait des plantes vertes loin de la flaque.

Darcy les observa tous les deux très attentivement. Ils ne la regardaient pas du tout.

— Tu as réussi à louer un hélicoptère en aussi peu de temps ?

Bernie poussa un petit grognement.

— Le type m'a dit qu'il n'avait aucune disponibilité pendant les trois prochains mois, mais il a été bien plus serviable lorsque j'ai contrôlé son esprit.

Bart éclata de rire.

— Ouais, et il a même oublié de nous facturer.

Darcy tressaillit. Elle détestait voir les vampires envahir ainsi l'esprit des gens.

— Tout s'est bien passé, alors ?

— Oh, ouais. Ça a été super.

Bernie échangea avec Bart un regard entendu.

— Bien.

Darcy poussa un soupir de soulagement. Ils ne la regardaient pas en souriant d'un air satisfait. Ils ne devaient pas se rendre compte que c'était elle, la femme dans le spa.

— Bonsoir.

Lady Pamela venait d'apparaître dans l'entrée de la serre.

— On m'a dit de venir ici.

— Oui.

Darcy fit entrer Lady Pamela dans la serre, en lui expliquant le fonctionnement du parcours à obstacles.

— Ne t'en fais pas. Je serai près de toi avec les caméramans.

Elle tortilla son réticule en soie dans ses mains.

— Où seront les autres femmes ?

— Elles verront tout cela depuis l'étage des domestiques. Nous avons installé un lien direct entre les caméras et la télévision dans le salon. Elles verront et entendront tout.

— Et lorsque ce sera terminé, nous décidons quels hommes seront éliminés ?

— Oui, deux hommes.

Darcy conduisit Lady Pamela à la cage d'escalier. Les caméramans les suivirent.

— Tu seras la juge, ce soir. Les autres femmes suivront fort probablement tes suggestions à savoir qui devraient être éliminé.

Lady Pamela inclina la tête d'un air pensif.

— Je ferai de mon mieux pour découvrir les mortels, afin de pouvoir nous débarrasser de leur affreuse présence parmi nous.

Darcy la fit descendre un étage par l'escalier.

— Votre objectif réel est de les évaluer sur leurs bonnes manières et leur discours.

— Je comprends. De toute évidence, les mortels seront les moins doués pour les bonnes manières et le discours.

Darcy soupira.

— Bien sûr.

Elle quitta l'escalier en direction du dernier étage de l'appartement de grand luxe.

— Gregori a escorté les hommes jusqu'à la salle de billard. Ils sont ici.

Elle fit un signe de la main vers la salle d'à côté.

Bart et Bernie entrèrent en vitesse avec leurs caméras.

Lady Pamela s'y glissa et fit la révérence aux 10 concurrents.

— Bonsoir, comment allez-vous ?

Darcy s'approcha en douce de la porte pour mieux observer la scène. Quelques hommes s'inclinèrent pour la saluer. Elle parcourut la salle du regard jusqu'à ce qu'elle trouve Adam. Il se tenait calmement dans un coin, à côté de Garth, et il regardait les autres hommes de façon intense. Était-il en colère ? Est-ce que quelque chose l'avait vexé ?

— Bonsoir, dit Gregori. Ce soir, vous allez tous aller faire une promenade dans la serre en compagnie de Lady Pamela. Vous avez déjà tiré un numéro dans un chapeau. Ce numéro déterminera l'ordre à suivre. Qui a pigé le numéro un ?

Un des vampires fit quelques pas vers l'avant.

— C'est moi.

Gregori vérifia le numéro du vampire.

— Lady Pamela, le premier homme qui vous accompagnera est Roberto, de Buenos Aires.

Lady Pamela fit la révérence.

— Enchantée.

Roberto l'escorta vers la cage d'escalier et ouvrit la porte pour elle. Bernie se hâta devant eux pour filmer le couple de cet angle. Darcy les suivit avec le caméraman Bart. Lady Pamela laissa tomber son mouchoir pendant qu'elle montait l'escalier. Roberto le ramassa et lui tendit en s'inclinant devant elle. Il traversa tous les obstacles de la serre sans incident.

Ils retournèrent dans la salle de billard pour le concurrent numéro deux. Otto, de Düsseldorf, était énorme et doté d'un cou et d'épaules dignes d'un joueur de ligne au football américain. Darcy pensait secrètement qu'il était un vampire accroc des stéroïdes. De toute évidence, il avait décidé de passer l'éternité à exercer ses muscles. Il rendit le mouchoir à Lady Pamela, quand elle le laissa tomber, et ils se rendirent ensuite dans la serre.

— Oh non !

Lady Pamela s'arrêta devant la flaque de boue artificielle.

— Qu'allons-nous faire ?

— Ouais, c'est une grande flaque de boue.

Otto avait apparemment oublié d'exercer le muscle dans sa tête.

— Oh, mon cher. Je ne voudrais vraiment pas ruiner mes chaussures.

Lady Pamela semblait impuissante, et elle n'avait même pas besoin de jouer la comédie pour être convaincante.

— Ne vous en faites pas, madame. Otto est là.

Il la souleva dans les airs si soudainement qu'elle poussa des cris aigus.

— Vous aimez mes bras musclés, n'est-ce pas ?

Darcy roula des yeux.

Lady Pamela rit sottement.

Otto marcha à grands pas dans la boue et continua son chemin.

— Excusez-moi.

Lady Pamela lui sourit timidement.

— Vous pouvez me déposer sur le sol, maintenant.

— Oh, vous êtes légère comme une plume. Otto a oublié qu'il vous portait dans ses bras.

Il la posa sur le sol.

— Otto est très fort.

Il fit jouer son biceps.

— Oh, mon Dieu.

Lady Pamela toucha son biceps bombé du bout du doigt.

— C'est impressionnant.

— Toutes les femmes aiment les gros muscles.

Il lui fit un clin d'œil.

— Attendez seulement que je vous fasse découvrir la zone d'Otto.

Darcy se couvrit la bouche pour étouffer des sons de bâillement. Otto et ses muscles contournèrent tous les obstacles avec succès et ramenèrent Lady Pamela dans la salle de billard.

Les concurrents trois et quatre étaient Ahmed, du Caire, et Pierre, de Bruxelles. Ils franchirent tous deux le parcours sans faire de faute. Le numéro cinq était Nicholas, de Chicago, un des mortels. Il ramassa le mouchoir de Lady Pamela sans délai, et lorsqu'ils approchèrent de la flaque de boue, il retira sa veste et l'étendit sur le sol.

— Oh, comme c'est galant.

Lady Pamela le regarda d'un air approbateur.

— Puis-je?

Il la souleva dans ses bras, marcha sur sa veste et glissa vers l'avant sur la boue. Ses bras s'agitèrent, et Lady Pamela vola dans les airs en poussant des cris stridents, avant de retomber dans la boue en faisant plouf!

— Ahhh!

Elle se releva avec difficulté.

— Regardez-moi!

Son visage et ses bras étaient maculés de boue. De grosses gouttes de boue glissaient sur sa robe.

— Espèce de balourd maladroit! C'est affreux! Tout simplement affreux!

Darcy tressaillit intérieurement et laissa Lady Pamela décharger sa colère pendant cinq bonnes minutes. Après tout, les petits drames sont bons pour les cotes d'écoute.

— Bon.

Elle décida finalement de s'en mêler.

— Pamela, pourquoi n'irais-tu pas dans ta chambre changer de robe pour la suite de l'émission?

Elle renifla.

— Toi, tu dois m'appeler Lady Pamela.

Elle marcha d'un pas lourd vers la cage d'escalier.

— Nicholas, vous pourriez aussi en profiter pour aller vous changer.

Elle lui tendit sa veste boueuse.

Ses épaules s'affalèrent. La boue dégouttait de ses pantalons et de sa chemise de soirée blanche.

— Je ne vais pas gagner le million de dollars, n'est-ce pas?

— Ce sont les juges qui décideront.

Darcy le regarda tandis qu'il marchait vers l'escalier en se traînant les pieds. C'est en attendant le retour de Lady Pamela que Darcy réalisa que c'était le moment idéal d'insérer la biographie de Pamela au montage.

Trente minutes plus tard, Lady Pamela retourna dans la salle de billard vêtue d'une nouvelle robe. On demanda au concurrent numéro six de s'avancer.

C'était Adam.

Treize

Austin avait une bonne idée de ce qu'on attendait de lui. La question était cependant de savoir s'il voulait ou non jouer le jeu. Il avait fortement envie d'agir comme un idiot et de se faire éliminer de l'émission. Cela le soulagerait certainement de la douleur qu'il ressentait à demeurer près de Darcy. Il pouvait la voir, tout près de son caméraman. Il pourrait entendre sa douce voix. Il ne pourrait toutefois jamais l'avoir, car elle était morte.

Il salua Lady Pamela d'un hochement de la tête.

— Bonsoir.

Elle fit un signe de la main vers la cage d'escalier.

— Est-ce que vous venez faire un tour avec moi ?

— Avec plaisir, bougonna-t-il.

Il souleva son bras afin qu'elle puisse s'y accrocher de sa main froide et morte.

Ils gravirent les marches de l'escalier. Un caméraman resta devant eux, tandis que Darcy et le deuxième caméraman suivaient à l'arrière.

— Nous sommes vraiment choyés par la température, dit Lady Pamela de sa voix prétentieuse. J'adore les chaudes nuits d'été.

— Oui.

La frustration s'accumulait à l'intérieur de lui. Il en avait assez de faire semblant.

— Reste qu'en été, les nuits sont trop courtes.

— C'est vrai. Les nuits de l'hiver nous donnent vraiment plus de temps.

Ils avaient atteint le palier de l'escalier. Austin jeta un coup d'œil derrière lui. Darcy le regarda d'un air perplexe. Dommage.

— Peut-être devriez-vous faire un voyage dans l'hémisphère sud pendant l'été.

Il continua à grimper les marches de l'escalier.

— C'est l'hiver là-bas, maintenant.

— Vraiment ?

Lady Pamela le suivait et semblait intriguée par ses propos.

— Vous voulez dire que les nuits sont plus longues là-bas ?

— Bien sûr. Vous pourriez aussi aller en Antarctique. La nuit s'étire sur une période de six mois. On dit que les pingouins sont très bien vêtus.

Lady Pamela rit sottement.

— Vous êtes fou ! Personne ne vit en Antarctique.

Elle laissa tomber son mouchoir au sommet de l'escalier.

— Oh, zut alors.

Austin le ramassa et lui tendit avant d'ouvrir la porte de la cage d'escalier.

— Je vous remercie.

Elle se glissa par la porte et se retrouva sur le toit.

— Avez-vous déjà visité l'hémisphère sud ?

— Non. J'ai passé la majeure partie de mon temps en Amérique et en Europe de l'Est.

Il l'escorta jusqu'à la serre.

— Oh. Êtes-vous né en Europe ?

— Non. Je travaillais là-bas.

— Je vois. Et quel était votre emploi, si je puis vous le demander ?

Tant pis. Il sourit à la femme vampire.

— J'étais un espion international.

Elle éclata de plusieurs éclats de rire bébêtes et donna une tape à son bras.

— Ma parole, vous dites vraiment des choses très idiotes.

Il jeta un coup d'œil derrière lui. Darcy le regardait d'un air sceptique.

— Oh non.

Lady Pamela s'arrêta devant la flaque de boue.

— Qu'allons-nous faire ?

— Laissez-moi faire.

Austin grimpa sur le banc de bois entre les deux plantes vertes. Lady Pamela demeura immobile et semblait impuissante. Il serra les dents. Il allait devoir toucher sa vieille carcasse morte.

— Pardonnez-moi.

Il l'agrippa par la taille, la souleva au-dessus de la flaque, puis la posa sur le ciment sec.

— Je vous remercie. C'était très intelligent de votre part.

Il étouffa un grognement. Ce n'était assurément pas une mise à l'épreuve de leurs capacités cérébrales. Le but de ce test était à l'évidence de déterminer quel homme était le plus doué pour prendre soin d'un groupe de femmes mortes excentriques.

Le problème suivant se manifesta lorsqu'ils arrivèrent près d'un banc en pierre sous un palmier nain. Lady Pamela annonça qu'elle voulait s'asseoir pendant un moment. Pendant qu'elle hésitait, Austin remarqua que le banc était couvert de feuilles mortes. Il retira les feuilles de sa main et couvrit le banc avec sa veste. Lady Pamela lui sourit en s'assoyant.

Austin s'assit à côté d'elle. Darcy et son maudit caméraman se rapprochèrent. La situation tout entière l'agaçait. Voilà qu'il devait flirter avec une femme vampire pendant que sa belle Darcy décédée écoutait le tout d'une oreille attentive.

— Je dois avouer, Lady Pamela, que vos vêtements sont les plus exquis que je n'ai jamais vus.

— Oh !

Elle rayonna.

— Comme c'est merveilleusement gentil de votre part.

— Ça me fait plaisir. Je trouve cela vraiment pathétique quand des femmes tentent de s'habiller comme des hommes.

Darcy était tout près, vêtue d'un pantalon kaki et d'un t-shirt. Elle croisa les bras et le regarda fixement.

— Oh, je suis totalement d'accord avec vous.

Lady Pamela se leva.

— On y va ? Les roses ont une odeur divine.

Austin ramassa sa veste sur le banc. Il la secoua tout en suivant la femme vampire en direction de la roseraie.

— J'aimerais vraiment avoir une rose, murmura-t-elle.

Évidemment.

— Quelle couleur saurait vous plaire ?

Elle lui sourit.

— Rose, si vous le voulez bien.

— Aucun problème.

Il contourna les gros pots d'argile jusqu'à ce qu'il trouve une rose rose bourgeonnante. Il brisa la tige et ramena la rose à Lady Pamela.

Elle soupira.

— J'espère qu'elle n'a pas trop d'épines.

Il comprit l'allusion et se mit à retirer les épines. La dernière fut plus difficile à enlever. Il parvint à ses fins, mais se retrouva avec un trou minuscule dans son index.

— Oh.

Les yeux de Lady Pamela s'agrandirent.

— Est-ce que c'est… du *sang* ?

— Ce n'est rien. Ce n'est qu'un petit trou dans ma peau, dit-il sèchement en lui remettant la rose.

Elle laissa tomber la rose sur le sol et se déplaça tout près de lui.

— Laissez-moi voir votre doigt saignant.

Elle se lécha les lèvres.

Austin recula.

— Ça va. Ce n'est qu'un petit trou.

Ses yeux brillèrent.

— Laissez-moi l'embrasser pour qu'il guérisse plus vite.

Elle tendit la main vers la sienne.

Il bondit vers l'arrière.

Elle exposa ses dents.

— Je veux seulement y goûter.

— Coupez!

Darcy se plaça aussitôt entre eux.

— Pamela, va dans le salon des domestiques et... sers-toi un casse-croûte. Tu te sentiras beaucoup mieux.

Elle regarda fixement Darcy pendant un moment et poussa un petit grognement.

— C'est Lady Pamela pour toi.

Elle tourna les talons et s'éloigna.

Darcy poussa un soupir de soulagement.

— Adam, pourquoi ne viendriez-vous pas avec moi? Il y a une trousse de premiers secours dans le cabanon près de la piscine.

Il lui lança des regards noirs.

— Je n'ai pas besoin de premiers secours.

Elle jeta un coup d'œil aux caméramans.

— Les gars, retournez à la salle de billard. Lady Pamela sera prête à continuer après son casse-croûte.

Les caméramans marchèrent à grands pas vers la cage d'escalier.

— Viens.

Darcy tendit la main vers le bras d'Austin.

Il recula.

Elle le regarda en fronçant les sourcils.

— Est-ce que tu viens avec moi, s'il te plaît ?

Il détourna le regard. Il était douloureux pour lui de la regarder. Comment pouvait-il pleurer sa mort, alors qu'elle ne cessait d'apparaître devant lui ?

— Ce n'est rien. Tu n'es pas responsable des blessures par perforation. Est-ce que tu l'aurais oublié ?

Elle poussa un petit grognement.

— C'est vrai, mais je préférerais que tu ne te fasses pas mal.

« Trop tard. »

Il expérimentait déjà la plus grosse peine d'amour qu'il n'avait jamais eue de sa vie.

— Par ici.

Elle fit un signe de la main vers le cabanon.

Il la suivit à contrecœur. Ils passèrent devant la piscine. Il jeta un coup d'œil au spa. Merde !

Elle le regarda d'un air inquiet.

— Tu as eu une étrange conversation avec Lady Pamela.

À propos de la durée des nuits ? Est-ce que Darcy s'inquiétait du fait qu'il était au courant de l'existence des vampires ? Ou qu'il savait pour elle ? N'était-ce pas bien dommage. Elle lui avait permis de l'embrasser à plusieurs reprises. À quel moment au juste dans leur relation avait-elle l'intention de lui dire qu'elle était morte ?

— Je lui disais des imbécillités.

Les sourcils de Darcy se soulevèrent.

— Pourquoi ? Est-ce que tu es soudainement intéressé par la victoire et l'argent ?

— Je me fiche bien de l'argent. En fait, je commence à me demander pourquoi je suis ici.

Elle ouvrit la porte du cabanon.

— Je pensais…

Elle ferma les yeux brièvement.

— Peut-être que je me suis trompée.

Elle s'était imaginé qu'il s'intéressait à elle ? C'était le cas, jusqu'à ce qu'il découvre la vérité. Il entra dans le cabanon. La pièce principale était une combinaison entre un salon et une cuisine. Des meubles en osier blanc s'y trouvaient, couverts de coussins aux motifs tropicaux. Les documents de Darcy étaient étalés sur la table de cuisine. Au cours de la nuit précédente, en route vers la piscine, il s'était introduit dans le cabanon et avait dissimulé une caméra au-dessus de la porte d'entrée. Il ne l'avait pas encore utilisée. La dernière chose qu'il voulait était de voir Darcy boire du sang ou tomber endormie dans son sommeil mortel.

— Par ici.

Elle s'aventura dans la minuscule cuisine. Les seuls appareils ménagers qu'on y trouvait étaient un petit réfrigérateur et un four à micro-ondes. Elle fit couler l'eau au-dessus de l'unique lavabo.

— Viens rincer ton doigt.

Il glissa sa main sous l'eau froide.

Elle lui tendit une serviette.

— Quelque chose ne va pas. Je peux le sentir. Tu ne me regardes même pas.

Il haussa les épaules et se sécha la main.

— Est-ce que c'est vrai que tu n'aimes pas que les femmes portent des pantalons ?

— Non. J'ai simplement dit à Lady Pamela ce qu'elle voulait entendre.

Darcy se raidit et le regarda en fronçant les sourcils.

— C'est ça que tu fais ? Tu dis aux femmes ce qu'elles veulent entendre ?

Il laissa tomber la serviette sur le comptoir.

— Je dois y aller.

— Tu as besoin d'un pansement.

Elle ouvrit la boîte des premiers secours.

— Je n'ai besoin de rien ! Ce n'est qu'une petite piqûre.

La colère se manifesta dans ses yeux.

— Ainsi, tu n'as besoin de rien?

Elle déchira l'enveloppe du pansement.

Il bouillait de frustration. Merde! Il ne savait pas qu'elle était morte, lorsqu'il tentait de la séduire. Elle, elle le savait. Elle aurait dû refuser ses avances.

— Donne-moi ton doigt.

Elle tendit la main vers la sienne.

Il recula.

— Donne-moi le pansement.

Elle le jeta sur le comptoir.

— Parfait. Pose-le toi-même.

— C'est ce que je vais faire.

Il tenta de le poser avec sa main gauche, mais éprouvait des difficultés.

Elle le regarda fixement.

— Je ne te comprends pas. Tu ne cesses de me poser des questions et de me dire que tu sais trop… de choses.

— Ton imagination est débordante.

— Vraiment? Tout ce que j'aimerais que tu me dises, c'est de quelle façon je devrais te faire confiance et me confier à toi, et lorsque j'ai enfin l'impression que je peux te faire confiance, tu t'éloignes de moi.

Il serra les dents.

— Je ne suis pas parti. Je suis encore ici.

— Tu ne me regardes pas et tu ne me touches pas davantage. Qu'est-ce qui s'est passé?

Il arriva enfin à poser le pansement.

— Rien. Je… j'ai décidé que ça n'allait pas pouvoir fonctionner entre nous.

— *Tu* as décidé? Je n'ai rien à dire à ce sujet?

« Non, tu es morte. »

— Au revoir.

Il marcha à grands pas vers la porte.

— Adam! Pourquoi m'as-tu fait ça?

Il fit une pause près de la porte et regarda derrière lui. Son cœur se serrait dans sa poitrine. Putain de merde. Ses yeux étaient pleins de larmes. Il la faisait pleurer.

« Les mortes ne pleurent pas. »

Elle marcha vers lui avec raideur.

— Puisque tu es si sensible et empathique, dis-moi ce que je ressens maintenant.

Une larme coula sur sa joue, et cela le frappa comme un coup de pic à glace en plein cœur.

Il détourna le regard.

— Je ne peux pas.

— Tu ne peux pas le ressentir ? Ou tu ne peux pas admettre que tu es celui qui m'inflige tant de douleur ?

Il tressaillit.

— Je suis désolé.

Il courut vers la cage d'escalier, mais se rendit compte qu'il ne pouvait faire face aux autres vampires pour le moment. Il se glissa dans la serre afin d'être seul. Il s'assit sur le banc et laissa tomber sa tête dans ses mains. Comment pouvait-il admettre qu'il causait de la peine à Darcy ? Les morts ne ressentent pas la douleur. Les morts ne pleurent pas. Les morts ne vous regardent pas en vous donnant l'impression que vous leur brisez le cœur.

Putain de merde. Comment pouvait-il gérer cela ? S'il admettait qu'elle éprouvait de la douleur, alors il devrait admettre qu'elle était encore en vie. Il devrait gérer le fait qu'elle était une femme vampire. Et son travail à l'Agence centrale de renseignement était d'exterminer les vampires.

Non, mais quel gâchis. Si seulement il l'avait su dès le début. Il aurait pu se durcir le cœur, et éviter de la voir. Quel merdier. Tout le monde lui avait dit que c'était une femme vampire. Elle avait même essayé de le repousser, mais il avait refusé de l'écouter. Ce n'était pas de sa faute. Il avait obstinément ignoré tous les indices parce que son cœur était déjà conquis. Maintenant, il n'avait d'autre choix que de faire face à la réalité.

Il était amoureux d'une femme vampire.

Darcy ferma la porte du cabanon et s'appuya sur cette dernière en tremblant. Elle avait de la difficulté à respirer. Ses genoux vacillèrent, et elle se laissa glisser le long de la porte pour se retrouver assise sur le tapis vert toute saison.

Il l'avait blessée. Elle s'était assurément laissé prendre à son jeu et à ses belles paroles. Dire aux femmes ce qu'elles voulaient entendre. Le bâtard.

Elle avait été si pathétiquement facile à séduire. Elle avait été si froide, si seule, si malheureuse au cours des quatre dernières années qu'elle s'était amourachée du premier homme qui lui avait offert chaleur et amour. Elle versa de nombreuses larmes, qu'elle repoussa avec une colère grandissante. Comment osait-il faire ainsi volte-face ? Ne lui avait-il pas dit, pas plus tard que la nuit dernière, que tous les hommes seraient stupides de la laisser aller ? Selon ses propres normes, Adam était donc stupide. Bon débarras.

Elle se releva sur ses jambes chancelantes. Elle devait retourner à la réalisation de son émission. C'était son travail, et elle ne pouvait pas risquer de le perdre. Son cœur était toutefois menacé par une épée à deux tranchants. Comment pourrait-elle le voir de nouveau, et comment pourrait-elle faire pour vivre *sans* le voir ? Il avait rendu sa « vie » supportable de nouveau. Au cours des quatre dernières années, elle avait été forcée de demeurer dans l'obscurité. Seuls trois minces rayons de lumières, soit Gregori, Maggie et Vanda, étaient parvenus à faire en sorte qu'elle ne perde pas la tête. Et puis Adam avait fait irruption dans sa sombre existence tel un soleil brillant. Il avait été le dieu du soleil, lui promettant la chaleur et la vie.

Cela n'avait toutefois été qu'un écho qui se moquait bien d'elle, à présent. Elle ne pourrait plus jamais éprouver la sensation d'être en vie. Elle ne pourrait jamais être avec Adam. Elle l'avait su depuis le début, mais elle s'était tout de même éprise de lui. Elle avait voulu croire que l'amour pouvait tout conquérir, que l'amour était aussi sacré que Vanda l'avait déclaré. Des larmes coulèrent sur le visage de Darcy. Elle ne pouvait pas se résoudre à le revoir dès maintenant, alors elle emprunta l'escalier de l'aile ouest jusqu'à l'étage des domestiques.

Les femmes étaient dans le salon, en pleine conversation. Lady Pamela buvait de petites gorgées de Chocosang dans une tasse de thé. À la télé, Darcy pouvait voir Gregori et les concurrents dans la salle de billard. Les caméramans étaient là, filmant les hommes alors qu'ils discutaient de l'émission.

— Est-ce que ça va ?

Vanda regarda Darcy en plissant les yeux.

— Ça va, mentit-elle en espérant que personne ne pourrait voir qu'elle venait de pleurer. Il n'y avait aucune façon pour elle de vérifier son apparence dans un miroir, ce qui était un des inconvénients mineurs associés au fait d'être une femme vampire. Les inconvénients majeurs incluaient la perte de sa famille, de ses économies et de sa carrière dans le monde du journalisme. En fait, elle avait perdu sa vie entière à cause de ce stupide monde secret. Si Connor n'avait pas été si préoccupé par le fait de veiller à ce que leur maudit monde demeure aussi secret, il aurait pu la téléporter dans un hôpital au lieu de la maison de Roman Draganesti. Elle aurait pu demeurer en vie, mais elle ne le saurait jamais avec certitude. Il était trop tard.

— Est-ce que tu es prête à compléter le parcours d'obstacles ? demanda-t-elle à Lady Pamela. Quatre hommes n'ont pas encore été évalués.

— Est-ce que je dois le faire ?

Lady Pamela fit une grimace.

— Je suis terriblement fatiguée. Et de plus, je sais déjà quels hommes doivent être éliminés.

— Nous aussi, dit Cora Lee en se glissant dans la conversation. Nous devons nous débarrasser de ce bouffon qui a laissé tomber Lady Pamela dans la boue.

Toutes les femmes acquiescèrent en murmurant.

— Et nous devons aussi nous débarrasser du Maure, déclara Maria Consuela.

— Tu veux parler d'Ahmed ? demanda Lady Pamela. Il avait de très bonnes manières, et son discours était impeccable.

— Sans parler du fait qu'il est très beau, ajouta Vanda.

— En effet.

Lady Pamela déposa sa tasse de thé.

— À mon avis, le deuxième candidat à éliminer doit être Antonio, de Madrid. Il a le plus affreux des zézaiements.

— Bien sûr qu'il zézaie ! s'exclama Maria Consuela. Il parle à merveille le castillan espagnol.

— Eh bien, ça lui donne un accent ridicule en français, insista Lady Pamela. Il m'a dit que ze zentais comme une roze rouze.

La princesse Joanna frissonna.

— Mon Dieu, nous ne voulons pas avoir un maître qui nous parle comme ça.

Maria Consuela râla.

— Et moi ? Quand pourrais-je avoir mon mot à dire en ce qui concerne les candidats à éliminer ?

— Ton tour viendra, dit Darcy pour rassurer la femme vampire espagnole. Je t'ai réservé le critère numéro neuf, la force.

Darcy réalisa alors avec étonnement que les mêmes femmes qui ne s'étaient pas senties à l'aise de prendre des décisions la nuit précédente avaient maintenant hâte d'avoir leur mot à dire.

— Oh, regardez.

Cora Lee pointa la télé.

— Qui est-ce ?

Darcy jeta un coup d'œil à la télévision et eut le souffle coupé. Un des caméramans s'était rendu sur le toit et il filmait l'intérieur de la serre à travers un carreau de verre. Adam était assis sur un banc, le dos voûté, la tête posée entre ses mains.

— Je pense que c'est Adam.

Vanda lança un regard curieux à Darcy.

Cora Lee soupira.

— Le pauvre homme. Il semble si triste.

Darcy déglutit. Il semblait absolument malheureux. Cela aurait dû la rendre triste, mais une petite sensation de satisfaction naissait dans son cœur. Oui! Il souffrait, lui aussi. Il avait vraiment des sentiments pour elle.

— Tu aurais dû me laisser goûter son sang, bougonna Lady Pamela. J'aurais immédiatement su s'il était un mortel ou un vampire.

— Il *est* l'un des nôtres, annonça la princesse Joanna. Il doit l'être. Il était trop bien informé de nos nuits.

— C'était bien étrange.

Vanda échangea un regard inquiet avec Darcy.

La gorge de Darcy s'assécha. Elle jeta un nouveau coup d'œil à la télévision. Adam se frottait le front avec sa main. Avait-il découvert leur secret? Était-ce la raison pour laquelle il ne voulait plus la regarder ou la toucher désormais?

— Je suis d'accord, dit Maria Consuela. Adam doit être un vampire.

Darcy soupira.

— Puisque vous savez déjà quels hommes vous voulez éliminer, allons de l'avant avec la cérémonie des orchidées. Prenez deux orchidées du réfrigérateur et venez nous rencontrer dans le hall dans cinq minutes.

Elles furent d'accord avec cette décision. Darcy prit l'ascenseur jusqu'au deuxième étage de l'appartement de grand luxe et demanda à tous les hommes de venir dans le hall.

Elle dit à Gregori d'aller chercher Adam et le deuxième caméraman sur le toit. Elle plaça les hommes en deux rangées dans le grand escalier, puis elle s'esquiva rapidement de l'autre côté du hall afin d'être loin à l'arrivée d'Adam.

Les cinq juges entrèrent dans le hall, la tête haute. Elles formèrent une ligne sous l'énorme lustre.

— Messieurs, annonça Gregori. Deux d'entre vous retourneront à la maison, ce soir. La limousine vous attendra en bas. Vous saurez que ce sera à vous de partir lorsque vous recevrez une orchidée noire. Est-ce que vous êtes prêts ?

Les hommes hochèrent la tête, et Bernie fit un passage sur leurs visages.

— J'ai autre chose à vous annoncer, avant de continuer, dit Gregori. Le montant d'argent qui sera accordé au gagnant vient tout juste d'augmenter. L'homme le plus séduisant sur terre recevra *deux* millions de dollars.

Les femmes haletèrent. Bart capta leurs réactions avec sa caméra tandis que Bernie se chargeait de celles des hommes.

— Lady Pamela, vous pouvez commencer.

Gregori lui indiqua qu'elle pouvait procéder.

Elle s'avança donc en tenant deux orchidées noires dans sa main.

— Nous attendons avec impatience de savoir quels hommes nous aurons le plaisir de découvrir encore davantage au cours de l'émission. Maintenant, les orchidées.

Elle prit une grande inspiration.

— Nicholas, de Chicago.

Nicholas, maintenant vêtu de vêtements propres, descendit l'escalier en se traînant les pieds pour accepter l'orchidée.

— Je suis désolé de vous avoir laissé tomber.

Il remonta l'escalier et accepta les condoléances des autres hommes.

— Antonio, de Madrid, annonça Lady Pamela.

C'est avec un air abattu qu'Antonio accepta l'orchidée.

— Ze zuis vraiment dézolé.

Darcy jeta un coup d'œil à Adam. De tous les hommes restants, c'était le seul à avoir l'air triste. Il se dirigea vers sa chambre sans même se retourner. Les juges, l'hôte et les caméramans se rendirent dans la salle des portraits pour la révélation finale de la soirée. Darcy les rejoignit.

— Deux millions de dollars ! dit Cora Lee en souriant. Pour l'amour de la terre, notre nouveau maître sera très riche !

— Oui, mais nous devons nous assurer que ce sera un vampire, avertit la princesse Joanna.

— Oh, Darcy, dites-nous que nous serons débarrassés de ces maudits mortels dès ce soir, supplia Lady Pamela.

— Je ne peux rien vous dire.

Darcy retira la torche électrique spéciale du coffre-fort mural. Elle la remit à Gregori et lui chuchota dans quel ordre il devrait révéler les hommes. Elle éteignit ensuite les lumières.

Les femmes s'installèrent sur les canapés, leurs visages brillants d'excitation.

Gregori s'approcha des portraits.

— Ce soir, vous avez éliminé Antonio, de Madrid.

Il alluma la torche électrique. Les canines blanches d'Antonio apparurent immédiatement.

— Oh mon Dieu, dit Lady Pamela en grimaçant. J'étais convaincue qu'un vampire ne pourrait jamais avoir de défaut d'élocution.

— Et vous avez aussi éliminé Nicholas, de Chicago.

Gregori éclaira le portrait de Nicholas. Les femmes le fixèrent pendant un moment où la tension était au rendez-vous. Rien ne se produisit.

— Oui! dit Cora Lee en bondissant sur ses pieds. C'est un mortel!

— J'ai réussi! dit Lady Pamela en se levant d'un coup tout en souriant. J'ai démasqué un des mortels!

Les femmes se firent une étreinte en riant.

Gregori ouvrit une bouteille de Sang Pétillant.

— Voilà une bonne raison de célébrer.

Il remplit sept coupes à ras bord. Darcy l'aida à servir les juges, puis Gregori lui tendit une coupe en se gardant la dernière.

— Félicitations, mesdames!

Il leva son verre.

— Vous avez franchi une étape de plus vers la sélection de votre nouveau maître, et ce dernier a fait un pas de plus vers une grande richesse.

Les femmes éclatèrent de rire et firent tinter leurs coupes. Les caméramans se concentrèrent sur leurs visages heureux.

— Tu ne bois pas.

Gregory regarda Darcy.

— Tu devrais vraiment boire le contenu de ta coupe. Ton émission est de plus en plus géniale.

Darcy baissa les yeux vers le mélange de champagne et de sang dans sa coupe. Ouais, génial. Elle aidait l'ancien harem à se trouver un nouveau maître tout en les aidant à apprendre comment prendre leurs propres décisions pour elles-mêmes. Tout cela semblait cependant vide de sens sans Adam.

De retour dans sa chambre à coucher, Austin observait la célébration des femmes sur son ordinateur portable. Son compagnon de chambre Nicholas éliminé, il était beaucoup plus facile pour lui de les espionner.

Garrett se tenait debout derrière lui, observant la scène.

— Voilà donc le jeu auquel elles jouent. Elles tentent de déterminer qui est humain, afin de pouvoir se débarrasser de nous.

— Ça explique vraiment à quel point la chaîne de cheville est importante.

Austin releva son pantalon pour regarder sa nouvelle chaîne. Maggie était venue lui remettre tout juste après le coucher du soleil, en lui disant qu'il devait la porter immédiatement.

— Ouais.

Il posa la main sur le dossier de la chaise d'Austin tout en se penchant vers l'avant.

— Qu'est-ce qu'ils boivent?

— Quelque chose mêlé avec du sang synthétique.

Austin regarda Darcy porter la coupe à sa bouche. Elle prit une petite gorgée, puis se lécha les lèvres. Des lèvres qu'il avait embrassées. Une bouche qu'il avait explorée. Merde.

Il bondit sur ses pieds à une telle vitesse que sa chaise bascula vers l'arrière avant que Garrett ne la rattrape. Il marcha à grands pas vers la fenêtre et regarda dehors. Il ne pouvait pas voir grand-chose dans l'obscurité, à part son reflet dans le verre. Darcy n'aurait même pas de reflet.

Putain de merde. Est-ce que tout devait absolument lui rappeler qu'il était vivant et qu'elle était morte ? Ou pire encore, qu'elle était revenue d'entre les morts. Elle était morte en plein jour, mais elle marchait, parlait, et même pleurait la nuit venue. Elle était juste assez vivante pour le torturer.

Et le tenter. Elle était toujours aussi belle. Toujours aussi intelligente. Toujours si *Darcy*.

— Quelque chose ne va pas ? demanda Garrett.

— Rien ne va.

Austin marcha à pas mesurés à travers la chambre.

— C'est une perte de temps. Nous n'apprenons rien d'utile, ici.

— Je connais maintenant les noms de plusieurs vampires. C'est plus que ce que je savais il y a quelques jours.

— Nous devons nous rapprocher d'eux sur le plan amical et découvrir ce qui se passe avec Shanna. Et ça, ça n'arrive pas.

Et ce, même si Austin devait admettre qu'il avait certainement été amical avec une femme vampire. Malheureusement, il ne pensait plus du tout à Shanna, quand Darcy était dans ses bras.

— Enfin, il est plutôt difficile de développer une amitié avec un paquet de créatures meurtrières, murmura Garrett.

— Oh, tu sais, ces femmes sont inoffensives. Elles veulent seulement porter de beaux vêtements et avoir quelqu'un pour s'occuper d'elles. Mince, elles se formalisent si nos manières ne sont pas impeccables.

Garrett poussa un petit grognement.

— Tu deviens mou. Est-ce que tu crois que les hommes sont tout aussi inoffensifs ?

— J'ai discuté avec certains de ces hommes, ce soir même. Roberto possède une compagnie de stores en aluminium, en Argentine. Otto dirige un club de santé, en Allemagne.

Austin n'arrivait toutefois pas à voir un lien entre le fait de se maintenir en santé et celui d'être mort.

Garrett fronça les sourcils.

— Ils sont probablement toujours en train de commettre des crimes. Je parie qu'ils se servent du contrôle de l'esprit pour voler les gens.

— Si c'était le cas, pourquoi voudraient-ils autant mettre la main sur la somme d'argent qui sera remise au vainqueur ?

— Je ne sais pas, marmonna Garrett. Je sais toutefois qu'ils nous mordraient sans plus attendre s'ils n'avaient pas accès à ce sang synthétique.

Peut-être que oui. Austin secoua la tête. N'agirait-il pas de la même façon, si c'était son seul moyen de survivre ?

— Le fait est qu'ils *boivent* vraiment du sang synthétique. Ainsi, leur intention n'est pas de faire du mal aux humains. Pendant ce temps, les vampires réellement maléfiques patrouillent dans Central Park à la recherche de victimes. Et nous, nous sommes là à ramasser des mouchoirs.

— C'est notre mission actuelle.

— C'est stupide ! Nous devrions nous rendre à Central Park et faire en sorte que les innocents cessent de se faire ainsi attaquer.

— Nous ne pouvons pas partir. George est encore ici. Nous ne pouvons pas partir en le laissant sans protection. Et tu sais que nous ne pouvons pas défier les ordres de Sean.

Austin retourna vers la fenêtre en marchant à pas mesurés. Il savait que Garrett avait raison, mais il ne découvrait tout de même rien de nouveau à propos de Shanna. Tout ce qu'il avait était une liste de vampires que Sean voudrait éliminer. Comment pourrait-il ajouter le nom de Darcy sur cette liste ? Ce n'était pas surprenant qu'il ait envie de s'éloigner à toute vitesse de cette mission.

— Les voilà qui quittent la salle des portraits.

Garrett passa à la caméra située dans le hall.

— Les femmes vont vers la cuisine. Oh !

— Qu'est-ce qu'il y a ?

Austin marcha à grands pas vers le bureau.

— Notre hôte vient de disparaître.

— Il s'est sûrement téléporté. Il est probablement retourné dans son appartement.

Garrett pointa du doigt une personne qui se trouvait dans le hall.

— N'est-ce pas la réalisatrice ?

— Oui.

Austin se rapprocha. Darcy était seule dans le hall, ses mains unies devant elle. Elle se dirigea vers le bas de l'escalier, puis s'arrêta. Elle regarda la porte d'entrée, puis redirigea son regard vers l'escalier.

— Que fait-elle ? demanda Garrett.

— Elle tente de prendre une décision.

Le cœur d'Austin se mit à battre en voyant Darcy monter les marches de l'escalier. Qu'est-ce qu'elle faisait ? L'escalier se divisait en deux à la hauteur du palier, une section se dirigeant vers l'est et l'autre vers l'ouest. Venait-elle dans son aile pour le voir ?

Elle arriva sur ce palier et hésita de nouveau. Sainte indécision. Il serait préférable qu'elle aille voir un des vampires masculins. Ils faisaient partie de la même race.

— Elle vient vers nous, dit Garrett.

Le cœur d'Austin accéléra la cadence.

« S'il vous plaît, viens vers moi. »

Mais que faisait-il, par l'enfer ? Il ne pouvait avoir de relation avec une femme vampire.

Garrett se dirigea vers la porte.

— Je ferais mieux de retourner à ma chambre.

Il sortit de la chambre d'Austin.

Austin passa à la caméra de surveillance du vestibule de l'aile est. Il vit Garrett se glisser dans sa chambre. Quelques minutes plus tard, ce fut au tour de Darcy de marcher dans le vestibule et de se diriger vers lui.

Il éteignit l'équipement de surveillance et ferma son ordinateur portable. Que voulait-elle? Il n'avait pas été très aimable avec elle dans le cabanon. Il aurait dû craindre cette nouvelle rencontre. Il devrait refuser de la voir. Cependant, le fait de savoir qu'elle le recherchait lui donnait envie de sauter de joie.

Quatorze

Darcy se questionnait à chaque pas qu'elle faisait. Pourquoi s'infliger ainsi davantage de torture? Elle avait toutefois vu Adam assis sur le banc. Il croyait alors que personne ne pouvait le voir, et il s'était laissé aller à démontrer ses véritables sentiments. Il souffrait autant qu'elle.

C'est elle qui avait décidé où les concurrents de l'émission dormiraient, de sorte qu'elle savait exactement où il se trouvait. Elle leva la main pour frapper à sa porte. Un autre tiraillement de doute la faisait hésiter. C'était un mortel.

«Laisse le pauvre homme en paix!»

Elle n'avait pas le droit de l'impliquer dans le monde des vampires. Il finirait par apprendre la vérité, s'il ne la connaissait pas déjà. Et il lui en voudrait pour cela, comme elle en voulait à Connor. Elle recula. Si elle aimait cet homme, elle devait le laisser en paix.

«De l'amour?»

Est-ce qu'elle l'aimait?

La porte s'ouvrit. Elle eut le souffle coupé. Il était debout dans l'embrasure et il la regardait. Ses cheveux étaient ébouriffés. Il ne portait plus de veste. Sa chemise de soirée était déboutonnée, révélant sa poitrine et son ventre si merveilleusement musclés. Et ses yeux, où elle voyait tant de douleur et de désir. Elle eut sa réponse en une seconde.

«Oui, je l'aime vraiment.»

Il appuya un avant-bras contre le montant de la porte.

— Je pensais avoir entendu quelqu'un dans le vestibule.

Elle hocha la tête. Une fois sur place, toutes les paroles qu'elle avait voulu prononcer étaient disparues de son cerveau.

Il fronça les sourcils. Il avait apparemment des difficultés similaires.

— Comment va ton doigt?

Elle grimaça. Quel truc idiot à demander.

— Je pense que je vais vivre.

Voilà quelque chose qu'elle ne pourrait plus jamais faire. Mince. Comment pouvait-elle formuler ce qu'elle avait à dire?

«Oh, à propos, est-ce que tu as remarqué que je suis une femme vampire?»

— Je t'ai dit des choses grossières plus tôt.

Il la regarda tristement.

— Je suis vraiment désolé. Je n'ai jamais voulu te blesser.

Des larmes montèrent dans ses yeux, et elle les repoussa en agitant ses paupières.

— Moi aussi, je suis désolée. J'ai dit des choses que je n'aurais pas dû dire.

— Je ne me souviens pas que tu aies dit quoi que ce soit de mal.

— J'ai dit que tu n'avais besoin de rien.

Le coin de sa bouche se releva.

— Enfin, c'était plus une insinuation, mais je l'avais méritée.

Il méritait plus que ce qu'elle pouvait lui donner. Elle recula d'un pas.

— Qu'est-ce qui se passe avec les juges? demanda-t-il.

Elle cligna des yeux.

— Pardon?

— Elles s'habillent de façon si étrange. Il y en a une qui ressemble à une Scarlett O'Hara aux cheveux blonds, et d'autres qui semblent s'être échappées d'un festival de la Renaissance.

— Oh.

Darcy serra ses mains l'une contre l'autre.

— Je reconnais qu'elles ont des goûts vestimentaires plutôt étranges, mais c'est ce qu'elles considèrent comme étant des tenues de soirée. Justement, demain soir, les juges porteront leur attention sur votre tenue vestimentaire.

Elle espéra qu'il n'avait pas remarqué à quelle vitesse elle avait changé de sujet. Heureusement, elle ne violait aucune règle. Tous les hommes avaient reçu la consigne de s'habiller de leur mieux et d'être prêt à danser.

Adam haussa les épaules.

— Je n'ai pas de smoking.

— Ça va aller. L'ensemble que tu portais ce soir sera parfait. Tu avais l'air... très beau.

Bon Dieu, elle agissait comme une adolescente dithyrambique.

— Je... je devrais y aller.

Il fronça les sourcils de nouveau.

— À propos du concours de danse...

— Oui? C'est Cora Lee qui sera la juge.

— Le sosie de Scarlett O'Hara?

— Oui.

Darcy essaya de sourire.

— Elle s'attendra probablement à ce que tu fasses une valse ou une polka. Ce sont ses danses préférées.

— Elle ne donne pas dans le hip-hop, n'est-ce pas?

Darcy éclata d'un rire nerveux.

— Non. Je crois que la plupart des hommes révisent leurs pas de valse ce soir.

— Je n'en ferai rien.

— Pourquoi? Tu es doué pour la valse?

Il poussa un petit grognement.

— Non. Je ne sais pas du tout comment valser.

— Oh.

Elle eut un serrement de cœur. Demain serait donc sa dernière nuit à l'émission. À moins que...

— Je pourrais...

Non, elle ne pouvait pas.

— Tu pourrais quoi ? M'apprendre la valse ?

— Non, je ne peux pas. Je suis navrée.

— Je sais.

Il sourit tristement.

— Ça ne serait pas équitable pour les autres concurrents, n'est-ce pas ?

Elle soupira.

— Non.

— Tu es essentiellement très honnête, n'est-ce pas ? lui demanda-t-il doucement.

Elle avala sa salive avec difficulté. Elle n'arrivait tout simplement pas à être totalement honnête avec lui au sujet de la seule chose envers laquelle elle se devait vraiment de l'être.

— La vérité est parfois trop difficile à dire.

— Je sais.

Il la regarda, et ses yeux devinrent encore plus intenses.

Une soudaine vague de chaleur s'abattit sur elle. Elle la remplit, enveloppant son cœur froid et mort d'une chaleur rassurante. Cette chaleur monta à son visage, faisant rougir ses joues et se déversant avec force dans sa tête comme une fièvre. Elle ferma les yeux brièvement, baignant dans cette magnifique chaleur. Comment parvenait-il à lui faire cela ? Il la rendait très chaude simplement en la regardant. Aucun autre homme n'avait jamais eu un tel effet sur elle, mais elle n'avait jamais autant aimé un homme comme elle aimait Adam.

— Oh mon Dieu.

Adam se redressa en poussant sa main contre le montant de la porte. Il se passa ensuite la main dans les cheveux.

— Quelque chose ne va pas ?

Il secoua la tête.

— Non. Oui. Je... je ne sais pas.

Il grimaça.

— Je serai probablement éliminé demain soir.

— Est-ce que tu veux te faire éliminer ?

— Je ne sais plus ce que je veux, à présent. Rien n'est parfaitement clair.

Il semblait si agité que Darcy avait envie de lire dans son esprit pour découvrir ce qui n'allait pas. Elle n'avait jamais lu dans un esprit auparavant. Elle avait toujours rejeté toutes les petites astuces des vampires, comme le fait de lire dans les esprits, de se téléporter, ou encore de pratiquer la lévitation. Elle ne voulait rien savoir de cela, particulièrement le fait de lire dans les esprits. Elle considérait que c'était une ingérence épouvantable dans la vie privée.

— Je... je serai désolée de te voir partir.

Il hocha la tête.

— C'est ce que je dois faire. C'est pour le mieux.

Elle respira à fond. Il avait raison. C'était pour le mieux.

— Tu seras donc parti demain soir.

« Et peut-être que je ne te reverrai jamais plus. »

Le dernier souffle de chaleur se dissipa, la laissant froide et vide de nouveau.

— Je devrai partir dès que la cérémonie des orchidées sera terminée. Alors, je vais te dire... au revoir, maintenant.

Elle déglutit.

— Au revoir.

Elle tendit la main.

Il regarda sa main en fronçant les sourcils. Elle préféra donc reculer d'un pas et laisser son bras tomber sur le côté de son corps. Il ne pouvait même plus la toucher. Comment son cœur pouvait-il souffrir autant s'il était mort ?

— Darcy.

Il tendit la main et lui toucha l'épaule. Il posa brièvement ses lèvres sur son front.

— Au revoir.

Puis, il se retourna en fermant la porte.

Le lendemain soir, Austin porta son costume gris foncé avec une cravate aux rayures bleues et argentées. Il avait la certitude d'être éliminé le soir même. Il avait déjà préparé ses valises. Il quitterait cet édifice à bord de la limousine et il ne reverrait jamais plus Darcy. Il souffrait le martyre, mais c'était pour le mieux.

Il se dirigea vers la bibliothèque avec Garrett et George. Il y avait encore cinq concurrents vampires en lice, soit Otto, de Düsseldorf, Ahmed, du Caire, Roberto, de Buenos Aires, Pierre, de Bruxelles, et Reginald, de Manchester. Gregori leur expliqua le déroulement de la soirée et marcha avec eux jusqu'à l'escalier. Une des juges vampires arriva avec les deux caméramans, en compagnie de Darcy et de Maggie. Darcy avait l'air magnifique, comme à son habitude, même si elle ne portait que des pantalons et un t-shirt. Leurs yeux se rencontrèrent et demeurèrent en contact pendant un moment, puis elle détourna le regard.

La juge était celle qui était connue sous le nom de princesse Joanna. Elle était certainement vêtue comme une princesse médiévale, bien qu'Austin supposait que son domaine devait avoir disparu plusieurs centaines d'années auparavant.

Elle allait les juger sur leur apparence, soit sur leur tenue vestimentaire et sur leur prestance. Elle les appela un à un avec sa voix royale. Suivant les instructions qu'ils avaient reçues, chaque homme descendait ensuite les marches de l'escalier, puis marchait à mi-chemin dans le hall. Là, ils devaient s'arrêter sous le lustre en prenant une pause pendant quelques instants. Ils devaient ensuite pivoter et marcher vers la bibliothèque.

— J'ai l'impression de faire partie d'un défilé de mode, grogna Austin.

— Ou d'un concours de beauté, bougonna Garrett.

— Bon Dieu, j'espère que non, grimaça Austin. Je t'en prie, ne me dis pas qu'il va aussi y avoir un concours en maillot de bain.

— Garth, de Denver, dit la princesse Joanna.

Garrett répondit à l'appel de son faux nom en redressant les épaules et en se collant un petit sourire sur le visage. Il commença à descendre l'escalier. Austin se demanda s'il ne devrait pas à son tour se laisser glisser sur la rampe de l'escalier. Lorsque son nom fut prononcé, il parvint à bien se comporter. Il ne voulait pas vexer Darcy. Il descendit les marches, puis marcha à grands pas à mi-chemin dans le hall.

Darcy se tenait près de la porte d'entrée, et elle le regardait. Ses yeux scintillaient à la lumière du lustre. Est-ce que c'était des larmes qu'il voyait dans ses yeux ? Elle semblait triste et heureuse à la fois. Une tristesse résignée dans le regard, mais une jolie courbe dans son sourire. Oh, il savait que c'était de l'amour. Il l'avait lu dans son esprit la nuit dernière. Et maintenant, son expression semblait lui dire qu'elle l'aimerait toujours, même si cela la rendait très triste.

Il lui sourit légèrement, puis se dirigea vers la bibliothèque.

Une fois tous les hommes dans la bibliothèque, Gregori leur expliqua que la phase suivante, le concours de danse, se déroulerait sur le toit. Ils gravirent donc les marches de l'escalier de l'aile ouest et retrouvèrent les femmes qui les attendaient sur le toit. Un quartette de musiciens était à se préparer près de la serre. Les musiciens accordaient leurs instruments à cordes. Aucune guitare électrique. Ça allait assurément être une danse d'une autre époque. Tous les meubles de patio avaient été déplacés pour créer une grande terrasse entre la piscine et le mur extérieur.

Gregori déambula sur la terrasse en allumant des torches de bambou. Une fois cela terminé, il se tourna vers les hommes.

— Messieurs, vous pouvez inviter n'importe quelle juge à danser. Cependant, vous devrez tous danser au moins une fois avec Cora Lee.

Il fit un signe de la main vers le sosie de Scarlett O'Hara.

— C'est elle qui jugera cette portion du concours.

Cora Lee sourit aux hommes.

— Je déclare que ce sera une délicieuse soirée.

Le quartette lança le bal avec une valse. Pierre invita Cora Lee à danser. Elle accepta, et le couple se mit à virevolter partout sur la terrasse. Roberto invita Lady Pamela à danser. Maria Consuela et la princesse Joanna refusèrent de danser avec quelqu'un.

— Je ne valse jamais, déclara la princesse. Je considère que c'est de mauvais goût.

— C'est maléfique, dit Maria Consuela, qui se tenait près d'une torche et qui tripotait son rosaire.

Vanda éclata de rire et s'élança en compagnie d'Ahmed. Lorsque la première valse fut terminée, Garrett passa à l'action. Il invita Cora Lee à danser, et la fit ensuite tournoyer de façon experte sur la terrasse. Il retourna par la suite à l'endroit où Austin se tenait.

Austin referma sa bouche, qui était demeurée grande ouverte d'étonnement pendant la prestation de Garrett.

— Mais où donc as-tu appris à danser ainsi?

Garrett sourit.

— J'ai suivi un cours de danse de bal. J'ai pensé que cela pourrait m'être utile dans le cadre de mes fonctions.

— Oh.

Austin grimaça. Il aurait dû prévoir cela.

Cora Lee poussa des cris aigus, attirant leur attention. Otto dansait avec elle, ou plutôt il la balançait sur la terrasse comme une poupée de chiffon.

— Oui, tu es aussi légère qu'une plume, déclara Otto de sa voix de ténor.

Cora Lee rit sottement. Ses pieds touchaient le sol, et elle sautillait en suivant les grands pas de son partenaire.

— Oh, Otto, vous êtes si grand, je peux à peine vous suivre.

— Oui. Otto est grand et fort.

Il souleva Cora Lee de nouveau et la fit tourbillonner. Lady Pamela et son partenaire s'écartèrent rapidement de ce duo pour ne pas entrer en contact avec la robe à arceaux endiablée de Cora Lee.

Cora Lee éclata de rire. Otto la soulevait de nouveau dans les airs en la faisant tournoyer. Le pied de Cora Lee buta contre une des torches de bambou. Austin observait la scène qui donnait soudainement l'impression de se dérouler au ralenti. Il poussa un cri en se mettant à courir en direction de la torche qui tombait à la renverse. Maria Consuela cria. La torche tomba sur l'ourlet de sa robe médiévale et les flammes se répandirent. Toutes les femmes se mirent à crier. La musique cessa dans un grincement. Austin repoussa la torche d'un coup de pied, mais les flammes remontaient déjà le long de la robe de Maria Consuela. Il l'agrippa par-derrière et la projeta dans la partie profonde de la piscine.

Elle tomba dans la piscine dans un grand plouf, et le feu s'éteignit dans un sifflement. Elle coula au fond de l'eau tandis que de la vapeur s'échappait à la surface.

Austin s'immobilisa sur le bord de la piscine. Les autres se rassemblèrent autour de lui. Les caméramans se frayaient un passage pour obtenir les meilleures images. Maria Consuela ressemblait à une grosse motte noire au fond de la piscine. Une femme vampire pouvait-elle se noyer ? Austin l'ignorait. Il jeta un coup d'œil aux autres vampires. Peut-être que non. Ils ne semblaient pas s'en préoccuper outre mesure. Encore là, ils n'étaient peut-être qu'une bande de bâtards impitoyables et sans cœur.

— Est-ce qu'elle sait nager ? demanda-t-il.

Vanda regarda fixement dans l'eau.

— Apparemment pas.

Austin échangea un regard avec Garrett. Il haussa les épaules et son regard semblait dire de la laisser se noyer. Après tout, c'était une femme vampire.

Austin regarda Darcy. Elle le regarda en le suppliant frénétiquement de faire quelque chose. La femme vampire espagnole était probablement une de ses amies.

— Mince alors.

Il retira ses chaussures en vitesse et regarda les vampires mâles.

— L'un d'entre vous sait-il nager ?

Ils secouèrent la tête.

Austin retira sa veste, la donna à Garrett et plongea dans l'eau froide. Il tira Maria Consuela du fond de la piscine. Elle se mit aussitôt à agiter ses bras et ses jambes. Merde ! Il était censé tuer des vampires, et non leur sauver la peau. Il s'empara de ses bras et les croisa sur sa poitrine pour la contrôler. Puis, il la pressa contre sa poitrine et il poussa au fond de la piscine avec ses jambes pour remonter à la surface.

Maria Consuela râla et bafouilla. Elle prit une grande gorgée d'air avant de se mettre à crier en espagnol. D'après ce qu'Austin parvenait à comprendre, elle maudissait Otto en lui souhaitant d'être victime de la peste. Il l'a saisie fermement et se dirigea vers l'échelle. Sa robe était à ce point entortillée autour de ses jambes qu'elle ne pouvait grimper dans l'échelle. Austin la fit donc passer sur son épaule et il sortit ainsi de la piscine. Il la déposa ensuite sur une chaise longue.

— *Madre de Dios* !

Maria Consuela s'effondra de façon dramatique.

— Vous m'avez sauvé la vie.

— En effet. Vous êtes un héros ! s'exclama Lady Pamela.

— Je déclare que je n'ai jamais vu un homme agir avec autant de bravoure, dit Cora Lee en posant une main contre sa poitrine.

— Si vous voulez bien m'excuser.

Austin récupéra sa veste des mains de Garrett.

— Je dois aller enfiler des vêtements secs. Je ne serai pas en mesure de danser, alors je comprendrai si vous devez m'éliminer…

— Balivernes, l'interrompit Cora Lee. Je vais tout simplement attendre votre retour. C'est la moindre des choses.

Austin retrouva ses chaussures.

— Vous ne comprenez pas. Je ne serai pas en mesure de danser avec vous, car je ne sais pas danser.

Cora Lee haleta. Elle échangea un regard désespéré avec les autres femmes.

— On devrait lui pardonner cela.

Maria Consuela tripota son rosaire et l'embrassa.

— Nous avons tous échoué aux yeux du Seigneur.

Une femme vampire religieuse? Austin secoua la tête. Plus il apprenait de choses au sujet du monde des vampires, plus il devenait perplexe.

— C'est un héros, déclara Lady Pamela. Je serais honorée de lui apprendre comment valser.

Vanda sourit.

— Je voudrais bien lui apprendre quelques mouvements moi-même.

— Nous ne devons pas le punir, insista Cora Lee. C'est un héros.

— En effet.

La princesse Joanna examina Austin.

— C'est un homme qui sait comment se défendre.

Austin gémit intérieurement. Il avait l'épouvantable impression qu'il n'allait finalement pas retourner à la maison ce soir.

Quinze

Darcy ordonna une pause de 30 minutes pour donner le temps d'aller se changer aux personnes concernées.

— Merci, murmura-t-elle à l'oreille d'Adam en passant devant lui pour aller rejoindre Maria Consuela.

Il lui jeta un regard frustré, puis marcha d'un pas lourd dans ses vêtements détrempés.

Maggie et Darcy entourèrent Maria Consuela et l'aidèrent à se rendre à l'étage des domestiques. Les autres femmes suivirent derrière en papotant au sujet d'Adam.

— Brave comme il est, il doit sûrement être un vampire, déclara Lady Pamela.

Maggie regarda Darcy d'un air fortement inquiet. Darcy comprit que son amie craignait qu'un mortel puisse finalement remporter le concours. Cela insulterait assurément le monde des vampires dans son ensemble, et les femmes se retrouveraient avec un maître mortel. Cela serait un véritable désastre à n'en point douter, mais heureusement, Darcy savait que cela ne pourrait jamais arriver.

— Ne t'en fais pas, dit Darcy en s'adressant à Maggie au-dessus de la tête de Maria Consuela. Un des critères est la force. Il n'y a aucune chance qu'un mortel soit plus fort qu'un vampire.

Maggie poussa un soupir de soulagement.

— Tant mieux.

Elles arrivèrent au salon des domestiques, et Maggie conduisit Maria Consuela vers sa chambre afin qu'elle puisse s'y changer.

— Pour l'amour de la terre, ces pas de danse m'ont vraiment affamée.

Cora Lee se glissa dans la cuisine et s'empara d'une bouteille de Chocosang du réfrigérateur.

— Est-ce que l'une d'entre vous voudrait la partager avec moi ?

Elle déposa la bouteille dans le four à micro-ondes.

— Oui, moi.

Lady Pamela sortit deux tasses de thé et deux soucoupes de l'armoire.

Darcy remplit un verre avec des glaçons, et sortit une autre bouteille de Chocosang du réfrigérateur.

— Avez-vous décidé qui allait être éliminé ce soir ?

Elle versa le mélange de chocolat et de sang dans son verre.

Lady Pamela frissonna.

— C'est *horrible*. Je ne comprends pas comment tu peux arriver à boire cette substance sans la faire réchauffer.

Darcy haussa les épaules. Elle avait également l'habitude d'ajouter un sirop chocolaté.

— Plus c'est froid, moins je goûte le sang.

Vanda poussa un petit grognement.

— Mais c'est ce qu'il y a de meilleur.

— Je sais qui nous devons éliminer.

Cora Lee retira la bouteille de Chocosang du four à micro-ondes et versa le chaud liquide dans les tasses de thé.

— George le maladroit m'a piétiné les pieds à trois reprises. De plus, il ne m'a jamais présenté d'excuses, et ce, même lorsque je poussais des cris de douleur.

Lady Pamela haleta.

— Quel comportement épouvantable !

— Je suis d'accord.

La princesse Joanna glissa une bouteille de sang synthétique de type O dans le four à micro-ondes. Elle avait des goûts simples.

— En ce qui concerne l'habillement, je souhaite éliminer Ahmed, du Caire.

Darcy fronça les sourcils.

— J'espère que tu ne fais pas cela simplement pour plaire à Maria Consuela ? Je comprends qu'elle a vraiment eu la frousse ce soir.

— Non, mais je peux certainement sympathiser avec elle. J'ai eu très peur moi-même il y a environ deux semaines lorsque j'ai subi de graves brûlures.

La princesse jeta un regard désobligeant en direction de Cora Lee.

Cora Lee tressaillit et se précipita dans le salon avec sa tasse de thé.

— Mon raisonnement est juste.

La princesse Joanna retira sa bouteille du four à micro-ondes et en versa le contenu dans un verre.

— Cet homme portait des souliers bruns dépenaillés avec un costume noir.

Lady Pamela haleta.

— Affreux. Tout simplement affreux.

— Horrible ! ajouta Vanda sur un ton sarcastique tout en glissant à son tour une bouteille de sang dans le four à micro-ondes.

La princesse Joanna se raidit.

— Non mais, vous devriez vraiment prendre cela plus au sérieux. C'est notre nouveau maître que nous allons choisir.

Vanda haussa les épaules.

— Vous ne trouvez pas que nous nous tirons bien d'affaire sans maître ? Nous ne nous sommes pas entretuées.

Elle sourit à la princesse.

— Quoique c'est presque arrivé.

La princesse Joanna râla et tapa du pied dans le salon. Elle s'assit dans un fauteuil. Les femmes s'échangèrent des regards inquiets.

— Si nous n'avions pas de maître, qui prendrait des décisions pour nous ? demanda Cora Lee.

Darcy s'assit à côté d'elle.

— Ce soir, tu as pris la décision d'éliminer George.

— Oh.

Cora Lee prit une petite gorgée de sa tasse de thé.

— Je suppose que oui.

— Qui paierait les factures ? demanda Lady Pamela.

Vanda retira son dîner du four à micro-ondes. Elle flâna dans le salon, buvant directement de la bouteille.

La princesse Joanna la regarda en fronçant les sourcils.

— De telles manières sont un déshonneur. Nous avons besoin d'un maître pour ne pas en déroger.

Vanda déglutie.

— J'ai l'impression qu'il ne nous manque que de l'argent.

Lady Pamela posa sa tasse de thé dans un tintement.

— Un maître s'occuperait de nous.

Vanda s'étendit sur le canapé à côté d'elle.

— Je pense que nous avons seulement besoin de quelques séances de sexe de vampires de temps à autre, et que nous n'aurions pas de difficulté à trouver des tas d'hommes vampires pour cela.

Le froncement de sourcils de la princesse Joanna s'accentua.

— Es-tu en train de suggérer que nous pourrions nous comporter comme si nous avions des mœurs légères ? Je t'assure que je suis bien trop digne pour adopter un tel comportement.

Vanda roula des yeux.

— À part le sexe et l'argent, je me demande bien à quoi un maître peut bien servir.

Les femmes restèrent assises en silence. La question de Vanda sembla les laisser perplexes. Darcy les observa d'un air fasciné. Les femmes commençaient à se questionner sur des sujets qu'elles n'auraient jamais remis en question auparavant.

— Je n'aurais pas d'objections à avoir un maître, si ce dernier était courageux et héroïque, chuchota Cora Lee.

— Comme Adam, dit Lady Pamela.

Darcy tressaillit.

— Avez-vous vu son visage pendant la portion mode du concours ? demanda Cora Lee.

Les femmes étaient demeurées dans le salon à regarder le tout à la télévision pendant que la princesse jugeait l'événement.

— Tu parles du moment où il s'est arrêté sous le lustre ? demanda Lady Pamela. Il avait l'air très triste. Je pensais qu'il allait se mettre à pleurer.

— Je me demande ce qui le rend si triste.

Vanda lança un regard interrogateur en direction de Darcy.

Darcy sentit ses joues rougir.

Fort heureusement, c'est à ce moment précis que Maggie marcha à grands pas dans le salon.

— J'ai une bonne nouvelle. Maria Consuela n'a pas été blessée. Elle est juste un peu secouée par tout ce qui s'est passé.

Les femmes murmurèrent leur soulagement.

— Dis-nous comment ça s'est passé la nuit dernière au RTNV, demanda Vanda.

— Oh, oui ! Raconte-nous ça, s'exclama Cora Lee. Est-ce que tu as vu Don Orlando ?

Maggie sourit.

— J'ai fait une audition filmée avec lui.

Les femmes soupirèrent toutes, à l'exception de Vanda, qui fronça les sourcils.

— Comment ça s'est passé ? demanda Darcy.

Maggie s'appuya le dos contre le mur et s'entoura de ses bras.

— Il m'a regardée profondément dans les yeux et m'a demandé mon numéro de téléphone.

Les femmes soupirèrent de nouveau.

— Est-ce que tu as entendu ce que Corky Courrant a dit sur lui dans son émission *En direct avec ceux qui ne sont pas morts*? demanda Vanda.

Maggie s'en moqua.

— Je n'écoute pas cette émission qui s'attarde à de vils commérages.

— Qu'est-ce que Corky a dit? demanda Cora Lee en buvant sa boisson à petites gorgées dans sa tasse de thé.

— Elle a dit qu'il traitait les femmes comme des Kleenex, dit Vanda.

— Ce n'est pas vrai! cria Maggie. Il cherche seulement la bonne femme vampire pour lui.

— Alors, il la cherche dans tous les cercueils d'Amérique, bougonna Vanda.

— Qu'est-ce qu'un Kleenex? demanda la princesse Joanna.

Vanda serra les dents.

— C'est un mouchoir jetable.

La princesse renifla.

— Je ne crois pas aux choses jetables. Je crois que c'est mauvais.

Vanda poussa un petit grognement.

— C'est ça. Ce sont des déchets. Et Don Orlando traite les femmes comme des déchets.

— Arrête! cria Maggie. Je ne te laisserai pas parler de lui ainsi.

Darcy luttait intérieurement, se demandant si elle devait ou non dire la vérité à Maggie. La pauvre Maggie semblait tellement en souffrir. Darcy décida qu'elle allait attendre encore un peu. Maggie devait savoir ce qui se passait entre Don Orlando, Corky et Tiffany, mais elle avait le droit d'apprendre cela en privé.

— Est-ce que tu as réussi l'audition filmée?

— Oui, j'ai réussi, annonça Maggie sur la défensive. Et je serai aussi une vedette avec Don Orlando. Attendez, et vous verrez.

— Quelle est la prochaine étape? demanda Darcy.

— Je dois passer une dernière entrevue avant que le RTNV ne rende sa décision. Je dois parler à ton patron.

— Sly ?

Darcy étouffa un gémissement. Elle devrait également dire à Maggie de se méfier de lui.

— Je suis prête.

Maria Consuela entra dans le salon.

— Bien.

Darcy s'approcha du réfrigérateur et récupéra deux orchidées noires.

— Allons-y.

Elles prirent l'ascenseur jusqu'au rez-de-chaussée de l'appartement de grand luxe, et Darcy en profita pour leur expliquer la suite du programme.

— Suivant la conclusion de la présente soirée, nous prendrons une pause de tournage pour les trois prochaines nuits. Vous pourrez rester ici, si vous le souhaitez.

— Toi, où iras-tu ? demanda Maggie.

— Je retourne chez Gregori, répondit Darcy. Demain soir, je dois aller au RTNV pour procéder au montage de la première émission. Elle sera présentée en première samedi soir.

— Comme c'est excitant !

Cora Lee joignit ses mains devant elle.

— Nous allons pouvoir nous regarder à la télévision.

— Oui.

Les portes de l'ascenseur s'ouvrirent sur la cuisine. Darcy conduisit les femmes jusqu'au hall.

— L'émission sera diffusée le mercredi et le samedi à minuit. Je vais faire le montage de la deuxième émission dimanche. Vous serez alors en congé. Nous recommencerons le tournage dès lundi.

Elles entrèrent dans le hall les unes à la suite des autres. Gregori avait positionné les hommes dans l'escalier en deux rangées de quatre. Comme à son habitude, Darcy chercha d'abord à localiser

Adam. Il portait maintenant des vêtements secs. Il ne leva même pas les yeux lorsque les femmes formèrent une ligne devant eux. Était-il frustré de la tournure des événements ?

Les caméramans se postèrent. Bernie se concentra sur les femmes, et Bart, sur les hommes.

Gregori prit la parole.

— Ce soir, deux hommes recevront des orchidées noires. Si vous en recevez une, vous devrez quitter les lieux immédiatement. La limousine vous attendra à l'extérieur.

Les huit hommes hochèrent la tête. Bart passa lentement leurs visages en revue.

— J'ai une autre annonce à vous faire, avant de commencer, continua Gregori. La somme d'argent qui reviendra au vainqueur a encore augmenté. L'homme le plus séduisant sur terre recevra maintenant *trois* millions de dollars.

Les hommes semblèrent tous excités, à l'exception d'Adam. Les juges haletèrent, puis sourirent en se regardant entre elles.

— Princesse Joanna, vous pouvez vous avancer, dit Gregori.

Elle marcha à grands pas vers l'avant et s'arrêta sous le lustre.

— Cette orchidée est pour Ahmed, du Caire.

Ahmed s'affala de déception et descendit l'escalier.

— Sainte Marie soit louée.

Maria Consuela fit un signe de la croix.

Darcy tressaillit. Elle allait devoir couper cela au montage.

Ahmed accepta l'orchidée, puis remonta l'escalier en se traînant les pieds.

Cora Lee rejoignit la princesse sous le lustre. Elle souleva son orchidée noire.

— Celle-ci est pour George de… quelque part.

Elle rit sottement.

— J'ai oublié.

George Martinez, de Houston, jura à voix basse tout en descendant l'escalier. Il accepta son orchidée, et les hommes se rendirent ensuite dans leurs chambres.

Darcy et les autres se rendirent dans la salle des portraits. Elle retira la torche électrique du coffre-fort mural et la donna à Gregori en lui chuchotant ses instructions. Les femmes s'assirent sur les canapés.

— Ce soir, vous avez éliminé Ahmed, du Caire.

Gregori alluma sa torche électrique et la pointa sur le portrait de l'Égyptien. La lumière ultraviolette fit apparaître ses canines comme par magie.

— Oh, quelle honte, pleurnicha Cora Lee. C'était un vampire.

Maria Consuela fronça les sourcils.

— C'était un Maure.

— Et vous avez éliminé George, de Houston.

Gregori éclaira le portrait de George. Il n'y eut pas de changement.

Cora Lee bondit.

— J'ai réussi ! J'ai démasqué un autre de ces coquins de mortels !

Les femmes se levèrent et poussèrent des cris de joie. Gregori versa du Sang Pétillant dans leurs coupes tandis que Darcy retirait deux autres portraits du mur. Il n'y avait plus que six hommes en rivalité, soit deux mortels et quatre vampires. Contre son gré, Adam avait survécu à une autre soirée d'élimination grâce à une étrange tournure des événements.

— Félicitations.

Gregori leva sa coupe pour porter un toast aux juges.

— Vous avez fait un pas de plus vers la sélection de votre nouveau maître, et ce maître a fait un pas de plus vers une grande richesse.

— Trois millions de dollars ! cria Vanda.

Les femmes éclatèrent de rire et firent tinter leurs coupes ensemble. Darcy posa sa coupe, incapable de boire son contenu. Une fois que les femmes auront trouvé leur nouveau maître, elles partiront toutes d'ici, et elle les perdrait toutes, comme elle avait perdu Adam. Elle s'esquiva de la salle et erra à travers le hall. Une éternité infinie s'étirait devant elle, qui n'avait pas de famille et très peu d'amies. Elle allait être très seule.

Il était 4 h 30 du matin lorsqu'Austin arriva à son appartement de Greenwich Village. Il devrait retourner dans l'appartement de grand luxe dans trois jours, mais dès qu'il avait su qu'ils avaient quelques jours de congé, il décida de partir sans plus tarder. Il avait besoin de sortir de là et de s'éclaircir l'esprit.

Il avait observé la célébration dans la salle des portraits par l'entremise de sa caméra de surveillance. Le fait de voir les vampires célébrer l'élimination d'un autre coquin de mortel l'avait agacé. Ces damnés vampires pensaient qu'ils étaient si supérieurs aux humains. Et comme si cela n'était pas suffisant, il avait vu la réaction de Darcy. Elle n'avait pas célébré du tout. Elle avait posé sa coupe avec un regard désespéré et elle s'était esquivée. Merde! Elle n'avait pas sa place avec ces vampires, mais elle ne pouvait pas plus lui appartenir.

Il avait alors accumulé assez de frustration qu'il avait ramassé ses sacs et foutu le camp de là. Garrett avait également décidé de partir, maintenant que George, le dernier humain, avait été éliminé de l'émission.

Austin ferma les trois verrous de sa porte, activa le système d'alarme et s'effondra dans son canapé. Des bandes vidéo étaient éparpillées sur sa petite table. C'était les bandes vidéo des actualités de Darcy. Il avait vraiment aimé les visionner à l'époque où il pensait encore que Darcy était vivante. Il glissa la dernière bande dans son magnétoscope, celle qui annonçait sa disparition. On y voyait la ruelle de Greenwich Village, la flaque de sang sur le sol. Le journaliste expliqua que la police avait découvert un couteau avec le sang de Darcy. On présumait qu'elle était morte.

Merde! Il aurait dû savoir qu'elle était morte. Comment aurait-il cependant pu y croire, alors qu'il tombait amoureux d'elle?

Austin éteignit la télévision. Il se pencha vers l'arrière et ferma les yeux. Il s'était rendu à plusieurs reprises dans cette ruelle pour l'examiner. La tache de sang était partie, lavée par quatre années de pluie et de neige. C'était toutefois à cet endroit qu'elle avait dû mourir. Sa belle Darcy. Partie.

Qu'était-il censé faire, maintenant ? Il marcha vers la cuisine en se traînant les pieds, s'empara d'une bière dans le réfrigérateur et retourna jusqu'à son canapé. La disquette se trouvait encore sur la petite table. Il l'inséra dans son ordinateur portable. Le RTNV était une société formée de plusieurs investisseurs principaux. Le président responsable de la production était Sylvester Bacchus, le patron de Darcy.

Le regard d'Austin se porta lentement vers le bloc-notes où il avait fait sa liste de vampires. Les noms des amis de Darcy s'y trouvaient. Gregori, Maggie et Vanda. Putain de merde, elle le détesterait pour toujours, s'il devait dénoncer ses amis. Elle pourrait littéralement le détester pour toujours.

Il soupira et ajouta les noms des concurrents vampires de l'émission de téléréalité, en inscrivant les informations qu'il avait pu glaner sur eux. Puis, il ajouta à sa liste les noms des femmes vampires. Il sentit un tiraillement dans son estomac en écrivant chacun de leurs noms. Merde ! C'était des vampires. L'ennemi. Pourquoi avait-il l'impression de les trahir ? Parce qu'elles étaient les amies de Darcy.

Il s'affala contre le coussin arrière de son canapé. Comment pouvait-il faire cela ? Darcy n'avait pas encore assez souffert ? Peut-être qu'elle était une femme vampire, mais elle était aussi innocente. Il le savait au plus profond de lui-même. Darcy ne pourrait jamais faire de mal à personne.

Et ses amies ? Elles croyaient vraiment qu'elles étaient supérieures aux humains, mais il ne pouvait les imaginer en train de faire du mal à quelqu'un. Elles n'étaient pas du tout comme les vampires qu'il avait pu voir dans Central Park avec Emma, et elles ne représentaient pas une menace pour l'humanité comme Sean le prétendait. En fait, elles se faisaient du souci pour les autres. Elles étaient capables d'aimer. Il avait lu dans les pensées de Darcy. Elle était amoureuse d'Adam. Amoureuse de lui.

Est-ce que Shanna et Roman Draganesti pouvaient réellement être amoureux, eux aussi ?

Merde ! Comment une telle relation pouvait-elle fonctionner ? C'était impossible. Et même si ces femmes vampires modernes étaient inoffensives, ça n'avait sûrement pas toujours été le cas. Les amies de Darcy étaient évidemment beaucoup plus vieilles qu'elle. Elles avaient sûrement vécu pendant des centaines d'années avant l'invention du sang synthétique. Elles s'étaient sûrement nourries d'humains.

Et c'était son travail de protéger les humains. Les vampires devaient être éliminés. Elles étaient déjà mortes, alors pourquoi s'en soucier ? Il laissait ses émotions entraver son travail. Le refus de faire son devoir était équivalent à de la trahison. Il ne pouvait pas trahir son pays ou tous ces innocents qui comptaient sur lui pour faire ce qui était juste. Il poussa un grognement, s'empara de son stylo et gribouilla le nom de Darcy Newhart au bas de sa liste. Au sommet, il écrivit ces mots : « Liste des vampires qui doivent mourir. »

Son cœur se serra dans sa poitrine. Son stylo tomba de sa main. Oh mon Dieu.

Il bondit sur ses pieds et marcha à pas mesurés à travers la pièce. Comment pouvait-il faire ça à Darcy ?

— Darcy est morte, se répéta-t-il à plusieurs reprises tout en arpentant le plancher. Darcy est morte.

Et il était maudit, car il était encore vivant et ne savait pas s'il pouvait vivre avec lui-même.

Le lendemain soir, Darcy se précipita dans les locaux du RTNV pour commencer le montage de l'émission. Sly avait retenu les services d'un technicien expérimenté pour lui donner une formation. Elle avait besoin de cinq éléments, de 10 minutes chacun. Les

10 minutes restantes de l'heure étaient réservées pour les annonces publicitaires. Selon les termes du contrat de location de l'appartement de grand luxe, Roman Draganesti s'attendait à avoir du temps d'antenne gratuit au cours de chaque émission pour publiciser sa cuisine Fusion pour les vampires.

Gregori allait être occupé au cours des trois prochaines nuits à tourner de nouvelles annonces pour le Chocosang, le Sang Pétillant et le Sang Léger. Cela convenait parfaitement à Darcy, qui pouvait ainsi se rendre au RTNV en voiture avec Gregori. Maggie était également excitée de tout ceci, parce que Gregori lui avait offert de participer à une des annonces.

À 20 h 30, Darcy fut satisfaite de la tranche d'ouverture de l'émission — un survol de l'appartement de grand luxe et l'arrivée des juges. Elle leva les yeux et sursauta quand Sylvester Bacchus fit irruption dans son espace de travail.

— Tu dois voir ça !

Il alluma la télévision, qui diffusait les actualités en direct du RTNV.

— J'ai demandé à Corky de faire un peu de promotion pour ta nouvelle émission.

Il monta le son lorsque Corky apparut à l'écran.

— Bienvenue à l'émission *En direct avec ceux qui ne sont pas morts*! Je suis Corky Courrant, et j'ai pour vous les nouvelles des célébrités les plus en vue du monde des vampires. Demain soir est la nuit que nous attendions tous. La première de l'émission *L'homme le plus séduisant sur terre*, du RTNV. Mais avant, voyons d'abord ce qui se passe dans la vie de l'homme le plus séduisant de nos feuilletons.

— Oh merde, murmura Sly. Pas encore !

Une photo de Don Orlando s'afficha à la droite de l'écran. On avait ajouté une paire de cornes de chèvre sur sa tête avec la magie du numérique.

— Est-ce que Don Orlando est vraiment le meilleur amant du monde des vampires? demanda Corky. Ou est-ce qu'il change de partenaire toutes les deux heures parce qu'il est incapable de satisfaire une femme pendant plus de temps que ça?

Sly secoua la tête.

— Il n'aurait jamais dû la tromper. Elle va le crucifier.

Corky sourit tout doucement.

— Je suis une personne juste, alors je vais vous laisser décider, vous, les téléspectateurs. Faites-moi parvenir un courrier électronique à l'adresse qui apparaît à l'écran, corky@dvn.com, et votez pour la réponse de votre choix. Est-ce que Don Orlando est un imposteur puant ou simplement un porc odieux?

Darcy soupira. Elle devait encore parler avec Maggie.

— Et maintenant, notre sujet principal, continua Corky avec un large sourire. Vous attendez tous la première d'une nouvelle série télévisée qui entrera en ondes demain soir, à minuit, puis qui sera diffusée le mercredi et le samedi. Il s'agit de la première émission de téléréalité du monde des vampires, *L'homme le plus séduisant sur terre*. Cette émission met en vedette les célèbres femmes de l'ancien harem du maître de la bande de vampires Roman Draganesti, et certains des hommes les plus séduisants du monde des vampires!

Un plan aérien du toit de l'appartement de grand luxe s'afficha à l'écran. Darcy se leva de sa position assise. Ses nerfs se tendirent.

Sly agita la main en faisant peu de cas de cela.

— Ne t'en fais pas. J'ai demandé à Bernie de me donner un peu de matériel. C'est seulement pour aguicher les téléspectateurs. C'est parfait pour faire la promotion de l'émission.

— Ici, à l'émission *En direct avec ceux qui ne sont pas morts*, nous allons vous montrer un extrait exclusif de cette nouvelle émission très chaudement attendue, continua Corky. Au fait, vous vous demandez à quel point elle sera chaude?

Elle éclata de rire.

— Assez chaude pour réchauffer vos écrans, et nous allons vous montrer ce que je veux dire par là. Croyez-moi, ce type obtiendrait mon vote en tant que l'homme le plus séduisant sur terre.

La scène apparue d'abord floue à l'écran, comme si le caméraman tentait de faire une mise au point sur quelque chose dont il était fort éloigné.

Lentement, l'image se précisa.

Darcy haleta.

— Ouais !

Sly se donna une tape contre sa cuisse.

L'image était un peu brumeuse, puisqu'elle avait été filmée de loin dans l'obscurité avec un éclairage insuffisant, mais elle était tout de même assez nette pour que Darcy ait envie de pousser un cri perçant.

— Je savais que le spa était une bonne idée.

Sly sourit.

— Regarde ça. Et voilà la robe. Et là, le gars la lance dans la piscine.

Darcy s'enfonça dans sa chaise.

— Vous l'avez déjà vu ?

— Oui. Bernie m'a montré ça hier dans la nuit. Nous avons dû la regarder environ 10 fois. Voici maintenant ma partie préférée.

Sly pointa la télévision du doigt.

— Et là, plus de soutien-gorge.

Darcy se couvrit la bouche pour s'empêcher de gémir à haute voix.

— Oh, c'est quelque chose ! dit le technicien, ses yeux rivés à l'écran.

Sly se tourna vers Darcy en souriant.

— Excellent travail, Newhart. Je regrette seulement qu'il n'y ait pas eu plus de lumière. Alors, c'était bien une des femmes de l'ancien harem de Draganesti ?

Darcy tressaillit.

— On pourrait dire ça.

Oh, mon Dieu, c'était épouvantable. La seule chose qui l'empêchait de se sauver de l'édifice en courant, en criant et en s'arrachant les cheveux était que l'image était floue. Elle était tout juste assez nette pour qu'on puisse discerner deux corps nus dans le spa, mais les visages n'étaient pas clairs. Dieu merci. Elle n'avait rien à craindre pour le moment.

— Je trouve cette femme très séduisante. Je dois apprendre à la connaître un peu plus, si tu vois ce que je veux dire.

Sly fit un clin d'œil.

— Alors, dis-moi, Newhart, qui est-elle?

Seize

Darcy avala sa salive avec difficulté. Si la vérité éclatait au grand jour, Sly la congédierait de son poste de réalisatrice et lui offrirait le premier emploi de vedette du porno du RTNV.

— Je crois que la femme en question ne savait pas qu'elle était filmée.

— Et alors ?

Sly gratta sa barbiche.

— Elle était dans un spa. Ce n'est pas comme si elle s'attendait à ce que cela demeure dans le domaine du privé.

— C'est un bon point.

Et elle allait s'assurer de s'en souvenir à l'avenir, même si elle doutait d'avoir la chance de vivre une scène aussi chaude dans sa longue et misérable vie à venir.

— Je ne crois pas que je devrais divulguer le nom de cette femme sans sa permission.

— Eh bien, tu devrais le faire. Je pourrais en faire une vedette.

Sly lui tendit sa carte.

— Donne-lui et dis-lui que je veux la rencontrer.

— Je le ferai.

Darcy laissa tomber la carte dans sa bourse.

— Je dois travailler, maintenant, sinon l'émission ne sera pas prête pour demain soir.

— Excellent. Fais-en quelque chose d'exceptionnel.

Sly se glissa par la porte et quitta.

Darcy poussa un soupir et éteignit le téléviseur, faisant ainsi disparaître Corky.

— Remettons-nous au travail.

Le technicien griffonna une note, et la lui tendit.

— Pourriez-vous, euh, remettre ceci à la femme du spa?

Darcy remarqua son nom et son numéro de téléphone sur la note. Rick était un des rares mortels qui travaillait au RTNV.

— Vous vous rendez compte que la femme en question est une femme vampire?

— Ouais.

Il but de petites gorgées de son café.

— Et alors?

— Vous ne pensez pas que cela pourrait être dangereux de fréquenter une femme vampire?

Il tendit la main vers son sac en papier et en sortit un beignet.

— Je travaille avec vous tous. Vous n'avez pas l'air dangereux pour moi.

Il fourra la moitié du beignet dans sa bouche.

L'odeur chaude de la levure était délicieuse. Darcy aussi en avait vraiment envie, mais la dernière fois qu'elle avait essayé de se nourrir avec les aliments des humains, elle ne l'avait simplement pas digéré.

— J'ai simplement envie de m'amuser un peu, et cette femme est chaude.

Rick enfonça le reste de son beignet dans sa bouche.

— Qui plus est, ce n'est pas comme si je cherchais à m'engager dans une relation, vous savez.

— Je vois. Vous ne pensez pas qu'une relation durable pourrait exister entre un mortel et une femme vampire.

— Pas vraiment.

Il lécha le sucre sur ses doigts.

— Puis-je vous demander quelque chose?

Darcy hocha la tête. Elle savait bien qu'une relation avec Adam ne pourrait pas fonctionner. Elle ne s'était cependant pas attendue à ce que la vérité lui fasse si mal.

— Est-ce que c'est difficile de renoncer à de la vraie nourriture?

Elle détourna le regard.

— Oui.

Elle plaça la note de Rick dans sa bourse.

— Remettons-nous au travail.

Ils travaillèrent pendant environ 10 minutes avant que la porte ne s'ouvre et que la réceptionniste du RTNV n'y glisse la tête.

Darcy leva les yeux.

— Est-ce que je peux vous aider?

— Oui.

Elle se glissa à l'intérieur.

— Corky m'a demandé de vous donner ceci, afin que vous puissiez le transmettre au type séduisant du spa.

Elle tendit une carte professionnelle à Darcy. Corky avait écrit : « Appelez-moi » à l'arrière. Elle avait ajouté son numéro de téléphone privé et fait un dessin à l'encre rouge de deux cœurs entrelacés.

— Comme c'est adorable, dit Darcy en grinçant des dents, fortement tentée de déchirer la carte en deux. Est-ce qu'il y a autre chose? J'ai du travail à faire.

La réceptionniste devint presque aussi rouge que les mèches de cette couleur qui ornaient ses cheveux.

— Pourriez-vous, euh, lui donner ceci également? Ne le dites toutefois pas à Corky, car elle me tuerait.

— Qu'est-ce que c'est que ça? demanda Darcy en acceptant la note.

— C'est *mon* numéro de téléphone.

La réceptionniste se hâta de quitter la pièce.

Darcy jeta la carte et la note dans sa bourse. Ainsi, c'était donc le jour chanceux d'Adam. Il allait rapidement pouvoir compter sur de nombreuses admiratrices. Tout ça parce qu'il savait comment enlever le soutien-gorge d'une femme en un temps record.

Elle respira à fond et repoussa ses frustrations. Elle pourrait crier plus tard. Maintenant, elle devait travailler. Cinq minutes plus tard, la porte s'ouvrit. Elle leva les yeux. Tiens, en parlant du diable.

— Bonsoir.

Don Orlando entra dans la pièce en se pavanant. Il portait des pantalons en cuir et une cape de soie noire, ce qui lui donnait une allure étrange étant donné qu'il ne portait pas de chemise en dessous. Il adopta une position écartée avec ses bottes en cuir noir. Ses cheveux étaient si noirs que Darcy pensait qu'il les teignait. Est-ce que cela signifiait que la petite touffe de poils de sa poitrine était teinte, elle aussi ? Quelle partie de Don Orlando était réelle et quelle autre était de la fiction ? Personne ne semblait connaître son véritable nom.

Il glissa son regard sur elle et sourit lentement.

— Vous savez qui je suis, bien sûr.

Un imposteur puant ou un porc odieux, selon Corky.

— Oui, je le sais.

— Je veux connaître le nom de la femme séduisante dans le spa.

Darcy étouffa un gémissement.

— Je ne peux pas divulguer son nom.

Il lui sourit d'un air satisfait.

— Dites-lui seulement que Don Orlando de Corazon, le meilleur amant du monde des vampires, souhaite la courtiser. Elle se soumettra.

— Bien sûr.

« Plutôt mourir, pensa-t-elle, ce qui était malheureusement trop près de la vérité. »

Darcy se leva et se dirigea vers la porte.

— J'ai beaucoup de travail à faire. Si vous pouviez déplacer vos petits bottillons ailleurs, je l'apprécierais.

Il se retourna en faisant tourner sa cape de façon théâtrale et quitta les lieux. Darcy ferma la porte et la verrouilla.

Austin s'éveilla avant l'aube et se rendit au bureau. C'était un samedi, et Sean n'était donc pas là, ce qui faisait son affaire. Il n'avait pas envie de répondre à des questions. Il emprunta un fourgon de surveillance blanc du ministère de la Sécurité intérieure et visita une entreprise de télévision par câble du quartier. Il n'eut qu'à leur montrer son insigne pour obtenir un presse-papiers rempli de factures et une chemise de travail ornée du logo de l'entreprise. Il se rendit ensuite au RTNV et arriva sur place à 8 h du matin.

— Nous avons reçu une plainte vers 4 h ce matin, de Sylvester Bacchus, expliqua-t-il au gardien de sécurité mortel. La connexion Internet n'était pas stable.

— Vraiment ?

Le garde s'empara du presse-papiers et examina la facture d'un œil soupçonneux.

— Je n'en ai pas été informé.

— Ils ont probablement oublié de vous le dire.

« Tu vas croire ce que je te dis » lui dit Austin en projetant ses pensées dans la tête du gardien.

Le garde lui remit son presse-papiers.

— Vous pouvez y aller.

— Merci. Ça ne sera pas bien long.

Austin se dirigea vers les bureaux avec sa boîte à outils. Le bureau de Sylvester Bacchus était facile à trouver puisqu'il y avait une grande enseigne de cuivre sur sa porte. Austin ferma la porte et se mit au travail. Les ordinateurs du RTNV étaient essentiellement des dinosaures, de sorte qu'il devait donc tout télécharger sur des disquettes. Lorsqu'il eut terminé, il s'assura que tout était disposé comme ça l'était à son arrivée et il quitta le bureau.

En traversant le hall, il fit un signe de la main au gardien de sécurité.

— C'est réparé.

De retour à l'appartement, Austin prépara des étiquettes pour chacune des disquettes et transféra toutes les données sur son ordinateur portable. Il possédait maintenant toutes les informations disponibles sur le RTNV. Tout ce qu'il lui restait à faire était d'acheminer cela à Sean par courrier électronique, sauf que s'il le faisait, Darcy deviendrait une cible comme tous les autres vampires.

Il ferma son ordinateur portable et regarda ce qui se trouvait sur sa petite table. Les vidéos de Darcy, les disquettes du RTNV, et cette maudite liste des vampires qui doivent mourir. Il n'en pouvait plus. Plus il tentait de faire ce qui était juste, plus il se sentait mal.

C'était parfois de la foutaise d'être du côté des bons gars.

Le soir de la première, soit samedi soir, était maintenant arrivé. Gregori conduisit Darcy et Maggie à l'appartement de grand luxe. Là, ils trouvèrent les juges assises dans le salon, attendant avec excitation que l'émission commence. Des bouteilles de Sang Pétillant refroidissaient dans un seau à glace.

Minuit sonna, et les femmes étaient rivées à l'écran. Tous les téléviseurs avaient été retirés des chambres des concurrents et des autres salles à l'étage supérieur. Les vampires mâles ne devant pas être au courant de la présence de concurrents mortels, il leur était interdit de regarder l'émission jusqu'à ce que le tournage soit complété. Et bien sûr, les mortels devaient pour leur part tout ignorer de la nature de l'émission. C'était facile à faire, puisque les deux mortels avaient pour l'instant quitté l'appartement de grand luxe.

L'émission tirait à sa fin, et Darcy devenait de plus en plus tendue d'inquiétude. La dernière scène était celle de la salle des portraits où les femmes allaient découvrir pour la première fois que certains des concurrents étaient des mortels. L'indignation des femmes allait bientôt éclater à l'écran. Comment diable Sly allait-il réagir ? Il avait souhaité voir des dénouements inattendus, mais celui-ci allait peut-être trop surprenant pour lui.

Le générique de la fin apparut à l'écran, et les femmes choisirent ce moment pour se verser des coupes de Sang Pétillant tout en faisant des toasts en leur honneur. Darcy accepta une coupe tandis que grandissait en elle une impression de fin du monde. N'importe quand, maintenant…

Le téléphone sonna. Elle posa sa coupe en poussant un soupir. Gregori répondit.

— Oui, elle est ici.

Il tendit l'appareil à Darcy.

— C'est Shanna Draganesti.

Darcy cligna des yeux. Shanna ? Pourquoi l'appellerait-elle ?

— Allo ?

— Darcy, je dois te parler. C'est important.

— D'accord.

Darcy attendit que Shanna prenne la parole.

— Je dois te parler en personne. Je suis dans notre nouvelle maison, à White Plains. Est-ce que tu peux te téléporter ici ?

La main de Darcy se resserra sur le téléphone.

— En fait, non. Peut-être que Gregori pourrait m'y conduire ?

Elle lança un regard interrogateur à Gregori.

— Non, ça prendrait trop de temps.

La voix de Shanna se fit moins audible. On aurait dit qu'elle avait placé sa main sur l'appareil pour parler à quelqu'un d'autre.

— Connor veut que tu viennes ici tout de suite.

Le cœur de Darcy s'emballa.

— Je… je n'aimerais mieux pas…

— C'est urgent, Darcy. Tu dois te téléporter ici, maintenant.

— Je ne… je ne sais pas comment faire. Je ne l'ai jamais fait auparavant.

Son visage fut envahi par une montée soudaine de température lorsqu'elle réalisa que Shanna partageait cette information avec Connor. Son œil eut un tic.

— Gregori peut me reconduire en voiture. Nous partirons tout de suite.

— Continue à parler, dit Shanna. Connor s'en vient te chercher.

— Non !

Darcy manqua d'air.

— Je ne veux pas me téléporter, et je ne veux aller nulle part avec…

Une silhouette se matérialisa à côté d'elle. C'était celle d'un homme portant un kilt rouge et vert.

— Connor.

Le téléphone glissa de sa main et tomba sur le plancher avec fracas.

— Je suis désolé, jeune femme, mais vous devez venir avec moi.

L'Écossais l'enveloppa d'un bras musclé et tout devint noir.

Darcy fut envahie par un sentiment de terreur. Elle était prise au piège et totalement impuissante, comme ça avait été le cas quatre ans auparavant. Elle ne pouvait plus sentir son corps. La seule chose qui l'empêchait de flotter comme de la vapeur dans un vide obscur était la prise d'acier de Connor. Voilà qu'il l'enlevait de nouveau contre sa volonté. Elle le détestait pour cette raison et se détestait elle-même d'avoir si peur. Bon Dieu, si seulement elle possédait un seul brin de courage, elle le repousserait et disparaîtrait dans le néant, pour ne plus jamais se matérialiser de nouveau.

Dès que ses pieds touchèrent le sol, elle vit une pièce apparaître lentement sous ses yeux. C'était un salon où il y avait deux fauteuils à oreilles, une télévision et un sofa. Shanna était assise dans une chaise et les observait. Darcy se libéra de l'emprise de Connor et tituba.

— Attention.

Il tendit la main pour l'aider à retrouver son équilibre.

— Ne me…

Les mots « touchez pas » restèrent coincés dans sa gorge lorsqu'elle vit son visage. Le regret qu'il éprouvait envers elle s'était gravé sur son front et avait rendu ses yeux bleus plus ternes. La vérité la frappa avec stupeur, et elle détourna les yeux. Dieu, prends pitié. La décision qu'il avait prise ce soir-là le hantait autant qu'elle.

Shanna posa son téléphone sur la petite table à côté de son verre.

— Darcy, merci d'être venue.

Comme si on lui avait donné le choix. Darcy jeta un coup d'œil circulaire dans la pièce, qui avait l'air confortable avec ses rideaux bleus translucides ornés de touches de jaune.

— C'est votre nouvelle maison ?

— Oui. Roman insiste pour que son emplacement demeure secret. Les Highlanders savent évidemment où elle se situe, puisqu'ils sont responsables de notre sécurité.

Shanna désigna un canapé en velours bleu.

— Je t'en prie, assis toi.

Darcy contourna la petite table et s'assit près de Shanna.

— Qu'est-ce qui ne va pas ? Est-ce que les Mécontents vous causent encore des ennuis ?

— Pas vraiment depuis la mort de Petrovsky. J'ai bien peur que nos plus récents problèmes de sécurité soient causés par mon père.

Darcy jeta un bref coup d'œil vers Connor qui se tenait debout et immobile, les bras croisés sur sa large poitrine.

— J'ai entendu quelques trucs au sujet de ton père la nuit de votre mariage.

Shanna soupira.

— Nous avons au moins pu procéder avec la cérémonie. Est-ce que tu voudrais quelque chose à boire ?

— Non, merci.

— Je dois me rendre à la maison en bande de Roman pour prendre le fichier, annonça Connor d'une voix calme. Je serai bientôt de retour.

Puis, il disparut.

Darcy respira plus facilement dès qu'il se fut téléporté au loin. Shanna sourit.

— J'ai vu ton exposition. Tu as fait un travail fabuleux.

— Merci.

— Je sais que les femmes de l'ancien harem me détestent probablement, mais je ne leur souhaite que de bonnes choses.

Le sourire de Shanna s'agrandit.

— Je ne leur souhaite que de bonnes choses loin de mon mari.

— Je comprends.

Darcy se demanda pourquoi il était si urgent qu'elle se retrouve ici.

— Si cela peut te rassurer, j'aimerais te dire qu'aucune femme de l'ancien harem n'avait de sentiments amoureux envers Roman. C'était simplement une question de convenance.

— Merci. C'est bon à savoir.

Shanna but de petites gorgées de son verre tandis qu'un silence gênant s'installait entre elles.

— Pourquoi suis-je ici? demanda enfin Darcy.

Shanna changea de position dans sa chaise.

— Je crois que nous devrions attendre le retour de Connor.

Darcy soupira. Elle n'avait pas vraiment envie de discuter de quoi que ce soit en présence de Connor. Il était vraiment difficile pour elle de se concentrer, puisqu'elle ne cessait de penser à ce qu'il avait fait quatre ans plus tôt.

— Ça ne te dérange pas de vivre ainsi entourée de vampires? lui demanda Darcy à brûle-pourpoint. Enfin, tu n'as pas peur de nous? Nous ne te repoussons pas?

Shanna sourit.

— J'ai eu un peu peur au début, mais c'est en apprenant à mieux connaître Roman et ses amis que j'ai su qu'ils ne me feraient jamais de mal.

— Mais Roman… je veux dire…

Darcy était curieuse de savoir comment une relation pouvait fonctionner entre un vampire et une mortelle, ou l'inverse. Si Adam parvenait d'une façon ou d'une autre à l'accepter en tant que vampire, peut-être que…

— Tu te demandes comment j'ai pu épouser un vampire?

Darcy hocha la tête.

— J'étais déjà amoureuse de Roman, quand j'ai découvert la vérité.

Les yeux de Shanna se remplirent de larmes.

— Et il m'aime tellement. Il est prêt à tout faire pour me donner la vie normale dont j'ai envie. Il tente même de redevenir mortel pour moi.

— *Quoi?*

Darcy se redressa en enfonçant ses doigts dans le coussin de sofa.

— Une telle chose est-elle possible?

«Oh, s'il te plaît, dis-moi que oui.»

— Roman croit que c'est possible. Sa première expérience n'a cependant pas été concluante.

Le cœur de Darcy reçut la nouvelle comme si une flèche venait de l'atteindre. Elle s'affala dans le sofa.

— Oh.

Shanna tressaillit.

— J'aurais dû me rendre compte que… je suis désolée.

Darcy secoua la tête. Sa gorge était trop serrée pour qu'elle puisse dire quoi que ce soit.

— Je suis désolée.

Shanna se pencha pour toucher le genou de Darcy.

— Connor m'a dit à quel point tu es malheureuse.

Darcy déglutit.

— Il devrait le savoir.

— Je sais.

Shanna l'observa avec tristesse.

— Je connais très bien Connor. Il ne ferait de mal à personne de façon consciente. C'est un homme bon.

Darcy serra les dents.

— J'ai déjà entendu ça.

Et voilà qu'elle était devenue une femme vampire, contre sa volonté. Il ne lui avait pas demandé sa permission. Il avait simplement présumé qu'elle lui serait reconnaissante de passer l'éternité en tant que créature qui suçait le sang, peu importe le prix à payer. Elle ferma les yeux avec force.

Merde ! Le prix avait été trop élevé ! Elle avait tout perdu. Sa famille, ses amis, sa carrière. Et elle avait encore des choses à perdre. Elle perdrait Adam dès qu'il saurait la vérité. Si elle pouvait toutefois redevenir mortelle…

— Parle-moi de l'expérience.

Shanna soupira.

— Bon. Il s'agit essentiellement de renverser le processus qui transforme une personne en vampire. Pendant la transformation, un mortel se fait complètement vider de son sang. Roman croit qu'un produit chimique est alors libéré par le vampire qui a mordu l'humain, et que c'est ce produit qui provoque le coma. Lorsque le produit se dissipe, la personne meurt d'une mort naturelle, mais si le vampire donne alors de son propre sang au mortel en question, ce dernier deviendra un vampire.

Des images de Connor lui faisant boire de son sang envahirent son esprit. Elle avala sa salive avec difficulté.

— Continue.

— Pour inverser le processus, il faudrait qu'un vampire soit complètement vidé de son sang par un autre vampire, afin que le produit chimique soit relâché et qu'il provoque ensuite le coma.

Ensuite, si le sujet reçoit une transfusion de sang humain, il devrait se réveiller en tant que mortel à nouveau.

Darcy respira à fond.

— Et tu me dis que le processus a échoué ?

— La première tentative a échoué, en effet.

Shanna grimaça.

— Le pauvre petit porc. J'ai soulevé une objection, mais Roman a dit que c'était le seul moyen.

Darcy se tendit.

— Ils ont transformé un *porc* en vampire ?

Shanna eut un air revêche.

— Ouais. Ça semble épouvantable, je sais, mais je suis heureuse que Roman n'ait pas suivi son idée originale, qui était de tenter l'expérience directement sur lui.

Elle frissonna.

— Je remercie Dieu d'avoir pu le convaincre de ne pas le faire.

Roman était prêt à risquer sa vie afin de devenir un mortel comme sa femme.

— Il t'aime vraiment beaucoup.

Shanna hocha la tête.

— Il est actuellement à Romatech, à tenter de comprendre ce qui a mal tourné. Laszlo a une théorie sur la question, mais s'il a raison, l'expérience ne sera jamais concluante.

— Oh.

La flèche s'enfonça encore plus profondément dans le cœur de Darcy.

— Laszlo croit que le vampire qui veut redevenir mortel devrait retrouver sa forme mortelle originale pour que ça fonctionne. Autrement dit, il devrait recevoir une transfusion de sang qui contienne son propre ADN humain.

— Ne peuvent-ils pas glisser l'ADN de Roman dans du sang synthétique ?

— C'est ce que Roman voulait faire, mais ils ont découvert la nuit dernière que l'ADN de Roman avait subi une mutation. Et comme Roman a plus de 500 ans, il n'y a pas de moyen de savoir à quoi ressemblait son ADN humain d'origine.

— Oh.

C'était impossible. Elle était toujours prise au piège. Pour toujours.

Shanna s'adossa dans sa chaise en fronçant les sourcils.

— Cette dernière découverte a vraiment tout gâché. Nous étions persuadés de pouvoir avoir des enfants, mais maintenant…

— Tu voulais avoir des enfants avec Roman ?

— Oh oui.

Shanna détourna le regard.

— Cela semblait si simple. Roman avait effacé l'ADN d'un spermatozoïde humain et l'avait remplacé par le sien. Nous avons essayé l'insémination artificielle à plusieurs reprises.

Elle glissa sa main sur son ventre.

— Je pourrais être enceinte, maintenant. J'ai espoir que oui.

Darcy se redressa, soudainement inquiète.

— Mais tu viens de me dire que son ADN n'est pas humain, qu'il a subi une mutation !

— Roman n'a découvert cela que la nuit dernière. Il veut maintenant que nous cessions nos tentatives d'avoir un enfant.

— Pas toi ?

Shanna haussa les épaules.

— Je l'aime comme il est, et j'aimerai notre enfant, peu importe ce qui se passera.

Le regard de Darcy se posa sur le ventre de Shanna.

— L'ADN du bébé sera à moitié vampire.

— Je sais.

Shanna sourit.

— Ne t'en fais pas. Nous avons seulement tenté l'insémination à trois reprises. Les chances de réussites sont plutôt minces.

Son sourire s'attrista.

— Je voulais vraiment avoir des enfants.

— Je suis désolée.

Darcy tendit la main pour toucher celle de Shanna.

Shanna serra la main de Darcy à son tour.

— Je continuerai à prier. Et je prierai pour que tout fonctionne pour toi également.

Darcy s'assit de nouveau, et relâcha la main de Shanna.

— J'ai bien peur qu'il n'y ait aucun espoir en ce qui me concerne.

— Il y a toujours de l'espoir.

Les yeux de Shanna scintillèrent.

— Je crois avoir déjà dit cela à Roman.

La silhouette de Connor se dessina devant elles avant de se matérialiser totalement. Les nerfs de Darcy se tendirent. Il déposa un boîtier de DVD et un dossier en papier kraft sur la table. Sur le dossier, elle put lire les mots « Équipe de Surveillance » en grosses lettres.

— Désolé d'avoir autant tardé.

Connor s'assit dans le fauteuil en toile bleue face à Shanna.

— Nous avons reçu un autre appel de Katya pendant que je me trouvais dans la maison en bande.

— Oh mon Dieu.

Shanna fronça les sourcils.

— Qui est-elle ? demanda Darcy.

— Katya et Galina sont les maîtres de la bande de vampires russes, expliqua Connor.

— Des femmes, maîtres d'une bande de vampires ? dit Darcy. Je ne savais pas qu'une telle chose était possible.

— C'est tout à fait révolutionnaire, reconnut Connor. Elles ont pris la tête de la bande à la mort de Petrovsky.

Shanna poussa un petit grognement.

— Vous voulez dire après qu'elles se soient chargées de l'assassiner.

— Oui. Ce sont deux femmes que je ne voudrais pas contrarier.

Connor grimaça.

— Elles sont cependant très en colère, maintenant. Un autre membre de leur bande a été tué dans Central Park, cette nuit.

— À combien le nombre s'élève-t-il ? demanda Shanna. Trois ?

— Oui. Trois Mécontents ont été assassinés au cours des dernières semaines. Katya nous a accusés de les avoir tués. Je l'ai nié, mais elle est certaine que nous en savons plus que ce que nous voulons leur dire.

— Est-ce le cas ?

L'instinct journalistique de Darcy venait de se réveiller.

— Savez-vous qui est derrière cela ?

— J'ai une très bonne idée.

Connor désigna le dossier du doigt.

— Je pense à nos petits amis de l'Agence centrale de renseignement. L'équipe de Surveillance.

Shanna gémit.

Darcy fouilla dans sa mémoire.

— N'avez-vous pas parlé d'eux auparavant ? La nuit du mariage de Shanna ?

Shanna hocha la tête d'un air las.

— Mon père est le chef de l'équipe de Surveillance. Il a fait ce qu'il a pu pour empêcher mon mariage.

Connor fronça les sourcils.

— Ils sont aussi impliqués dans d'autres projets pas tellement catholiques.

Darcy jeta un coup d'œil au dossier avec un mauvais pressentiment.

— Comment un mortel peut-il réussir à tuer un vampire ? Les vampires ne peuvent pas se servir du contrôle de l'esprit pour les en empêcher ? Ou ne peuvent-ils pas simplement se téléporter au loin ?

— Chaque membre de l'équipe possède un certain niveau de pouvoir psychique, expliqua Connor.

— Mon père possède ce don en quantité, ajouta Shanna. C'est de lui que je tiens mes capacités.

— Je vois. Ainsi, ces mortels sont des tueurs de vampires dotés de pouvoirs psychiques. Cela me semble plutôt effrayant.

— Ça l'est.

Shanna soupira.

— J'ai essayé de dire à mon père qu'il y avait deux sortes de vampires — les bons, les vampires modernes qui boivent du sang synthétique à la bouteille, et les vilains, les Mécontents. Il n'a toutefois pas voulu m'écouter. Il déteste tous les vampires avec une grande passion. Roman craint même qu'il veuille maintenant s'en prendre à moi, qui suis à présent une traîtresse à ses yeux.

— Je suis vraiment désolée. Ça doit être très difficile pour toi.

Shanna la regarda d'un air triste.

— Mon père rend ça difficile pour tout le monde. Même pour toi, j'en ai bien peur.

— Moi ? Mais je n'ai jamais croisé un membre de son équipe.

— Mon père a fait de moi sa prisonnière pendant un bout de temps avant que Connor puisse venir me délivrer, continua Shanna. J'ai rencontré la plupart des membres de son équipe, de sorte que je peux maintenant les reconnaître, quand je les vois.

Connor se déplaça vers le canapé, à côté de Darcy. Elle se raidit immédiatement.

— Je suis désolé, jeune femme, mais tu dois le savoir.

Il retourna le dossier pour qu'il soit devant eux et il l'ouvrit.

La première feuille du dossier avait le nom de Sean Whelan sur l'entête, et elle contenait de l'information à son sujet.

Connor pointa du doigt un encadré contenant le chiffre 10.

— C'est de cette façon que l'Agence centrale de renseignement classe le pouvoir psychique. Le chiffre 10 est le plus élevé.

Il tourna la page et lui révéla la photo de Sean Whelan.

Connor passa ensuite au profil suivant. C'était celui d'Alyssa Barnett. Pouvoir psychique : 5. Connor tourna la page pour voir sa photo, et passa ensuite au prochain profil. Emma Wallace. Pouvoir psychique : 7.

— Elle est de Grande-Bretagne, commenta Connor. Elle a été transférée du MI6, fort probablement à cause de ses capacités de médium. C'est un peu rare parmi les mortels.

Il tourna la page pour montrer sa photo.

Darcy nota que les femmes étaient jeunes et jolies.

— Je n'ai jamais vu ces gens.

— Attendez encore un peu.

Connor passa au profil suivant.

L'entête indiquait le nom de Garrett Manning. Pouvoir psychique : 3. Connor tourna la page pour voir sa photo.

Darcy haleta. Elle regardait Garth Manly.

— Non. Ça doit être une erreur.

— Il n'y a pas d'erreur.

Shanna regarda la photo de Garrett en fronçant les sourcils.

— Je l'ai vu sortir de la limousine de ton émission et je n'arrivais pas à y croire.

Darcy bondit et contourna la petite table. Un membre de l'Agence centrale de renseignement dans son émission ? Elle marcha à pas mesurés à travers la pièce.

— Je ne comprends pas. Il est venu auditionner pour l'émission. Je l'ai choisi moi-même.

— Eh bien, il est plutôt bel homme, admit Shanna. Je peux comprendre pourquoi tu l'as sélectionné.

Darcy revint vers le sofa en marchant encore à pas mesurés.

— C'était l'un des candidats les plus intéressants, et de loin à part ça. Tu aurais dû voir les autres. Ils étaient si...

Elle se tut subitement. Les autres avaient été pitoyables. Si incroyablement pitoyables. Ses épaules s'affaissèrent.

— J'ai été bernée. Dès le début.

— Probablement, acquiesça Connor. Vous n'avez cependant pas à vous en vouloir. La question est maintenant de savoir pourquoi il est là. Qu'est-ce qu'il planifie ?

— Je... je ne sais pas.

Darcy marcha de nouveau à pas mesurés à travers la pièce.

— Il s'est toujours bien comporté, d'après ce que j'en sais.

— Personne n'a été blessé de quelque façon que ce soit pendant le tournage ?

— Non.

— Vous devriez cependant doubler la sécurité, particulièrement en plein jour. Je m'en occuperai volontiers. Je n'aime pas l'idée de savoir qu'un tueur de vampires vit sous le même toit que ceux qu'il cherche à éliminer.

— Oh mon Dieu.

Darcy s'arrêta et respira avec difficulté. Ses amis pourraient être en danger, et les concurrents masculins également. Tout ça parce qu'elle avait permis à un homme de l'Agence centrale de renseignement de participer à son émission.

— C'est épouvantable.

— Je crains que la situation ne s'améliore pas.

Connor fit tourner le dossier pour qu'il se retrouve face à elle. Il tourna la page où se trouvait la photo de Garrett.

— Il y en a un autre.

Un frisson parcourut la colonne vertébrale de Darcy.

— Non, chuchota-t-elle. Non.

« S'il vous plaît, faites que ce ne soit pas lui. »

Elle s'approcha tout près de la petite table et lut le nom du dernier membre de l'équipe. Austin Olaf Erickson.

Olaf. Pouvoir psychique : 10. La pièce se mit à tourbillonner autour de sa tête.

Connor tourna la page pour révéler la dernière photo.

Adam.

Les jambes de Darcy cédèrent. Elle tomba lourdement sur ses fesses, ne quittant pas la photo des yeux.

— Est-ce que ça va, jeune femme ?

Connor se leva.

Elle secoua la tête, regardant toujours fixement la photo.

« Adam. »

Shanna se pencha vers l'avant.

— Est-ce que tu as une liaison avec lui ?

— Je… je ne connais même pas son vrai nom.

Darcy laissa tomber sa tête entre ses mains.

— Tu *as* une liaison avec lui, chuchota Shanna.

Pourquoi se donner la peine de le nier ? Elle n'avait eu qu'à regarder sa photo pour que ses jambes cèdent sous son poids. Darcy leva la tête et regarda la photo d'Adam. Non, pas Adam. Sa poitrine se contracta, compressant l'air de ses poumons et écrasant son cœur. Elle avait passé tant de temps à penser à Adam, alors qu'il n'était même pas Adam. Tant de temps à désirer Adam, alors qu'il n'était même pas Adam. C'était vers lui qu'allait sa première pensée à son réveil, à lui qu'elle pensait en dernier avant son sommeil. Et ses pensées s'attardaient toujours sur l'espoir futile que malgré toutes ses craintes et ses doutes, il pourrait toujours l'aimer et qu'ils pourraient être ensemble.

Tout ça n'était qu'un mensonge. Un rêve inutile et désespéré qui se changeait en poussière à la lumière de la vérité, tout comme elle le ferait à celle du soleil. Adam était parti. Non. Adam n'avait jamais existé. Son rêve avait toutefois été réel, et ça l'avait presque achevée de le perdre. Cette perte déchirait son cœur, avant de se transformer en quelque chose de plus sinistre.

En *trahison*.

Il lui avait menti. Il ne se souciait probablement pas d'elle du tout. Il travaillait simplement à titre d'agent secret. Sa conversation avec Lady Pamela trouvait maintenant toute sa signification. Il avait parlé des différentes durées des nuits dans le monde parce qu'il savait qu'il parlait à une femme vampire. Il voulait que les juges pensent qu'il était un vampire. Il les dupait, et il la dupait aussi. Il avait même dit être un espion international. Lady Pamela avait ri de ses idioties, mais c'était lui qui leur riait en plein visage.

— Oh mon Dieu, haleta Darcy.

Elle regarda Shanna avec horreur.

— Je lui ai parlé de votre mariage. C'était de ma faute. Oh non.

Elle se couvrit la bouche.

— Je suis tellement désolée.

Les yeux de Shanna s'agrandirent.

— Qu'est-ce que tu viens de dire ?

— Il m'avait demandé de sortir avec lui ce samedi, et je lui avais dit que j'étais invitée à un mariage. J'ai mentionné vos noms, mais rien de plus.

Connor hocha la tête.

— C'est comme ça que Sean Whelan a appris la date du mariage.

— Je ne lui avais pas dit où il allait avoir lieu, les assura Darcy. Mais maintenant, elle se souvenait bien qu'Adam avait insisté pour obtenir plus d'informations. Il avait voulu savoir où Shanna irait en lune de miel.

— Ça va.

Shanna sourit.

— Nous avons tout de même pu nous marier.

Darcy serra les dents.

— Non, ça ne va pas.

La colère bouillait en elle, mais ce n'était pas chaud. Elle avait pensé qu'elle était froide au cours des quatre dernières années, mais ce n'était rien en comparaison avec la colère glaciale qui frissonnait en elle à présent. Adam s'était servi d'elle, et elle s'était laissée prendre à son jeu tant elle avait grand besoin de chaleur et d'attention. Elle avait presque ruiné le mariage de Shanna à cause de lui. Il l'avait traitée comme une pathétique femme seule. Qu'il soit maudit.

Elle pointa du doigt le boîtier du DVD.

— Et ça, c'est quoi ?

— Notre rapport de surveillance sur Austin Erickson.

Connor ouvrit le boîtier et en retira le disque.

— Nous avons surveillé l'équipe de Surveillance. Nous avons l'intention de leur rendre visite au cours de la nuit et d'effacer leurs souvenirs.

Connor inséra le DVD dans le lecteur de Shanna et alluma la télé.

— J'ai surveillé Erickson pour avoir une idée de son horaire. Nous ne voudrions pas le manquer lors de la nuit que nous aurons choisie.

Darcy se leva très lentement. Sur l'écran de télé, elle vit un garage faiblement éclairé. Quelqu'un venait de garer une berline sombre et était en train d'en sortir. Adam. Non, Austin. Non, *salaud de menteur*. Il marcha vers un ascenseur. L'écran devint tout noir pendant un moment, puis ils virent apparaître le salon d'un appartement. Austin était à l'intérieur, en déplacement.

— Je me suis soulevé par lévitation au quatrième étage et j'ai filmé cela par la fenêtre, dit Connor.

— J'espère que personne ne vous a remarqué en suspension dans les airs, fit sèchement remarquer Shanna.

Le coin de la bouche de l'Écossais se souleva.

— Personne ne m'a vu.

Son sourire s'effaça lorsqu'il regarda Darcy.

— Cet Erickson est dangereux. Nous n'avons jamais vu un mortel avec autant de pouvoir psychique.

Les yeux de Shanna s'agrandirent.

— Il en a plus que moi ?

— Vous êtes puissante, reconnut Connor, mais vous n'avez pas été formée pour ça.

Il désigna Austin sur l'écran.

— C'est le cas de cet homme.

Darcy serra ses mains l'une contre l'autre. Elles semblaient fragiles et suffisamment froides pour se briser comme une mince plaque de glace.

— Quel genre de pouvoir psychique ? Est-ce qu'il peut contrôler les gens ?

Avait-il manipulé son esprit pour qu'elle tombe amoureuse de lui ? Non, ça ne pouvait être le cas. Ses sentiments n'impliquaient pas que son cerveau, et il n'avait pas pu manipuler son cœur.

— Je ne suis pas certain de ce qu'il peut faire, répondit Connor. Vous auriez cependant sans doute remarqué s'il avait tenté de lire dans votre esprit.

— En effet.

Darcy poussa un soupir de soulagement. Elle pourrait toujours savoir, quand quelqu'un tentait d'entrer dans son esprit.

— J'aurais ressenti quelque chose de froid.

Shanna tressaillit.

— Ce n'est pas la même chose chez les mortels. Quand mon père essayait de lire mon esprit, c'était toujours très chaud.

— Oui. C'est froid comme la mort, quand ça vient d'un vampire, mais c'est chaud, quand c'est un mortel, acquiesça Connor.

« Chaud ? »

Darcy s'enfonça dans un fauteuil à oreilles. Bon Dieu. Chaque fois qu'elle avait ressenti des vagues de chaleur, elle avait pensé que c'était l'attirance qu'elle ressentait envers lui, et même le désir. Et tout le temps, ça avait été lui, occupé à envahir son esprit, sans qu'elle s'en rende compte, et contre sa volonté.

Les yeux de Connor se plissèrent.

— Il a lu dans votre esprit, n'est-ce pas ?

Ce bâtard de manipulateur. Son œil eut un nouveau tic.

— Je... je ne pense pas qu'il ait pu apprendre quoi que ce soit d'important de moi.

— Probablement pas.

Connor croisa ses bras.

— Ils n'ont jamais su où le mariage allait avoir lieu.

Darcy hocha la tête. Tout ce qu'Austin avait pu apprendre, c'était ses craintes et ses désirs les plus intimes. Et ça, c'était assez grave merci. Il savait peut-être même qu'elle était tombée amoureuse de lui. Et il se disait empathique ! Elle pensait qu'il exagérait, mais non, c'était un grossier euphémisme. Un autre mensonge.

Elle arracha son profil du dossier.

— Est-ce que je peux garder ça ?

— Oui. Nous avons tout cela sur nos ordinateurs.

Connor ferma la télévision.

— Qu'est-ce que vous comptez faire ?

— Lui rendre la monnaie de sa pièce.

Darcy nota l'adresse d'Austin sur le profil.

— Je ne pense pas que ce soit une bonne idée pour vous de le voir tout de suite. Vous êtes trop en colère. Laissez-moi lui parler.

— C'est *mon* problème. Je vais m'en charger.

Connor hésita, puis fronça les sourcils.

— Vous avez pris des décisions pour moi dans le passé, ajouta Darcy d'une voix calme. Ne le faites pas de nouveau.

Une touche de douleur traversa son visage.

— Très bien. Je vous laisse cela entre les mains. Soyez tout de même prudente. Nous ne savons pas comment il réagira.

— J'ai seulement passé un peu de temps avec lui, dit Shanna en se levant. Il semblait toutefois être un type agréable.

— Il semblait être des tas de choses, murmura Darcy en repliant la feuille de son profil et en la glissant dans une poche de son pantalon.

— J'ai pensé qu'il avait l'esprit plus ouvert que les autres, continua Shanna. Ça pourrait être une bonne chose, tu sais. Si tu pouvais le convaincre que quelques vampires sont bons, il pourrait le dire aux autres membres de son équipe.

Darcy forma des poings avec ses mains. Elle ne se sentait pas tellement diplomate ce soir.

— Je veux partir, maintenant.

— D'accord.

Connor ramassa le DVD et le dossier.

— Je vais vous emmener à la maison en bande de Roman. Ian pourra ensuite vous conduire à l'appartement.

Cette fois, Darcy ne s'opposa pas lorsque Connor l'entoura de son bras pour la téléporter au loin. Trente minutes plus tard, Ian se gara en double file sur une étroite rue transversale de Greenwich Village. C'était seulement à quelques coins de rue de la ruelle où sa vie avait changé pour toujours.

— Je vais me trouver un endroit où garer la voiture, dit Ian. De combien de temps avez-vous besoin?

Darcy jeta un coup d'œil à l'horloge sur le tableau de bord.

— Je pense que 30 minutes seront suffisantes.

Elle connaissait Ian depuis quatre ans maintenant, mais elle ne cessait cependant d'être déconcertée par le fait qu'il ressemblait à un adolescent malgré qu'il soit âgé de plus de quatre cents ans.

— Je vous attendrai à l'extérieur de son appartement à 2 h 45.

Ian activa les clignotants de la BMW de Roman et il se hâta pour ouvrir la porte de Darcy.

— Venez.

Il l'escorta jusqu'à la porte d'entrée de l'immeuble à logements.

— Ce mortel est très fort, tant physiquement que psychiquement, alors soyez prudente.

Ian retira quelques outils de son sporran, et parvint à ouvrir la porte en moins d'une minute.

— Merci.

Darcy entra dans l'édifice et emprunta l'ascenseur jusqu'au quatrième étage. Le vestibule était long et faiblement éclairé. L'appartement d'Austin était à mi-chemin dans le corridor, faisant face à la rue.

Une réticence soudaine s'empara d'elle. Qu'est-ce qu'elle s'apprêtait à faire ? Oui, elle était en colère, mais cette confrontation allait la blesser autant que lui. Tout ça parce qu'elle se souciait encore de lui, merde ! Au cours des dernières semaines, elle avait ressenti de l'attirance, du désir, de l'inquiétude, et même de l'amour pour cet homme. Les émotions s'étaient déversées dans un grand puits, et elle ne pouvait tout simplement pas le vider en quelques minutes.

Elle posa la main sur la poignée de porte. Verrouillée, bien sûr. Est-ce qu'il l'entendrait, si elle frappait à la porte ? Est-ce qu'il oserait même la laisser entrer ?

Elle pensa pendant un instant demander à Ian de venir trafiquer les serrures. Il y avait aussi une autre possibilité. Elle n'avait jamais essayé cela auparavant. Elle n'avait jamais voulu admettre qu'elle était capable de faire cela. C'était une chose de vampire.

Elle était cependant une femme vampire. Il était temps qu'elle cesse de prétendre qu'elle n'était qu'une mortelle, victime d'un désordre alimentaire, qui ne vivait pas au même rythme que les autres. Elle était une créature de la nuit, et c'était la raison pour laquelle Austin Olaf Erickson était entré dans sa vie.

Elle posa la paume de sa main contre la porte et se concentra. Elle n'avait qu'à se téléporter de l'autre côté, à se déplacer de seulement quelques pouces dans l'espace. Elle ferma les yeux et concentra ses pensées. Le plancher sous ses pieds disparut lentement, de même que la porte sous sa main. Elle réprima un soudain éclat de panique et se fit avancer de quelques pieds par la force de sa volonté. Elle se concentra maintenant à récupérer son corps. La pièce se matérialisa sous ses yeux, et c'était la même qu'elle avait pu voir sur le DVD de surveillance de Connor. Elle jeta un rapide coup d'œil pour s'assurer que la pièce était vide.

Elle avait réussi! Elle regarda derrière elle, notant les trois verrous de la porte ainsi que le panneau de contrôle du système d'alarme à côté de cette dernière. C'est avec une fierté nouvelle qu'elle comprit que même un espion macho international ne pouvait pas l'empêcher d'entrer chez lui. Et maintenant, où dormait-il, ce salaud?

Elle se déplaça tranquillement à travers la pièce. Austin passait évidemment la majeure partie de son temps sur le canapé en cuir, face à la télévision. La petite table était couverte de bandes vidéo, de vieilles disquettes informatiques et d'un ordinateur portable. Pas très moderne pour un espion international. Un espion qui n'était également pas très sobre, à voir la douzaine de bouteilles de bière vides qui décoraient la table basse.

Dans un coin de la pièce se trouvait un banc d'exercices entouré par un assortiment de poids. Sur la gauche, le salon s'ouvrait sur une petite cuisine. Et à droite, elle découvrit une porte fermée.

Elle l'ouvrit et se glissa à l'intérieur. Le clair de lune qui traversait la fenêtre éclairait plusieurs meubles, dont une commode-coiffeuse, une table de nuit et un très grand lit. Sa vue et son sens de l'ouïe s'étaient raffinés depuis qu'elle était devenue une femme vampire. Elle pouvait entendre son souffle doux et régulier, et voir chaque pli du drap de son lit autour de ses jambes et de ses hanches. Il s'était apparemment amplement déplacé dans son sommeil, car le drap avait été repoussé à la hauteur de ses hanches. Elle pouvait voir la taille de son caleçon.

C'était un bel homme. Le clair de lune caressait la largeur de son dos de part et d'autre de ses épaules, ainsi que la teinte dorée de sa peau et les bosses de ses vertèbres qui descendaient au bas de son dos. Darcy contourna le lit en le regardant. Elle s'attarda sur la courbe de son biceps, les poils doux et bouclés de sa poitrine, ses cheveux épais et ébouriffés sur sa tête, et le pli sur sa joue où se trouvait sa fossette. Sa peau semblait chaude et bronzée. Comme elle avait aimé cette chaleur. Elle avait toutefois confondu la chaleur de son corps avec son caractère chaud et aimant.

Ses yeux se remplirent de larmes. Elle était tombée si vite amoureuse de lui. Des poils avaient poussé sur sa mâchoire, plus sombres que ses cheveux pâlis par le soleil. Cela lui donnait une aura de danger, comme si un pirate se cachait sous le blond surfeur. La peau sous ses pommettes était cependant douce et lisse. Ses cils épais reposaient contre sa peau douce, lui donnant un air empreint d'innocence.

Elle avait cru en cette innocence alors qu'un pirate se cachait en tout temps derrière.

« Comment as-tu pu ? »

Ses pensées hurlaient dans sa tête.

« Comment as-tu pu me mentir ? »

Il gémit et se tourna sur le dos.

Elle recula. Avait-il entendu ses pensées ?

Il secoua lentement la tête, et son visage fut déformé par une grimace.

— Non, marmonna-t-il.

Il donna un coup de pied à son drap.

— Non.

Ses mains formèrent des poings. Ses yeux bougeaient rapidement sous ses paupières.

Un mauvais rêve, voilà tout. Il méritait ces cauchemars.

— Non.

Il se plaça en position fœtale.

— Darcy.

Elle inhala brusquement. Il rêvait d'elle, et sa voix avait semblé empreinte de douleur. Se sentait-il coupable ? Ou était-il tombé amoureux d'elle, lui aussi ? Elle se glissa hors de sa chambre. Elle se souvint de l'air qu'il avait eu cette nuit-là dans la serre alors qu'il pensait que personne ne l'observait. Il avait semblé malheureux.

Elle s'approcha du canapé. Est-ce que ces bouteilles de bière vides étaient sa façon de noyer sa douleur ? Les étiquettes sur les bandes vidéo attirèrent son regard. *Darcy Newhart / Station 4.* Que diable ? Elle s'empara d'une cassette et l'inséra dans le magnétoscope. Elle trouva la télécommande sur le canapé et alluma la télévision. Le volume était assez bas, mais elle enfonça la touche de la sourdine, à tout hasard.

L'image apparut à l'écran. Ses genoux cédèrent, et elle s'affala lourdement sur le canapé. Oh, Dieu, elle se souvenait de ça. C'était l'ouverture du parc canin dans le Bronx. Elle était là, vivante, marchant sous les rayons du soleil. Elle plaqua une main contre sa bouche. Ses yeux s'emplirent de larmes. Merde ! Elle n'allait pas pleurer maintenant. Cette vie était terminée.

Elle éteignit la télévision et examina les bandes vidéo. Il y en avait une douzaine en tout, qui faisait le tour de sa carrière, et plus encore. Sur la dernière cassette, elle put lire : *Disparition/Mort de Darcy ?* Elle haleta et la laissa tomber sur la table. Bon Dieu. Elle ferma les yeux et s'efforça de prendre de longues et profondes respirations.

Elle retrouva son calme lorsqu'elle réalisa qu'Austin Erickson avait visionné ces bandes. Il l'avait étudiée à fond afin de pouvoir la manipuler avec succès. Salaud de menteur.

Elle ramassa une disquette informatique et lut l'étiquette : *Dossiers d'employés/RTNV.* Le bâtard. Elle en ramassa deux autres : *Abonnés/RTNV* et *Annonceurs/RTNV.* Bon Dieu, il devait avoir téléchargé tout ça dans les locaux du RTNV. C'était ça qu'il faisait dans son bureau ? Il avait feint de venir la voir, mais il avait plutôt cherché un moyen de détruire son lieu de travail, ses relations, son monde tout entier.

Elle entrevit quelque chose de jaune sous les disquettes et repoussa ces dernières. Elle souleva le bloc-notes pour être en mesure de discerner l'écriture dans la lumière terne. Son nom avait été gribouillé au bas d'une liste, et sur l'entête de la feuille, les mots suivants étaient écrits : *Liste des vampires qui doivent mourir.*

Elle poussa un cri étranglé et laissa tomber le bloc-notes sur la table. Un frisson lui parcourut le corps. *Mourir ?* Il avait l'intention de la tuer ? Elle serra ses mains l'une contre l'autre et examina la liste une nouvelle fois. Gregori, Vanda, Maggie, et d'autres noms de personnes dont elle se souciait. Une sensation de panique l'inonda, menaçant de la noyer tant elle prenait conscience de la pleine mesure de la trahison d'Adam.

Elle bondit sur ses pieds. Elle n'allait pas se faire persécuter ainsi. On lui avait volé sa vie une première fois, et jamais on ne lui referait le coup. Ce bâtard. Elle devrait entrer dans sa chambre et lui arracher la tête, mais elle devait d'abord protéger ses amis vampires. Elle allait cesser de prétendre qu'elle n'était pas une des leurs. Elle était une femme vampire, et c'était la guerre.

Elle arracha les premières pages du bloc-notes et les déchira en minuscules morceaux. Elle regarda son ordinateur portable. Il contenait probablement de très nombreux renseignements. Elle le prendrait avec elle en quittant son appartement. Quant aux disquettes, elles devaient être détruites.

Elle les ramassa et marcha à grands pas dans la cuisine. Elle ouvrit le four à micro-ondes et les jeta à l'intérieur. Trois minutes devaient suffire. Elle appuya sur le bouton de mise en marche et recula de quelques pas, souriant d'un air satisfait tandis que des étincelles se mirent à grésiller à l'intérieur. Peut-être que ce maudit assortiment de disquettes allait exploser.

— Ne bougez plus, dit une voix grave avec calme. Levez les mains de façon à ce que je puisse les voir.

Darcy se retourna lentement et vit Austin s'avancer depuis l'embrasure de sa chambre à coucher. Le clair de lune se reflétait sur le revolver de métal qu'il tenait à la main.

Il s'avança tout en pivotant d'un côté à l'autre, visant la partie ombragée de la cuisine avec son arme à feu.

— Est-ce que vous êtes seul?

Darcy comprit qu'il ne voyait pas très bien.

— Je suis seule.

Il figea en reconnaissant sa voix.

— Darcy?

Elle actionna l'interrupteur de la cuisine et se régala de voir la surprise s'afficher sur son visage.

— Tu es étonné de me voir, *Austin*?

Elle désigna son revolver d'un signe de la main.

— Si tu veux me tuer maintenant, tu devras t'y prendre autrement.

Dix-huit

Elle connaissait sa véritable identité.

Dans les moments de crise, l'entraînement d'Austin faisait habituellement surface, remplaçant ses émotions et lui permettant de réagir avec une froide logique et une précision implacable. C'était de cette façon que ça devait fonctionner. Il lui avait par contre suffi de regarder le visage de Darcy pour que ses émotions insistent et veuillent se manifester à visage découvert. Elle savait qui il était. Merde.

Il jeta un coup d'œil dans la pièce pour s'assurer qu'elle était seule. Les verrous de sa porte étaient encore en place. Le panneau de contrôle clignotait encore, ce qui signifiait que l'alarme était encore active. Elle avait dû se téléporter dans son appartement.

Une bande vidéo avait été partiellement éjectée du magnétoscope. Elle devait avoir visionné une partie de la cassette. Les disquettes informatiques n'étaient plus sur la petite table. Des particules de papier jaune étaient éparpillées sur la table et sur le plancher. Sa liste des vampires qui devaient mourir. Elle l'avait vue. Et son nom y figurait. La porte émotionnelle s'ouvrit bien grand.

— Merde.

— Si tu parles de toi en disant ce mot, je suis d'accord avec toi.

Darcy se tenait dans la cuisine, les bras croisés, de la colère se lisant sur son visage.

Une lame d'émotion poignarda son cœur.

« Pas maintenant. »

Il repoussa la douleur et marcha à grands pas vers elle.

— Je peux tout t'expliquer.

— Ce n'est pas la peine. Je suis déjà au courant de tout, Austin.

Elle se servait de son nom comme une arme, et chaque fois qu'elle le prononçait, c'était comme si elle le marquait au fer rouge du mot « menteur ».

De forts bruits d'éclatement émanèrent du four à micro-ondes.

— Qu'est-ce que tu fais ?

Il se hâta dans la cuisine et appuya sur le bouton d'ouverture de la porte du four à micro-ondes. Toutes les disquettes informatiques qui s'y trouvaient formaient maintenant un tas de plastique fondu. Dieu merci, il avait déjà téléchargé ces informations dans son ordinateur portable ainsi que sur une clé USB. Par contre, le plateau tournant de son four à micro-ondes était bel et bien ruiné.

Il lui lança un regard irrité.

— Mignon.

Elle jeta un coup d'œil à son caleçon.

— Je pourrais dire la même chose.

Merdouille. C'était vraiment la meilleure nuit pour porter son stupide caleçon de Bob l'Éponge. Ce dernier était bien placé au centre de son aine en revendiquant fièrement le fait d'être le chef de son ananas.

— Ma petite sœur m'a donné ça pour Noël.

Darcy arqua ses sourcils.

— Tu as une famille ? Je croyais qu'une chose dans ton genre avait été découvert sous une roche, ou que tu avais peut-être éclos dans un étang vert et gluant.

— Je sais que tu es fâchée.

— Oh, tu m'impressionnes. Tu es vraiment doté de pouvoirs psychiques.

— Ils ne sont manifestement pas assez développés.

Il n'était pas davantage enchanté par la tournure des événements. Il avait trouvé la femme parfaite, avant de la perdre.

— Je pensais vraiment que tu étais humaine jusqu'à tout récemment.

Elle se raidit.

— Je *suis* humaine. Je voulais dire *vivante*.

Il posa son arme à feu sur le comptoir, sans le mettre hors de sa portée.

— Je pensais que tu étais une mortelle innocente prise au piège dans le monde des vampires. Je voulais te sortir de là.

Elle inclina la tête en l'examinant.

— Tu pensais que j'étais une mortelle ? Tu ne pouvais pas faire la différence ?

— Non ! Tu avais un pouls, merde ! Comment une femme vampire peut-elle avoir un pouls ? Et tu buvais une boisson froide au chocolat. Et chaque fois que j'ai lu dans ton esprit, tu pensais à des plages, au soleil et à ta famille. Quel genre de vampire souhaite tant se retrouver au soleil ?

Elle serra les dents.

— Des vampires comme moi.

— Tu m'as complètement dupé. Je croyais que tu étais terriblement en danger. Je pensais que tu avais besoin d'être sauvée.

— Et tu allais être ce héros qui allait me sauver ?

Elle se rapprocha de lui, les yeux brillants de douleur.

— Tu es arrivé *trop tard*.

Il tressaillit. Il était trop tard. Elle ne pourrait jamais être sienne.

— J'ai lu le titre de ta belle petite liste : *Liste des vampires qui doivent mourir*. Et maintenant, au lieu de me sauver, tu veux me tuer ?

Son cœur se serra encore plus.

— Je ne pourrais jamais te faire de mal.

— Tu mens encore! Tu m'as fait du mal.

— Ça n'était pas mon intention. Je pensais que tu étais vivante lorsque je..., mais quand j'ai découvert que tu étais morte...

— Est-ce que j'ai l'air d'une *morte* à tes yeux?

Elle planta son doigt sur sa poitrine tout en parlant.

— Est-ce que j'avais l'air d'une *morte*, quand tu posais les mains sur moi? Est-ce que j'avais l'air *morte* en ta compagnie dans le spa?

— Je croyais que tu étais vivante, merde!

Il repoussa son doigt.

— Et quand nous sommes sortis du spa, je pouvais voir mon ombre, mais pas la tienne. C'est à ce moment que j'ai appris la vérité.

Ses yeux se plissèrent.

— Et c'est à ce moment que tu m'as laissée tomber.

— À quoi t'attendais-tu de moi? Que je fasse l'amour à une morte?

Elle haleta, puis recula sa main avant de lui asséner une claque en plein visage.

— Une morte peut-elle faire ça?

Il goûta à son sang sur sa lèvre. Merde, il devait pourtant savoir que ce n'était pas une bonne idée d'insulter une femme vampire. Darcy était incroyablement forte et rapide. Il s'essuya la bouche et vit une trace rouge sur sa main.

Elle se raidit et fixa sa main du regard.

— Qu'est-ce qui ne va pas, Darcy? As-tu oublié de manger avant de passer me voir?

Ses yeux s'enflammèrent de colère.

— Je n'ai jamais mordu personne. Si tu me connaissais un peu mieux, tu saurais que je ne serais jamais capable de faire ça.

— Tu en as cependant envie, n'est-ce pas?

Il marcha vers elle.

— Tu n'y peux rien. C'est dans ta nature.

— Arrête!

Elle le repoussa et quitta la cuisine en marchant à grands pas.

— Je ne suis pas comme ça. Je ne suis pas maléfique. Et mes amis ne le sont pas non plus.

Il la suivit dans le salon.

— J'ai vu des vampires en action. Ils attaquent les gens, puis ils violent et tuent des femmes innocentes.

— Ceux-là sont les Mécontents.

Elle marcha à pas mesurés à travers la pièce.

— Les autres ne sont pas comme ça.

— Vous avez les mêmes envies, la même soif pour le sang humain.

— Ah!

Elle souleva ses deux mains dans un geste de frustration.

— Comment peux-tu être si aveugle? Tu as vu mes amis, dans le cadre de l'émission. Tu devrais savoir qu'il n'y a rien de maléfique en eux.

Il était si frustré qu'il devait ventiler.

— Tes précieux *amis* existaient avant l'invention du sang synthétique. Ils ont donc sans doute chassé les innocents. Ça fait d'eux des êtres maléfiques.

— Qu'est-ce qui te donne le droit de juger de ce qui est maléfique ou pas?

— Je représente les innocents. Les victimes.

— Tu ne penses pas que j'étais une victime, moi aussi?

Son cœur bégaya. Bien sûr qu'elle était une victime. Et une innocente. Merde! Il voulait que ce soit simple. Que ce soit bien ou mal. Que ça ne soit pas une situation nébuleuse n'ayant aucune logique.

Elle marcha vers lui à pas mesurés.

— Je ne t'ai jamais menti à propos de mon nom ou de ma profession.

Elle désigna les bandes vidéo du doigt.

— Je n'ai jamais mené d'enquête sur toi dans ton dos. Je ne me suis jamais glissé dans ton bureau en prétendant que je voulais t'embrasser alors que je voulais vraiment mettre la main sur des informations. Je n'ai jamais envahi ton esprit. Je n'ai jamais écrit le nom de tes meilleurs amis sur une liste noire. Je ne t'ai jamais trahi et je n'ai jamais envisagé de te poignarder dans le dos. Dis-moi, Austin, qui de nous deux est *maléfique* ?

Il s'affala sur le canapé. Putain de merde. Il avait tant tenté de se convaincre qu'il était du côté des bons, le côté des humains. Était-il cependant celui qui avait un comportement inhumain ?

Il jeta un coup d'œil aux bandes vidéo. Il était tombé amoureux de Darcy l'humaine. Lorsqu'il avait découvert la vérité sur elle, il avait pensé qu'il pourrait simplement étouffer ses sentiments. Prononcer sa mort, enterrer ses sentiments, et poursuivre son travail. Mais il ne le pouvait pas. Sainte merde.

Il s'était compromis.

Et il était toujours amoureux, même s'il savait maintenant ce qu'elle était.

— Je dois y aller.

Elle marcha vers la porte en se traînant les pieds. Elle ferma les yeux et fronça les sourcils pour se concentrer à quelques pas de la porte.

Elle se buta contre la porte.

— Merde, murmura-t-elle avant d'appuyer son front contre la porte.

Sa douce Darcy.

— Tu n'es pas une très bonne femme vampire, n'est-ce pas ?

Elle le regarda d'un air fâché par-dessus son épaule.

— J'ai de la difficulté à me concentrer.

Elle fit tourner le premier verrou de la porte.

Elle le quittait. Elle s'en allait en se sentant trahie. Il ne pouvait pas la laisser partir comme ça. Il la regarda tourner le deuxième et le troisième verrou.

— Tu étais tout ce que j'avais toujours voulu avoir chez une femme.

Sa main s'immobilisa.

— Ne me mens pas.

— Je n'ai jamais menti à propos de ce que je ressentais pour toi. C'était réel.

Elle se tourna pour lui faire face. Ses yeux étaient luisants de larmes.

Il désigna les bandes vidéo du doigt.

— Au début, j'étais curieux. Je voulais savoir ce qui t'était arrivé. Et plus j'apprenais à te connaître, plus j'étais intrigué. Et plus j'étais fasciné et attiré. Et plus je comprenais que j'étais amoureux de toi.

Son visage s'effondra.

— Et maintenant, tu ne peux même plus me toucher. Tu penses que je suis repoussante.

Il tressaillit. Il aurait vraiment souhaité que ce soit le cas. Tout serait plus facile, s'il n'avait pas autant envie de la toucher. Et maintenant, même en sachant qui elle était, il la désirait encore, et toujours.

— Darcy.

Il se leva.

— Tu étais la plus belle femme que je n'ai jamais connue.

— Tu parles au passé.

Elle ferma les yeux et tourna la tête.

— Tu ne penses pas que ça peut fonctionner, n'est-ce pas ?

— Non. Je ne pense pas.

— Je me suis répété ça bon nombre de fois. J'ai tenté de te résister, mais j'avais tant envie de toi.

Austin soupira. Ils souffraient tous les deux. D'une façon ou d'une autre, le fait de savoir ça n'aidait pas vraiment leur cause.

— Si tu veux que Garrett et moi quittions l'émission, je comprendrai.

Elle prit une inspiration hésitante.

— Ça sera fort difficile d'expliquer cela à mon patron. Sly va déjà être fou de rage en apprenant que j'ai invité des mortels à participer à l'émission. Imagine s'il découvre que deux d'entre eux sont des tueurs de vampires...

— Nous n'avons jamais prévu de faire du mal à qui que ce soit. Nous étions seulement là pour recueillir des renseignements.

— Que vous alliez ensuite utiliser contre nous.

Il gémit intérieurement. Il ne pouvait pas le nier.

— Mon patron meurt d'envie de retrouver sa fille.

— Et de tuer son gendre?

Darcy secoua la tête.

— Roman et Shanna sont très heureux. Vous devriez les laisser en paix.

— Tu ne crois pas qu'elle court un danger quelconque, d'être ainsi mariée à un vampire?

Darcy s'en moqua.

— Tu ne comprends pas à quel point ils s'aiment. Mais bon, je ne crois pas que tu connaisses grand-chose à l'amour.

Aïe. Il savait que ça faisait un mal d'enfer.

Darcy soupira.

— Si Garrett et toi pouviez vous faire éliminer dans la ronde suivante, cela aiderait ma cause. Vous seriez partis tous les deux, et j'aurais encore un emploi.

— D'accord. Nous n'avons qu'à taire la vérité sur ces trucs d'espions.

Elle hocha la tête.

— Ce sera mieux pour nous deux.

— Comment as-tu découvert la vérité à notre sujet?

Elle poussa un autre soupir et s'appuya contre la porte.

— L'émission était présentée en première ce soir sur le RTNV. Shanna a vu l'émission et elle t'a reconnu. Elle a appelé Connor, et ils m'ont dit qui tu étais.

Il grimaça.

— Nous pensions que tu aurais complété le tournage de l'émission dans son ensemble, avant qu'elle ne soit diffusée sur vos ondes.

On frappa à la porte, ce qui la fit sursauter.

— C'est mon chauffeur. Je... je te verrai à l'appartement de grand luxe, lundi soir?

— Oui. Attends une minute.

Il marcha à grands pas vers la porte et désactiva le système d'alarme.

— Tu peux y aller, maintenant. Bonne nuit.

Elle le regarda, le visage tout pâle.

— Bonne nuit.

Elle n'était qu'à quelques pouces de lui, mais on aurait dit qu'il y avait un abîme entre eux. Deux mondes différents.

— C'est tellement dommage, chuchota-t-il.

Comment allait-il pouvoir l'oublier?

Elle grimaça.

— Oui, vraiment.

Elle ouvrit la porte.

Austin se tendit lorsqu'il vit l'Écossais en kilt dans le vestibule. Le vampire à l'allure fort jeune jeta un regard irrité à Austin, puis il prit le bras de Darcy et l'emmena.

Hors de sa vie. De retour dans le monde des vampires. Austin ferma la porte avec lenteur.

Que diable allait-il faire? Trahir Darcy et ses amis? Ou trahir son employeur, l'Agence centrale de renseignement? D'une façon ou d'une autre, il ne pouvait échapper à la conclusion finale de tout ceci. Il serait un traître dans les deux cas.

Ian l'escorta jusqu'à l'autre coin de rue où il avait garé la voiture.

— Connor vient de téléphoner. Gregori a tenté de vous rejoindre. Il dit que le patron veut vous voir tout de suite.

Darcy gémit.

— Bien sûr que c'est ce qu'il veut.

Sly voulait faire une montée de lait à cause de la présence des mortels sur l'émission de téléréalité. C'était la conversation qu'elle redoutait. Génial. N'était-ce pas suffisant que son cœur soit en lambeaux ? Elle ne voulait pas ajouter à cela la perte de son emploi. Qui plus est, elle pensait encore que le fait d'avoir pensé à inclure des mortels était une très grande surprise. Comment pouvait-elle se douter que ces mortels seraient des agents secrets ? Elle n'allait jamais reconnaître ce fait devant Sly. Elle était coincée dans une position bien étrange. Elle devait protéger Austin et Garrett pour se protéger elle-même.

Ian lui ouvrit la portière de la voiture.

— Je vous conduirai au RTNV. Gregori est déjà en route. Il vous ramènera ensuite à la maison.

— Merci.

Darcy s'installa sur le siège du passager à l'avant.

Ian fila comme un éclair du côté du conducteur et grimpa à bord.

— J'ai un téléphone portable, si vous avez envie de vous téléporter. Ça serait bien plus rapide.

Darcy attacha sa ceinture de sécurité.

— Je préfère m'y rendre en voiture, si vous n'avez pas d'objection.

— Ça me va.

Ian lança le moteur et ils se mirent en route.

Darcy n'avait pas envie d'essayer de se téléporter à nouveau. Elle était encore trop fâchée pour se concentrer correctement. Sa dernière tentative avait été réellement embarrassante. Elle avait foncé dans la porte. Merdouille. Ça lui avait rappelé une émission de science-fiction où les portes ne s'étaient pas ouvertes comme prévu, faisant en sorte que les acteurs s'étaient butés de plein fouet sur elles.

Elle se rendit compte qu'elle essayait de ne pas penser à Austin. Ou à sa déclaration d'amour. Ou au fait qu'il pensait qu'ils n'avaient aucun avenir. Merde ! S'il y avait une chose qu'elle avait hors de tout doute, c'était bien un avenir. Elle en avait en abondance, à part ça. Pourquoi ne pouvait-elle pas le passer avec l'homme qu'elle aimait ?

Shanna était mariée avec Roman et heureuse de l'être. Pourquoi Austin ne pourrait-il pas être heureux avec elle?

«À quoi t'attendais-tu de moi? Que je fasse l'amour à une morte?»

Ses paroles lui revinrent en tête, l'inondant de douleur et de frustration. Ils ne pouvaient pas avoir un avenir commun. Sa mission dans la vie était de combattre les vampires. Il devrait renoncer à son travail pour être avec elle. Il devrait renoncer à son mode de vie tout entier pour vivre dans l'obscurité avec elle. Cela avait été si dur pour elle de s'adapter. Comment pouvait-elle s'attendre à ce qu'il le fasse, lui aussi? Il avait raison. C'était impossible.

Ian la laissa au RTNV. Elle erra à travers le hall, consciente des regards furieux que lui lançaient les autres vampires. Génial. Elle était l'ennemie numéro un dans le monde des vampires.

La réceptionniste la regarda en fronçant les sourcils.

— M. Bacchus vous attend. Je vais lui dire que vous êtes arrivée.

Elle appuya sur un bouton du téléphone.

— *Elle est ici.*

«Je suis condamnée», pensa Darcy tout en avançant dans le hall.

Elle frappa à la porte de Sly.

— Entrez.

Darcy entra et croisa Tiffany, qui se précipitait dans le hall en passant rapidement devant elle. Génial. Elle espérait que Tiffany avait fait de son mieux pour le rendre de bonne humeur. Darcy ferma la porte. Sylvester Bacchus se leva derrière son bureau, ses bras croisés, son front plissé et ses sourcils férocement froncés.

Tiffany n'était peut-être pas si douée, après tout. Darcy redressa ses épaules et souleva son menton.

— Vous vouliez me voir?

Sly plissa ses yeux de fouine.

— J'ai visionné la première de ton émission ce soir. Tout le fichu monde des vampires l'a visionnée.

Darcy déglutit.

— C'est que nous espérions.

Il contourna son bureau.

— Ça fait deux heures que l'émission est terminée, et nous avons déjà reçu 1 500 appels téléphoniques et courriers électroniques. Tu sais ce qu'ils disent tous, Newhart ?

— Ils ont... aimé l'émission ?

Il poussa un grognement et s'arrêta devant elle.

— Ils te détestent.

Elle serra ses mains l'une contre l'autre.

— Je peux expliquer...

— Je pensais t'avoir dit que l'homme le plus séduisant sur terre devait être un vampire.

— Ce sera le cas. Les mortels ne réussiront jamais toutes les épreuves.

— Est-ce que je t'avais dit que tu pouvais inclure ces rats de mortels dans l'émission ?

— Non, mais vous vouliez de grandes surprises, du genre qui choquerait tout le monde. Je crois que c'est ce que j'ai accompli.

Il leva une main pour la réduire au silence.

— Laisse-moi te dire ce que tu as accompli. Tu as foutu en rogne l'ensemble des vampires du monde.

— Je...

Elle se tut lorsqu'il la pointa du doigt.

Il s'approcha d'elle jusqu'à ce que son doigt soit à un pouce de son visage.

— J'ai trois mots à te dire.

Elle se prépara à les recevoir.

« Tu es virée. »

Le coin de la bouche de Sly se souleva.

— Tu es géniale.

Son œil eut un tic.

— À toi seule, tu as causé tout un tumulte! C'est l'événement le plus passionnant depuis l'invention du sang synthétique.

— Pardon?

Sly arpenta la pièce.

— Nous recevons en moyenne 700 appels et courriers électroniques par heure. Tous les vampires sont en rogne sévère. Contre *nous*! C'est fantastique.

— Je ne comprends pas…

— Mercredi soir, le monde des vampires tout entier s'arrêtera de tourner alors que chaque vampire écoutera notre émission. Est-ce qu'elles élimineront un autre mortel dans la prochaine émission?

Darcy réfléchit. Oui, Nicholas a été éliminé après avoir échappé Lady Pamela dans la boue.

— Oui, elles le feront.

— Génial!

Sly se donna une tape sur la cuisse.

— Tu es un génie, Newhart. C'est comme si tu avais créé une guerre à la télévision. Les vampires seront rivés à leurs écrans pour s'assurer que les mortels seront vaincus.

— Je vois.

— Ils seront vaincus, n'est-ce pas?

Sly fit une pause au milieu d'une enjambée.

— Je t'avertis, Newhart, c'est un vampire qui doit l'emporter.

— Oui, monsieur.

— Est-ce que tu as complété le tournage?

— Non. Il nous reste encore trois nuits.

— Et quand tourneras-tu la dernière émission?

— Ce vendredi.

Sly hocha la tête.

— Je veux être là en personne pour remettre le harem et le chèque entre les mains du gagnant. Ce sera génial!

— Oui, monsieur.

Sly sourit.

— Voilà, Newhart. Bon travail.

— Merci.

Elle se dirigea vers la porte.

— Souviens-toi, un vampire doit l'emporter.

— Aucun problème.

Darcy poussa un soupir de soulagement tout en marchant à grands pas vers son bureau. Elle avait encore un emploi. Et Austin était d'accord pour que Garrett et lui soient éliminés au cours de la prochaine ronde. Elle se mit donc à travailler sur la seconde émission, qui serait diffusée mercredi.

Quelques minutes plus tard, la réceptionniste entra dans son bureau avec une pile de messages téléphoniques et de courriers électroniques.

— Sly voulait que vous voyiez ceci.

Darcy feuilleta les messages. Oh non. Les vampires du monde entier se plaignaient des vêtements et des coiffures d'une autre époque des membres de l'ancien harem. Certains allaient même jusqu'à se moquer d'elles.

Darcy avait fait de gros efforts pour moderniser ces femmes. Ces messages allaient peut-être les convaincre de passer à l'acte.

Elle travailla jusqu'à ce que Gregori et Maggie arrivent au RTNV. Ils furent soulagés d'apprendre qu'elle avait encore un emploi et que l'émission demeurerait en ondes.

Maggie examina les messages qui dénonçaient le goût des femmes de l'ancien harem.

— Tu sais ce que cela signifie ?

— Que Lady Pamela aura des vapeurs ? murmura Gregori.

Maggie sourit.

— Oui. Et après cela, nous les transformerons.

Dix-neuf

— Ça ne convient pas du tout, murmura Gregori. Tu n'as pas assez d'argent dans ton budget afin que j'accepte ce genre d'humiliation.

Darcy grimaça.

— En fait, je ne te paye rien du tout.

La discussion avait lieu lundi soir, et elle était dans le spa avec Gregori et Vanda, à se préparer pour l'enregistrement du quatrième épisode de *L'homme le plus séduisant sur terre*.

— Tu as accepté de m'aider de bon cœur, tu t'en souviens?

Gregori s'enfonça plus profondément dans l'eau chaude agitée par les remous.

— C'est ça, mon problème. Je suis un méchant bon gars, et les bons gars ne finissent jamais la soirée avec une fille.

Vanda éclata de rire.

— Allons, Gregori. Tu as deux filles juste à toi, en ce moment même.

Il poussa un petit grognement.

— Je ne considère pas que l'une ou l'autre de vous deux soit particulièrement amicale envers moi. Je suis là, seul dans mon petit coin…

— … à bouder, dit Darcy en complétant sa phrase à sa place.

Il glissa sa main dans l'eau et éclaboussa le visage de Darcy.

— Tu avais dit que je serais bien habillé pour l'émission. Cela voulait dire que je porterais des smokings, mais pas ça — le maillot de bain de fibre synthétique élastique que je porte en ce moment. Ça parvient à peine à couvrir l'essentiel.

— Arrête de t'en faire avec ça.

Darcy l'éclaboussa à son tour.

— Tu as fière allure, dans ton Speedo.

— Ouais.

Vanda lui fit un clin d'œil.

— Tu as l'air aussi séduisant que ces danseurs de la nuit dernière.

— J'essaie d'oublier ça.

Gregori les regarda en fronçant les sourcils.

— Je n'aurais jamais dû vous conduire jusqu'à ce club de danseurs.

— Où nous avons eu beaucoup de plaisir, rétorqua Vanda. Et nous avions besoin de célébrer les transformations qui ont été couronnées de succès.

— Tu m'as coûté 400 $!

— Vraiment? demanda Darcy. Nous n'avons pourtant commandé qu'un verre par personne, et c'était juste pour les apparences.

— Tu oublies que Vanda a glissé de l'argent dans le sous-vêtement poilu de l'homme-léopard, bougonna Gregori. De l'argent que je lui ai donné.

Darcy haussa les épaules.

— Ce n'était qu'un billet de 1 $.

— C'était des billets de 20 $, grogna Gregori. Et cela a fait en sorte que les autres femmes ont eu envie de faire la même chose par la suite, encore et encore.

Darcy tressaillit. Pas étonnant que les danseurs se soient attardés autant auprès des femmes de l'ancien harem.

— Je suis désolée. Je ne me suis pas rendu compte qu'elles dépensaient tant d'argent.

— Et toi, pourquoi ne l'as-tu pas fait à ton tour ? demanda Vanda.

Darcy haussa les épaules.

— Je n'en avais pas envie.

Et ils n'étaient pas Austin. Les danseurs qui tournoyaient devant son visage n'étaient pas suffisants pour l'empêcher de penser à Austin. Elle aurait dû se montrer encore plus en colère contre lui. Il lui avait raconté des mensonges. Il l'avait aussi espionné, elle et ses amis. Par contre, il lui avait aussi avoué être amoureux d'elle. Comment pouvait-elle demeurer fâchée contre lui, puisqu'il l'aimait ?

— Tu n'en avais pas envie ?

Vanda sembla consternée.

— Le type en léopard était vraiment trop séduisant. Et j'ai aussi aimé ce cow-boy avec ses pantalons attrayants.

— C'était justement des pantalons de cow-boy, qui ont toujours une ouverture sur le devant, clarifia Darcy.

En effet, il était fort séduisant, puisque le cow-boy oublia de porter son pantalon sous ses jambières. À un certain moment, tandis qu'elle se faisait fouetter par les lanières de cuir des pantalons de cow-boy, elle réalisa à quel point elle avait facilement pardonné Austin. La seule explication qu'elle pouvait en dégager était qu'elle était encore fortement amoureuse de lui. Trop pour simplement y renoncer.

— Eh bien, moi, j'en avais indéniablement envie.

Vanda agita sa main devant elle à la manière d'un éventail.

— Ce cow-boy semblait doté d'une arme bien chargée.

— Ouais.

Darcy grimaça.

— Je craignais même qu'il ne tire un coup accidentellement.

Vanda éclata de rire.

— Et ce pompier ; quel type ! Je n'avais encore jamais vu un aussi long tuyau.

— Assez ! grogna Gregori. Je ne veux rien savoir de ces images mentales. Déjà que…

— Quoi ? demanda Darcy.

— Rien. Je suis heureux que les femmes se soient amusées.

— Moi aussi.

Darcy hocha la tête. Les femmes semblaient jeunes et belles, après leur séance de transformation. Ça avait été fantastique de les observer au club tandis qu'elles se rendaient compte à quel point elles étaient encore attirantes, tout en prenant conscience du pouvoir qu'elles pouvaient exercer sur les hommes.

Gregori croisa les bras en fronçant les sourcils.

— Si vous voulez y retourner, je vais vous y déposer et je passerai vous reprendre plus tard.

— Tu n'as pas aimé ça ? demanda Vanda.

Il poussa un petit grognement.

— Le cow-boy m'a demandé mon numéro de téléphone.

Darcy s'étouffa tout en essayant ne pas éclater de rire.

— Pauvre Gregori. Tu es trop séduisant pour ton propre bien.

Il lui lança des regards noirs.

— Et tu veux maintenant te servir de moi en tant qu'appât mâle ? Cela ne faisait pas partie de la description de mon travail.

— C'est cependant la seule façon d'évaluer le prochain critère, insista Darcy. Le critère de sélection numéro sept spécifie que l'homme le plus séduisant sur terre doit aimer les femmes.

— C'était mon idée.

Vanda lissa ses cheveux mauves et humides sur sa tête.

— C'est pourquoi je suis la juge en présence ce soir.

— Et le critère numéro huit dit que l'homme doit également savoir comment plaire à une femme, continua Darcy. Vanda se chargera également de vérifier cela.

— Oui.

Elle soupira.

— Ce n'est pas un travail de tout repos, mais quelqu'un doit le faire.

Gregori sembla épouvanté.

— Tu vas avoir des ébats avec les six hommes ? Devant les caméras ?

— Ne t'en fais pas.

Vanda ajusta le haut de son bikini, afin que son tatouage de chauve-souris mauve puisse être vu.

— Je ne ferai rien de trop choquant.

— Aucune nudité, l'avertit Darcy.

Mince alors. Sly allait adorer cet épisode. Elle espérait seulement qu'Austin refuserait d'entrer dans le spa avec Vanda. L'idée que Vanda fasse des avances à Austin lui était insupportable. Austin refuserait sûrement de coopérer. Après tout, il était censé être éliminé dès ce soir.

Maggie traversa la zone éclairée de la piscine avant de les rejoindre près du spa.

— Les hommes sont prêts et attendent dans la serre.

— Ils sont tous en maillot de bain ? demanda Darcy. Et ils portent tous leurs chaînes de cheville ?

— Oui. Et ils ont tiré des numéros au sort pour savoir qui irait en premier.

— Qui sera le premier ? demanda Vanda.

— Otto.

Maggie grimaça.

— Il porte un tout petit maillot. Et il s'est huilé la peau. Il a dit qu'il voulait que ses muscles luisent au clair de lune.

Darcy poussa un gémissement.

Vanda sourit.

— Je suis prête.

— Je ne le suis pas.

Gregori s'enfonça dans l'eau jusqu'au menton.

— Nous pouvons commencer, dit Darcy à l'intention des caméramans.

Maggie retourna vers la serre où elle laisserait les hommes en sortir à tour de rôle. La piscine était située entre la serre et le spa. Des chaises de patio avaient été disposées de part et d'autre de la piscine. Maggie ouvrit les portes-fenêtres de verre de la serre. Otto apparut dans l'ouverture, son corps massif occupant tout l'espace disponible.

— C'est notre signal.

Darcy sortit du spa. Gregori poussa un gémissement et fit de même. Darcy marcha avec lenteur vers la chaise de patio du côté sud de la piscine, tandis que Gregori se dirigeait vers la chaise du côté nord. Les caméras suivirent leur progrès.

Elle devait admettre que *c'était* un peu embarrassant. Voilà qu'elle était vêtue d'un bikini révélateur et qu'elle marchait en laissant l'eau dégoutter de son corps juste pour voir si elle pouvait attirer l'attention d'un homme. Et tout cela serait diffusé sur le Réseau de télévision numérique des vampires.

Pauvre Gregori. Cela pourrait être vraiment embarrassant pour lui.

Otto marcha à grands pas à travers la terrasse. Il fit une pose dès qu'il se rendit compte que les caméras s'étaient tournées vers lui.

— Ouais, je suis vraiment prêt pour ce soir.

Il tourna le dos aux caméras pour exposer encore plus de muscles, puis il pivota sur le côté pour montrer ses biceps.

Darcy en eut assez de le regarder et décida de s'asseoir sur sa chaise de patio. Elle fit un signe de la main vers Gregori de l'autre côté de la piscine. Il s'assit lui aussi sur sa chaise non sans froncer les sourcils. Le but de l'exercice était d'évaluer la préférence sexuelle de chaque homme. En sortant de la serre, l'homme allait regarder en direction de Darcy ou de Gregori. Malheureusement, Otto était trop amoureux de lui-même pour remarquer qui que ce soit d'autre.

Finalement, Otto fut à court de poses et il marcha à grands pas autour de la piscine et s'arrêta devant Darcy.

— Tu veux Otto, n'est-ce pas?

— Oh oui.

Darcy désigna Vanda du doigt.

— Mais elle te veut en premier.

— Ouais. Les femmes doivent attendre leur tour.

Otto rit sous cape tout en avançant nonchalamment vers le spa. Il sauta dedans en générant des éclaboussements.

— Otto est là pour te gonfler de plaisir.

Vanda ne mit guère de temps à vérifier personnellement l'état des muscles d'Otto. Darcy tourna sa chaise sur le côté pour s'empêcher d'en voir plus qu'elle ne le souhaitait. Gregori attira son attention en faisant mine de s'étouffer et d'avoir des haut-le-cœur.

— Mes muscles se gonflent, ouais! annonça Otto avec sa voix tonitruante. Il est temps de s'amuser dans la zone d'Otto.

— Coupez!

Darcy bondit sur ses pieds.

— Ça suffit, Otto.

— Au revoir, Otto.

Vanda retourna vers le côté éloigné du spa.

Otto sortit du spa et passa devant Darcy, puis retourna dans la serre. Darcy regarda vers le ciel pour éviter de voir les muscles qui se seraient gonflés tout récemment, puis elle se glissa dans le spa pour se réchauffer.

Vanda sourit.

— Je crois qu'Otto a passé le test.

Darcy hocha la tête. Et les autres femmes, qui regardaient la scène sur un téléviseur dans le salon, seraient assurément de cet avis.

Gregori s'assit sur le bord du spa et glissa ses pieds dans l'eau.

— Comment parviens-tu à supporter ce type ? Il est tellement imbu de lui-même.

Vanda haussa les épaules.

— J'ai vu bien pire.

— Je pensais toutefois que vous ne vous intéressiez qu'au sexe des vampires, dit Gregori.

— C'est vrai.

Vanda lissa ses cheveux sur sa tête.

— Je travaille cependant sur une théorie selon laquelle un vampire devrait être doué pour le sexe, afin de pouvoir projeter du bon sexe avec son esprit.

Darcy n'avait jamais eu de sexe de vampire, mais elle se demanda si une telle chose était possible avec Austin. Après tout, il possédait de véritables pouvoirs psychiques.

Gregori fit un signe de la main vers la serre. Le prochain concurrent se trouvait dans l'embrasure.

— Et voilà, ça recommence.

Il se leva et marcha à grands pas vers sa chaise sur le côté nord de la piscine.

Darcy marcha vers sa chaise sans se presser. Ses pas ralentirent, quand elle se rendit compte que Pierre, de Bruxelles, ne la regardait pas. Elle jeta un regard vers Gregori pour l'avertir. Ce dernier fainéantait dans sa chaise de patio, les yeux vers les étoiles, ignorant totalement le fait qu'il avait un nouvel admirateur.

Pierre traversa la terrasse, puis se dirigea vers le nord en contournant la piscine. Gregori se redressa brusquement et lança à Darcy un regard meurtrier.

Elle tressaillit et articula silencieusement le mot « désolée ».

Pierre s'arrêta à côté de Gregori et murmura quelque chose. Darcy put alors voir à quel point le visage de Gregori avait viré au rouge, et ce, même de l'endroit où elle se tenait de l'autre côté de la piscine. Pierre compléta sa promenade vers le spa et se glissa dans l'eau. Vanda lui parla pendant un moment, puis elle lui serra la main. Pierre se glissa hors du spa et se dirigea vers la serre en contournant la piscine vers le nord.

Gregori le vit s'approcher et il plongea dans la piscine. Ses dents claquaient lorsqu'il rejoignit Darcy et Vanda dans le spa.

— L'eau de la piscine est glaciale.

Il s'enfonça dans l'eau chaude jusqu'au menton et ferma les yeux.

— On dirait bien que je vais devoir éliminer Pierre, dit Vanda. Quelle honte. Il était si mignon.

Darcy jura en silence. Seulement deux hommes pouvaient être éliminés ce soir, et elle avait espéré que ce serait les deux hommes de l'Agence centrale de renseignement.

— Qu'est-ce qu'il t'a dit, Gregori ?

Gregori n'ouvrit qu'un seul œil et la regarda fixement.

— Cet incident est clos, et jamais plus nous n'aborderons ce sujet.

— Pauvre Gregori.

Vanda sourit.

— Je t'avais bien dit que tu étais séduisant.

Austin attendait dans la serre, de plus en plus embêté. Il y avait bel et bien un défilé de maillots de bain dans l'émission de téléréalité. Les autres hommes portaient de tout petits maillots, mais il avait refusé de jouer le rôle d'objet sexuel masculin. Son maillot de bain à motifs tropicaux lui allait jusqu'à la mi-cuisse.

Reginald, de Manchester, fut le troisième concurrent à quitter la serre en direction de la piscine. À son retour à la serre, encore tout dégoulinant d'eau, Maggie lui remit une serviette et lui demanda d'aller dans sa chambre enfiler des vêtements secs pour la cérémonie des orchidées. Austin remarqua que le vampire britannique était étonnamment décharné. Le type avait dû porter plusieurs épaisseurs de vêtements, afin que cela passe inaperçu.

— Le concurrent numéro quatre ? demanda Maggie.

— C'est moi.

Austin la rejoignit aux portes-fenêtres.

— Vous devez contourner la piscine pour vous rendre au spa, lui expliqua Maggie. Vous parlerez ensuite pendant un moment avec Vanda, puis vous reviendrez ici. C'est bien compris ?

— Oui.

« Et je vais aussi me faire éliminer. »

— Bon, ils sont prêts.

Maggie ouvrit la porte.

Austin marcha sur la terrasse, et la scène suivante se déroula sous ses yeux. L'hôte de l'émission se dirigeait vers une chaise d'un côté de la piscine, tandis que Darcy avançait de l'autre côté. Sa bouche s'ouvrit et resta grande ouverte. Quelle déesse ! Son petit bikini rouge était mouillé et moulé à son corps. Ses mamelons avaient durci sous l'effet de l'air frais de la nuit. Sa culotte de bikini était attachée sur ses hanches, et les cordes pendantes suppliaient de se faire détacher. Sa peau était pâle sous le clair de lune. Elle semblait trop fragile pour qu'on la touche, mais était aussi tellement enjôleuse qu'il savait qu'il ne pourrait retirer ses mains de son corps s'il commençait à la caresser.

Son regard croisa le sien. Il y avait un désir d'une telle tristesse dans ses yeux que cela lui déchirait le cœur. Elle baissa les yeux sur son corps, puis remonta son regard vers son visage. Le désir qui se lisait dans ses yeux devint plus intense, plus désespéré. Elle le voulait, elle aussi. S'il ne quittait pas cette émission très bientôt, il perdrait le contrôle de ses moyens. En ce moment même, son corps avait cessé de résister. Son aine se gonflait. Son cœur la poussait vers elle.

Il devait mettre un terme à tout cela. Maintenant. Il plongea dans la piscine et laissa l'eau glaciale éteindre son désir. Il traversa la piscine et en sortit. Il frissonna, et sa peau se couvrit de chair de poule.

Vanda l'observait depuis le spa.

— Venez. Vous avez l'air d'avoir froid.

Il frotta ses mains sur ses bras. Il devait refuser. Cela n'aurait-il pas pour conséquence de l'éliminer de la rivalité ?

— Non, merci.

— Ne voulez-vous pas vous réchauffer ?

Vanda se laissa flotter de l'autre côté du spa et s'arrêta près de ses pieds. Elle retira son minuscule haut de bikini et le jeta dans la piscine.

— Oh, comme je suis maladroite ! Maintenant, plus personne ne m'entendra parler de la nuit où vous avez réchauffé l'eau du spa en compagnie de Darcy.

Austin se tendit.

— Je ne sais pas de quoi vous parlez.

Vanda sourit.

— Ça a été filmé et présenté l'autre nuit sur le RTNV.

Austin fut bouche bée. Ses ébats avec Darcy avaient été diffusés sur le réseau de télévision des vampires ? Il jeta un coup d'œil vers Darcy. Elle était debout près de la piscine, l'air méfiant.

— Ne vous inquiétez pas, continua Vanda. Personne ne sait que c'était Darcy, sauf vous et moi. La plupart des gens pensent que c'était Lady Pamela ou Cora Lee, puisqu'elles ont également de longs cheveux blonds. J'ai cependant reconnu la robe de Darcy, quand vous l'avez lancée dans la piscine.

— Est-ce que vous l'avez dit à quelqu'un ?

— Non.

Elle retourna à l'autre extrémité du spa.

— Du moins, pas encore. Pourquoi ne pas venir dans l'eau quelques instants ?

Était-elle en train de menacer de dire la vérité au sujet de Darcy ? Austin n'en était pas certain, et ne voulait pas tenter sa chance. Il se glissa donc dans le spa et s'installa sur le siège face à Vanda.

Elle sourit.

— N'est-ce pas mieux ainsi ?

Elle jeta un coup d'œil derrière lui et tressaillit.

— Oh, vous devriez voir le regard que Darcy jette sur vous.

Vanda fendit l'eau pour être assise à côté de lui.

— Est-ce que nous devrions la rendre jalouse ?

— J'aimerais mieux pas.

— Bien sûr. Nul besoin d'agir ainsi, en réalité. Elle fut sous votre charme dès le moment où elle vous a vu pendant les auditions. Elle vous a appelé Apollon, le dieu du soleil.

Vanda glissa un doigt le long de sa mâchoire.

Austin se glissa dans son siège.

— Je ne veux pas la contrarier.

Vanda jeta un coup d'œil par-dessus son épaule.

— Trop tard. Elle a vraiment l'air en colère.

Austin croisa ses bras sur sa poitrine.

— Que voulez-vous de moi ?

Vanda posa un coude sur le bord du spa et l'étudia du regard.

— Je veux savoir si vous vous souciez vraiment d'elle.

Il fit une pause, puis décida qu'il n'y avait rien de mal à avouer la vérité.

— Je suis amoureux d'elle.

— Oh.

Vanda posa son menton sur sa main.

— Sur l'enregistrement, ça ressemblait davantage à du désir. Êtes-vous certain de ressentir de l'amour pour elle ?

— J'en suis certain.

Malheureusement. Il avait tenté d'enfouir ses sentiments, mais ces derniers continuaient à grandir et à se renforcer en dépit de tout le reste.

— Darcy a trop souffert. Elle mérite d'être heureuse.

Austin arqua un sourcil.

— Êtes-vous en train de me dire que vous vous faites du souci pour elle ?

— Oui. Est-ce que cela vous étonne ?

Il respira à fond. La semaine dernière, il n'aurait pas cru les vampires capables de ressentir de la compassion ou de la loyauté entre eux, mais c'était clairement le cas. Les vampires semblaient ressentir toute la gamme des sentiments comme lorsqu'ils étaient encore vivants. Les mots de Darcy, lui revinrent en mémoire : « Je suis humaine »

— J'ai dû réajuster ma pensée.

— Elle mérite ce qu'il y a de mieux. Elle a l'âme d'un ange.

Le coin de la bouche de Vanda se souleva.

— Contrairement à moi.

— Est-ce que vous reconnaissez être maléfique ?

Son sourire s'élargit.

— Certains diraient que je le suis.

— Qu'avez-vous fait ? Avez-vous tué des gens ?

Il dit cela nonchalamment, mais il était très sérieux.

Son sourire s'effaça.

— Je préfère dire que j'administrais la justice.

Il plissa ses yeux.

— Est-ce que vous seriez capable de faire du mal à un innocent ?

— Non, répondit-elle rapidement. Et vous ?

— Non.

Elle se rapprocha de lui.

— Alors, ne blessez jamais Darcy.

Austin saisit la menace qui suintait de sa voix.

— Je ne veux pas la blesser, mais ce n'est pas si simple.

— Vous dites que vous l'aimez. Elle vous aime aussi. Ça me semble plutôt simple.

— Non, c'est… compliqué. Mon travail est important…

— Plus important que Darcy ?

— Non. Je ne devrais toutefois pas me placer dans une position où j'aurais à faire un choix.

Mince, et il ne devrait pas être dans une position où il discutait de romance avec une femme vampire.

— Si vous l'aimez, il n'y a qu'un choix.

— Ce n'est pas si facile. Je devrais renoncer à tout. Ma vie, ce en quoi je crois… tout changerait.

— Et vous n'êtes pas prêt à le faire ?

Pouvait-il le faire ? Tourner le dos à l'équipe de Surveillance et à l'Agence centrale de renseignement ? Rejoindre Darcy et vivre au sein des vampires ? On le considérerait comme un traître à son pays. Il aurait bien des difficultés à se trouver le moindre emploi convenable.

— J'ai eu une vie difficile.

Vanda regarda les étoiles.

— J'ai vu des choses épouvantables. Des camps de concentration, de la torture, des morts. Une cruauté humaine incroyable. À certains moments, j'ai prié Dieu pour qu'il me donne le courage de mettre fin à tout cela. Je ne pouvais plus supporter ces horreurs.

— Je suis désolé.

Et ce n'était pas des paroles en l'air. Il éprouvait de la véritable compassion pour ces vampires.

Vanda se redressa et le regarda.

— J'endurerais cela encore un millier de fois, si cela pouvait ramener ma petite sœur à la vie.

Des larmes miroitèrent dans ses yeux.

— Elle était si intelligente et pleine de vie. Elle aurait ressemblé à Darcy, si elle avait survécu.

Austin hocha la tête, ses propres yeux bien humides tout à coup.

Vanda flotta vers lui.

— Il n'y a rien de plus sacré que l'amour. Ne laissez pas cela vous filer entre les doigts.

On aurait dit qu'une larme avait déchiré l'obscurité pour révéler la lumière, et qu'Austin pouvait enfin voir clair.

— Vous n'êtes pas du tout maléfique, n'est-ce pas ?

Aucune de ces femmes vampires modernes n'était vraiment maléfique.

— Nous faisons tous du mieux que nous pouvons avec ce que le destin nous a donné.

Austin se leva.

— Alors, je vous souhaite que tout aille bien pour vous.

Il marcha à grands pas vers Darcy. Elle lui lança un regard furieux, puis lui tourna le dos.

— Nous devons nous parler, dit-il à voix basse, conscient du fait que les caméras étaient pointées sur eux.

Il continua sa marche jusqu'à la serre.

Maggie lui donna une serviette.

— Veuillez vous habiller pour la cérémonie des orchidées dans le hall.

Il marcha en se traînant les pieds vers la cage d'escalier. Pas étonnant que Darcy soit en colère. Il avait de plus en plus l'impression qu'il ne serait pas éliminé ce soir.

Vingt

Darcy accompagna Vanda jusqu'au salon des domestiques pour découvrir ce que les autres femmes avaient pensé de la rivalité de la soirée. Malheureusement, elles furent toutes du même avis que Vanda, si bien que ses espoirs de voir les deux agents de l'Agence centrale de renseignement être éliminés étaient anéantis. Vanda enfila des vêtements secs, s'empara de deux orchidées noires du réfrigérateur et se rendit au hall en compagnie des autres femmes pour la tenue de la cérémonie.

La princesse Joanna trébucha lorsqu'un de ses talons aiguilles s'accrocha sur l'épais tapis du vestibule.

— Nom de Dieu, une femme pourrait bien se casser le cou à porter ces chaussures.

— Tu vas t'améliorer avec le temps.

Darcy tendit le bras pour la stabiliser.

— Vous êtes toutes magnifiques.

— Merci.

La princesse était élégante, dans sa dispendieuse robe noire, un collier de perles au cou.

— Au début, je me sentais complètement nue, sans mon corset, dit Cora Lee. Mais maintenant, j'aime bien ça. Je peux respirer pour la première fois en plus de 100 ans.

Cora Lee et Lady Pamela avaient toutes deux opté pour un style jeune, soit des pantalons à taille basse en satin et des hauts courts et brillants laissant leurs dos nus.

La princesse Joanna les regarda en fronçant les sourcils.

— Vous devriez avoir honte. Vous montrez bien trop de peau.

— C'est maléfique.

La robe de Maria Consuela lui allait jusqu'aux chevilles.

Lady Pamela haussa les épaules.

— Mes vieilles robes révélaient ma poitrine à souhait, et personne ne s'y opposait.

— Mais révéler son nombril, c'est impie.

Maria Consuela tortilla son rosaire dans ses mains.

— Je n'ai jamais vu mon nombril.

— Quoi? demanda Darcy. Mais quand tu prends un bain…

— Je prends mon bain en portant une chemise comme toutes les femmes dignes de ce nom devraient le faire.

— Oh.

Darcy se rendit compte qu'elle était peut-être parvenue à leur faire porter des tenues modernes, mais que certaines de leurs idées demeuraient archaïques.

Les femmes entrèrent dans le hall. Les hommes avaient tous enfilé des complets. Gregori marcha à grands pas pour accueillir les femmes, tandis que les six concurrents demeuraient sur le palier de l'escalier.

Darcy jeta un bref coup d'œil à Austin. Ses larges épaules avaient vraiment fière allure dans un complet. À la différence de Reginald, il n'avait pas besoin de remplissage dans ses vêtements. La lumière du lustre faisait ressortir les mèches dorées de ses cheveux. Il semblait les avoir séchés rapidement avec une serviette, mais l'allure échevelée que cela leur donnait le rendait encore plus séduisant.

Les yeux d'Austin croisèrent les siens, et elle détourna le regard. Elle n'allait pas lui pardonner aussi facilement, cette fois-ci. Il lui avait dit qu'il voulait être éliminé dès ce soir, puis il s'était glissé dans le spa avec Vanda. Et comme Vanda s'était débarrassée de son micro, Darcy n'avait aucune idée des propos qu'ils avaient pu échanger. Elle avait dû arrêter de tourner par la suite pour que Vanda puisse obtenir un nouveau micro.

— Bonsoir, commença Gregori. Ce soir, deux autres hommes seront éliminés. Mais d'abord, une annonce importante. Le gagnant recevra maintenant *quatre* millions de dollars.

Les caméramans captèrent les réactions de tout le monde. Même Darcy fut étonnée. Sly n'avait jamais dit qu'il était prêt à franchir la barre des trois millions.

Vanda se déplaça au centre du hall.

— Ma première orchidée va à Pierre, de Bruxelles.

Pierre marcha en se traînant les pieds pour accepter la fleur, puis il se rendit dans sa chambre pour rassembler ses affaires.

— Et ma deuxième orchidée va à Reginald, de Manchester.

Vanda lui remit l'orchidée.

Les concurrents restants se félicitèrent et retournèrent à leurs chambres. Gregori et les femmes se dirigèrent vers la salle des portraits, avec les caméramans à leur suite.

— Ce soir, vous avez éliminé Pierre.

Gregori fit passer le faisceau lumineux de la torche électrique spéciale sur le portrait du Belge. Ses canines apparurent.

— Oh, flûte alors, marmonna Cora Lee. C'était un vampire.

— Et vous avez éliminé Reginald.

Gregori se déplaça face au portrait de l'Anglais.

— C'est sûrement un mortel, insista Lady Pamela. Il a de si mauvaises dents.

— Et il est tellement décharné, ajouta Cora Lee. Je déclare avoir vu plus de viande sur le corps d'un opossum affamé.

Gregori illumina ensuite le portrait. Les canines courbes de Reginald brillèrent d'une teinte jaunâtre.

— *Sainte Marie*, que les saints nous gardent.

Maria Consuela porta la main à son rosaire.

La princesse Joanna se leva en vacillant légèrement sur ses talons aiguilles.

— C'est épouvantable ! Nous avons chassé deux vampires. Darcy, tu dois nous assurer qu'il n'y a plus de mortels pour nous hanter.

Darcy grimaça.

— Je ne peux pas vous le dire. Mais souvenez-vous, demain soir, nous évaluons les hommes sur leur force.

La princesse s'assit avec un soupir de soulagement.

— Bon. Aucun mortel ne pourrait être plus fort qu'un vampire.

— Ce sera à moi de les juger demain soir.

Maria Consuela embrassa la croix de son rosaire.

— Et avec la bénédiction du Seigneur, je découvrirai les êtres inférieurs et les bannirez hors de notre présence.

Darcy doutait que le Seigneur soit impliqué dans la détection des êtres inférieurs, mais elle espérait néanmoins que les femmes élimineraient Austin et Garrett. Elle serait vraiment dans une situation délicate, si l'un ou l'autre des mortels atteignait la ronde finale. Elle ne doutait aucunement qu'Austin *fût* l'homme le plus séduisant sur terre, mais elle ne pouvait malgré cela lui permettre de gagner.

La question la plus importante était de savoir si Austin et elle pouvaient avoir un avenir ensemble. Elle savait hors de tout doute qu'elle était amoureuse de lui. Son rejet et ses mensonges n'avaient pas réussi à neutraliser les sentiments qu'elle éprouvait pour lui. Les mots de Vanda ne cessaient de venir la hanter : « Il n'y a rien de plus sacré que l'amour. »

Comment pouvait-elle rejeter cet amour sans lui donner une chance ? Roman et Shanna osaient lui donner une chance. Pourquoi ne pouvait-elle pas faire de même ?

Si seulement elle pouvait combler l'écart entre leurs deux mondes. Il n'y avait cependant pas de juste milieu pour elle. Elle ne pourrait jamais partager le soleil avec Austin, ou vivre une vie normale avec lui. Elle était prise au piège dans son monde, et il devrait accepter de se joindre à elle à cet endroit. Est-ce que c'était juste de s'attendre à tant de sa part ?

Peut-être ne devrait-elle pas en demander trop. Peut-être devrait-elle y aller d'un petit pas à la fois. En ce moment, il pouvait à peine se résoudre à la toucher. Il pensait qu'elle était morte. Elle devrait lui faire franchir cet obstacle. Elle devait lui prouver à quel point elle était vivante et palpable. Elle avait besoin de lui montrer à quel point elle l'aimait.

Tout ça lui semblait soudainement clair. Austin était dans l'appartement de grand luxe pour encore une nuit. Cette nuit serait parfaite.

Elle avait seulement besoin de courage pour le séduire.

Garrett ouvrit un sac de croustilles.

— Quatre millions de dollars ? Je souhaiterais gagner ce maudit concours.

— Ils ne donneront jamais une telle somme d'argent à un mortel.

Austin s'assit à la table de cuisine et ouvrit une cannette de cola.

— Je crois que nous avons presque terminé notre séjour ici. Est-ce que tu as pu rassembler beaucoup de renseignements ?

— Un peu. Juste les noms des vampires.

Austin hocha la tête, soulagé que Garrett n'ait pas rassemblé beaucoup de renseignements.

— Emma et moi avons tué un vampire, l'autre nuit, dans Central Park.

— Vraiment ?

— Il venait d'attaquer une femme. Nous lui avons sauvé la vie.

— Super.

Garrett fourra quelques croustilles dans sa bouche.

— Aucun des vampires ici présent n'attaquerait des gens.

Garrett poussa un petit grognement.

— Ils le feraient, s'ils avaient suffisamment faim.

— Je pense que Shanna Whelan avait raison, quand elle disait qu'il y avait deux sortes de vampires. Elle disait qu'il y avait les vampires modernes qui respectaient les lois et les Mécontents.

— Elle a subi un lavage de cerveau, marmonna Garrett avec la bouche pleine.

— Penses-y ! Il y a manifestement deux différents groupes de vampires, puisque nous les avons vus prêts à se battre l'un contre l'autre dans Central Park. Et je les ai entendus lorsque nous avons mis leurs téléphones sur écoute. Ils se détestent.

— C'est dommage qu'ils ne s'éliminent pas entre eux. Ça rendrait notre travail plus facile.

Austin prit une petite gorgée de son cola.

— Je pense que nous devrions en apprendre davantage au sujet de ces deux différentes factions.

Garrett secoua la tête.

— Le fait de s'immiscer dans leurs politiques serait une perte de temps. Nous devons simplement les tuer.

Austin termina sa boisson en silence. Il avait besoin d'entrer en contact avec Shanna Whelan. Ou Shanna Draganesti, ce qui était maintenant son nom. Elle serait capable de lui en dire plus au sujet des vampires, et de lui raconter comment c'était d'être mariée à l'un d'eux.

Il était fichu. Ça, il le sentait. Il ne pouvait plus croire que tous les vampires étaient des démons maléfiques. Tout ce qu'il avait appris au cours des dernières semaines lui indiquait que leur monde était curieusement parallèle au monde des mortels. Tout comme les humains, les vampires pouvaient être bons ou mauvais. Ils pouvaient aimer ou haïr. Et puisqu'il était amoureux d'une femme vampire, il essayait de faire la paix avec leur monde afin de pouvoir l'accepter. Cependant, il lui serait difficile de tourner le dos à l'Agence centrale de renseignement et à son ancienne vie. Trop difficile.

Il jeta la canette à la poubelle. Que pensait-il donc ? Qu'il pourrait épouser Darcy et vivre heureux jusqu'à la fin des temps ? Elle pouvait vivre pour toujours, mais lui vieillirait et mourrait. Pendant combien de temps pourrait-elle supporter son vieux cul ? Et dans 100 ans, il serait mort et oublié depuis longtemps.

Est-ce que ça valait donc la peine de rejeter le travail d'une vie pour un rêve aussi fragile ? S'il était le moindrement sensé, il se ferait éliminer demain soir, et ne reverrait plus jamais Darcy. Pour la première fois de sa vie, cependant, le fait d'être sensé semblait stupide.

Il souhaita bonne nuit à Garrett et marcha en se traînant les pieds jusqu'à sa chambre. Il alluma l'ordinateur et vérifia les caméras de surveillance. Les deux derniers vampires, Otto et Roberto se trouvaient dans la salle de jeu, ils jouaient au billard. Le hall et la salle des portraits étaient déserts. Il passa à la caméra dans le cabanon et le regretta immédiatement.

Darcy semblait sortir de la douche. Ses cheveux étaient mouillés et son corps très légèrement vêtu dans un pyjama minuscule. Ses sentiments de désir et de désespoir revinrent au grand galop. Comment pouvait-il renoncer à elle ? La conversation qu'il avait eue avec Vanda dans le spa lui avait rappelé à quel point l'amour était rare et spécial. Darcy était intelligente et courageuse, tout ce qu'il avait toujours recherché chez une femme. Elle était également nerveuse et agitée. Elle marchait à pas mesurés dans les deux sens de sa chambre. D'après les expressions sur son visage et les mots qu'elle marmonnait, il en concluait qu'elle se disputait avec elle-même.

Elle marcha à grands pas vers la cuisine et retira une bouteille du réfrigérateur. Elle la secoua, dévissa le bouchon et versa un liquide rouge foncé dans un verre. Austin tressaillit. Elle prit quelque chose d'autre du réfrigérateur. Du sirop au chocolat ? Elle en versa dans son verre en serrant la bouteille, puis remua le mélange avec une cuillère. Elle ajouta enfin quelques glaçons dans son verre.

Elle quitta la cuisine en buvant de petites gorgées. Austin se cala dans sa chaise et eut un serrement de cœur. Elle pouvait bien tenter d'en déguiser le goût, mais le résultat était le même. Elle buvait du sang.

Il marcha à grands pas vers la salle de bains et prit une douche chaude. Il glissa sa tête sous le jet puissant, mais ce dernier ne put effacer le souvenir de Darcy en train de boire du sang. Comment pourrait-il rejoindre son monde?

« Il n'y a rien de plus sacré que l'amour. »

Les mots de Vanda dérivaient autour de lui et s'accrochaient à lui comme de la vapeur chaude. Comment pouvait-il renoncer à elle? Il l'aimait, mais comment pourrait-il s'engager avec une femme vampire?

Il se sécha et retourna à pas feutrés dans la chambre à coucher avec la serviette enveloppée autour de sa taille. Il jeta un coup d'œil à son écran d'ordinateur. Darcy n'était plus dans la pièce principale du cabanon. Elle était probablement dans la chambre à coucher où il n'y avait pas de caméra.

Il vérifia le hall et l'escalier. Rien. Il vérifia ensuite le vestibule de l'aile est.

Il retint son souffle, et sa serviette tomba sur le plancher. Darcy se dirigeait vers lui. Elle avait enfilé un peignoir de bain blanc pour couvrir son petit short et son débardeur.

Il marcha à grands pas vers sa valise et en retira un short boxeur propre. En soie rouge. Enfin, c'était mieux que Bob l'Éponge. On cogna doucement à la porte. Merde alors. Il remonta son short, puis ferma l'ordinateur portable. Il repoussa ses cheveux humides de son visage et ouvrit la porte.

Son visage était pâle et tendu. Son regard glissa sur son corps avant de revenir sur son visage.

Il tenta d'avoir l'air neutre.

— Ce n'est pas une bonne idée.

Elle posa une main sur la porte pour l'empêcher de la fermer.

— Tu as dit que nous devions parler.

— J'ai changé d'avis.

Elle fronça les sourcils.

— C'est ta dernière nuit ici.

«Notre dernière chance d'être ensemble.»

Ces mots planèrent sur eux, sans être prononcés.

— Je ne suis pas certain que ça peut fonctionner.

De la colère brilla dans ses yeux.

— Est-ce que tu es prêt à abandonner sans te battre? Ça ne ressemble pas à un super espion macho.

Elle ouvrit la porte avec un élan de force surprenant.

La force des vampires. Était-elle plus forte que lui? Austin recula.

— Es-tu fâchée?

— Penses-tu?

Elle ferma la porte, puis arpenta la chambre.

— Tu as accepté de te faire éliminer de l'émission ce soir même, mais tu es encore ici.

— Je n'essayais pas de rester. C'est simplement ce qui est arrivé.

— Bien sûr. Tu ne peux simplement pas t'empêcher d'être l'homme le plus séduisant sur terre. Ça doit être terriblement difficile pour toi.

Il appuya une épaule contre le mur et croisa ses bras sur sa poitrine.

— Est-ce que tu tentes de me faire renvoyer?

Elle continua à marcher à grands pas dans la pièce.

— Tu ne te rends donc pas compte qu'il s'agit du seul réseau où je peux travailler?

Elle s'arrêta pour le fixer du regard.

— Est-ce que tu es totalement insensible à ce que je peux vivre?

Il serra les dents.

— As-tu terminé?

— Non!

Elle marcha à grands pas vers lui.

— Tu n'aurais jamais dû te glisser dans le spa avec Vanda.

— Nous avons seulement discuté. Tu le sais. Tu nous observais.

Il lui jeta un regard irrité.

— Comme un faucon.

Elle renifla.

— Eh bien, tu t'es certainement remis de ta répulsion. Ou peut-être que c'est seulement moi qui te répugne.

— Tu ne m'as jamais répugnée !

Il s'éloigna du mur.

— Tu m'as laissé totalement confus. Tu pensais au soleil et à la plage. Tu buvais une boisson froide au chocolat. Tu avais un maudit pouls. Comment peux-tu être morte et avoir un pouls ?

Elle posa ses mains sur ses hanches. Ses seins se soulevaient à chaque respiration de colère.

— Je ne suis pas *morte*.

— Tu n'es plus morte, alors, si cela peut te faire sentir plus *vivante*.

Il s'avança brusquement vers elle et déplaça son peignoir de bain de son épaule. Il ignora son halètement et appuya deux doigts contre son artère carotidienne. Son pouls palpitait contre le bout de ses doigts.

— Et puis ? Suis-je morte maintenant ?

— Non.

« Merde. »

Comment pouvait-il la laisser tomber, puisqu'elle était vivante ?

— Peut-être que je suis vexée.

Elle haussa ses sourcils.

— Ou un peu excitée.

Il baissa sa main et recula.

— Comment ?

— Comment pourrais-je être excitée ?

Elle inclina sa tête sur le côté et examina son corps.

— Eh bien, je suis seule avec l'homme le plus séduisant sur terre et ça doit bien faire cinq ans que je n'ai pas…

— Je voulais savoir comment il était possible que tu aies un fichu pouls.

— Comment pourrais-je ne pas en avoir un ? Je marche et je parle. Je t'imagine nu. Comment pourrais-je faire cela, si mon cœur n'acheminait pas de sang aux diverses parties de mon corps ?

Le sang se faisait certainement pomper dans certaines parties de *son* corps à lui aussi, et ça ne l'aidait pas de voir qu'elle ne cessait de fixer son short. Cinq ans ?

— Que t'arrive-t-il en plein jour ?

Elle soupira.

— Lorsque le soleil se lève, mon cœur cesse de battre. Et dès qu'il se couche, j'ai l'impression d'être réanimée grâce à un défibrillateur divin. Tout se remet en marche.

— Ça me semble douloureux.

Elle sourit lentement tandis qu'elle déliait la ceinture de son peignoir de bain.

— Oh, c'est une douleur qui fait tant de bien.

Sainte séduction. Il regarda son peignoir de bain glisser en un tas sur le plancher à côté de sa serviette. En levant les yeux vers son visage, il fut attiré par son débardeur. Il était tellement tendu sur ses seins que le mince coton blanc dont il était fait semblait presque transparent. Ses mamelons étaient dodus et roses. Il n'avait qu'à les toucher du bout des doigts pour que leurs pointes durcissent. En fait, c'était une erreur. Il n'avait qu'à poser les yeux sur eux. Ses seins se tendirent et ses pointes roses durcirent. Son membre répondit à ce signal de la même façon, en devenant de plus en plus dur.

Elle marcha vers lui.

— Tu as dit que tu étais amoureux de moi. Est-ce vrai ?

Il ferma les yeux brièvement. Son membre continuait de grandir, et son cœur à souffrir.

— Darcy, tu devrais fréquenter quelqu'un de ton genre. Quelqu'un qui peut t'aimer et vivre avec toi pour l'éternité. Je ne peux te donner ce dont tu as besoin.

— Mais c'est toi que je veux.

— Merde !

Il marcha vers la porte.

— Tu sais que je travaille pour l'Agence centrale de renseignement. Si je continue à assassiner des vampires, ça va causer une tension dans notre relation, tu ne crois pas ?

— Tu pourrais démissionner.

Et être aspiré dans le monde des vampires, à ne vivre que la nuit, constamment entouré par des créatures qui le considèrent comme un casse-croûte.

— Tu me demandes de renoncer à tout.

— Alors, oublie ça.

Elle s'appuya contre la porte pour l'empêcher de l'ouvrir.

— Oublie la partie qui dit : « et ils vécurent heureux jusqu'à la fin des temps. » Ce sont des imbécillités. Ça n'arrive presque jamais, même dans le monde des mortels.

— Ne dis pas ça, Darcy. Tu mérites d'être aimée.

Ses yeux étaient luisants d'humidité.

— Nous n'avons pas toujours ce que nous méritons, n'est-ce pas ? J'ai appris ça à la dure. Alors, maintenant, je vais me contenter de ce que je peux avoir. Même si ce n'est que pour une nuit.

Son corps la désirait, mais il résistait. Parce qu'une nuit ne serait jamais assez. Merde.

Elle verrouilla la porte.

— Une nuit.

Il appuya son dos contre le mur. Il allait succomber à la tentation. Il le savait. Comment pourrait-il résister, alors qu'il la désirait autant ? Si toutefois elle croyait qu'ils allaient simplement pouvoir se serrer la main après coup et retourner avec bonheur dans leurs vies respectives, elle ne savait alors pas à quel point il était amoureux d'elle.

Son regard vacilla, empreint d'une lueur d'insécurité.

— Est-ce que je te répugne?

— Mon Dieu, non!

Pas quand il pensait tout abandonner pour elle. Sainte ironie. Combien de fois dans le passé avait-il été celui qui s'était montré satisfait d'une partie de jambes en l'air sans lendemain? Était-ce un genre de revanche divine? Le fait qu'elle puisse se contenter d'une seule fichue nuit lui tordait lentement les boyaux. Cela banalisait leurs sentiments, la connexion qu'ils avaient l'un envers l'autre. Cela le mettait en colère.

— Est-ce que tu as peur de moi?

Elle souleva son menton.

— Je n'ai jamais mordu personne et je ne le ferai jamais. J'aimerais mieux mourir.

— Tu ne mords pas? grommela-t-il entre ses dents.

— Non, je ne mords pas.

— C'est dommage. Moi, je mords.

Elle recula, les yeux bien grands.

— Tu… veux me mordre?

— Bien sûr.

Il croisa ses bras, agissant avec nonchalance en dépit de sa colère croissante.

— J'aime mordre.

Elle lui lança un regard circonspect.

— Mordre avec force?

— Pas assez pour faire mal. Il est davantage question de mordillements, de grattements de dents sur les parties les plus sensibles de ton corps. Et puis, il y a les mouvements circulaires de la langue, sans oublier les joies de la succion.

Elle fut momentanément bouche bée, puis elle revint à elle et se lécha les lèvres.

— Et où voudrais-tu me mordiller ainsi, exactement?

Il la regarda avec lenteur.

— À la base de ton cou, là où ce dernier rencontre ton épaule. Et à cet endroit tout doux à quelques pouces sous ton nombril.

— Ici ?

Elle glissa une main sous la taille élastique de son short bleu pâle.

— Oui.

Sa voix sembla rauque, et il en profita pour se racler la gorge. Il fit ensuite un signe de la main vers ses sandales pailletées.

— Et tes orteils.

— Oh.

Elle retira ses sandales d'un coup de pied et agita ses orteils dans le tapis épais.

— C'est tout ?

— Tes mollets. L'intérieur de tes cuisses. L'arrière de tes cuisses, là où elles se courbent pour former ton joli petit derrière.

Elle se tourna sur le côté et souleva l'ourlet de son short pour révéler la courbe de son derrière.

— Ici ?

Elle se caressa la peau. Ses paupières s'abaissèrent légèrement.

— D'autres endroits ?

Son érection tendait la soie légère de son short boxeur.

— La hanche, sous la taille, là où elle s'élargit.

Elle fit glisser son short en bas de ses hanches de quelques pouces, puis frôla sa peau nue de ses mains.

— Et ensuite ?

— Sous tes seins, là où c'est bien rempli et lourd.

— Oh.

Elle roula son débardeur jusqu'à ce que les courbes de ses seins soient révélées. Elle s'arrêta juste avant d'atteindre les mamelons. Elle plaça ses mains sous ses seins et les souleva. Lorsqu'elle posa les yeux sur lui, ces derniers s'assombrir et se mirent à miroiter.

Merde. Il se tendit.

— Tes yeux rougeoient.

— Cela signifie que je suis chaude. Et prête.

— C'est automatique?

Merde. Si elle n'avait aucun contrôle sur son comportement vampirique, qu'est-ce qu'elle allait faire d'autre? Est-ce que ses canines allaient sortir de ses gencives? Et si elle était plus forte que lui?

Elle s'avança vers lui sans se presser.

— Dis-moi où tu voudrais aussi me mordre.

Il n'allait pas la laisser le dominer. Il avait d'autres forces à sa disposition. Il rassembla sa puissance mentale et se concentra sur son cerveau. Elle s'arrêta en poussant un halètement. Ses yeux se fermèrent tandis que la peau de son visage prit une teinte rosée qui s'étendit ensuite jusqu'à son cou.

«Enlève ton haut.»

Ses yeux s'ouvrirent. Elle sourit légèrement.

— Comme tu veux.

Elle tira son débardeur par-dessus sa tête et le laissa tomber sur le plancher.

Il admirait ses seins lorsqu'une volute glaciale de pouvoir psychique dériva vers lui et plana autour sa tête. Il la rejeta automatiquement, et le nuage se dissipa.

— Tu es très fort, chuchota-t-elle.

— Ce n'est pas ton cas.

Elle haussa les épaules.

— C'est la première fois que je tente le coup. Je ne crois pas que ce soit bien d'envahir la vie privée des gens.

— Tu n'aimes donc pas que j'entre dans ta tête.

— Je n'aime pas quand les vampires le font. Ils sont terriblement froids. Mais toi, tu es merveilleusement chaud.

Elle rougit.

— Je n'ai rien à te cacher, et c'est si bon d'avoir chaud à l'intérieur. J'ai été froide pendant très longtemps.

Elle était froide parce qu'elle était littéralement morte la moitié du temps. Dans quoi s'embarquait-il? Il se réveillerait chaque matin à côté d'une morte. Il ne pouvait toutefois pas ignorer la douleur et le désir qu'il détectait dans ses yeux. Sa douleur était devenue la sienne. Son monde deviendrait le sien.

Elle se tenait devant lui vêtue seulement d'un short. Ses yeux étaient redevenus bleus, remplis d'un mélange de désir et de crainte. Elle avait peur qu'il la rejette.

— Tu me disais où tu aimerais me mordre, lui rappela-t-elle doucement.

— Ouais, il y a encore un endroit. Je ne te mordrais toutefois pas là. Je te caresserais avec amour.

Il se pencha vers elle et respira l'odeur de son shampooing. Il déplaça ses cheveux vers l'arrière en douceur. Là, sur son cou, se trouvaient deux petites cicatrices laissées par les canines d'un vampire. Pauvre Darcy. Ce n'était donc pas surprenant qu'elle laisse toujours ses cheveux détachés. Il caressa les cicatrices du bout de ses doigts.

Elle frissonna.

— Où me caresserais-tu avec amour?

Il chuchota à son oreille.

— Sur ton clitoris.

Il la souleva dans ses bras, marcha à grands pas vers le lit et la laissa tomber sur l'édredon.

— Austin?

— Oui.

Il la prenait, et au diable les conséquences.

Vingt et un

Le cœur de Darcy faisait un bruit assourdissant dans ses oreilles tandis qu'elle tendait les bras vers lui.

«Oui!»

Si le reste devait échouer, elle aurait au moins droit à une nuit formidable. Austin se laissa tomber sur le lit et l'attira dans ses bras. Oui. Son esprit répétait le même mot, car elle était trop excitée pour penser à autre chose. Elle déposa une multitude de baisers sur son visage et glissa ses mains dans ses cheveux. C'était épais, humide et si doux. Un merveilleux contraste avec les favoris plus sombres qui soulignaient sa mâchoire.

Il plantait lui aussi des baisers partout sur son visage, et ça ne la dérangeait pas qu'elle ait l'air d'agir de façon précipitée, même frénétique. Qu'est-ce que ça pouvait bien faire que la situation dégénère et explose? Elle aimait l'aura de désespoir qui les entourait, et ce serait une explosion infernale.

Leurs bouches se trouvèrent, s'ouvrant aussitôt pour mieux se mêler. Il envahit sa bouche avec sa langue en même temps qu'il pénétrait dans son esprit.

« Je suis là, Darcy. Tu n'auras plus jamais froid. »

Elle s'offrait à lui, tant mentalement que physiquement, se délectant de la chaleur de son esprit et de son corps. Une vague de crainte se déversa en elle lorsqu'elle comprit à quel point elle s'offrait à lui. Il était dans son esprit et il entrerait bientôt dans son corps. Il connaîtrait chaque pouce de son corps, autant à l'intérieur qu'à l'extérieur, et bizarrement, elle n'avait pas peur, car elle avait confiance en lui. Elle n'avait jamais encore fait autant confiance à quelqu'un.

Il recula quelque peu et la regarda.

— Darcy.

Il repoussa ses cheveux vers l'arrière.

— Tu m'honores.

Il avait entendu ses pensées. Elle se sentait comme si son cœur allait éclater avec une surabondance d'amour. Elle voulait lui montrer à quel point. Elle le devait. Rapide comme l'éclair, elle lui plaça le dos contre l'édredon en retenant ses mains.

— Oh !

Son expression choquée devint circonspecte.

— Tu es… euh… vraiment forte.

Plus forte qu'elle l'avait elle-même imaginé. Génial. Elle examina la poitrine et les bras musclés d'Austin. Eh bien, elle était forte comme un super espion macho. Il serra le poing et tenta de se défaire de l'emprise qu'elle avait sur son poignet. Il ne pouvait pas bouger. Vraiment génial.

Il fronça les sourcils et l'étudia.

— J'imagine que ça t'excite. Tes yeux sont rouges à nouveau.

Elle sourit.

— Ne t'en fais pas. Je serai douce.

Elle libéra ses poignets, laissant ses doigts glisser le long de ses bras, sur ses biceps, ses épaules et sur sa poitrine. Elle posa ensuite ses mains sur les poils frisés de sa poitrine et suivit le chemin tracé par ses poils châtains jusqu'à son nombril. Quel homme magnifique ! Elle pourrait le manger vivant.

Il se releva avec ses coudes, l'observant avec un regard inquiet.

— J'aimerais mieux pas.

Oh, le vaurien l'avait entendue.

— Je parlais au sens figuré. Détends-toi.

Elle le repoussa sur le dos.

— J'ai dit que je serais douce.

Elle s'empara de la taille élastique de son short boxeur rouge aguichant et tira.

Il *déchira*. Elle grimaça en voyant la soie fragile être ainsi déchirée en deux.

— Oups.

Il souleva la tête pour regarder son short boxeur déchiré.

— Je suis désolée.

Elle lui fit un sourire d'excuse.

— Je suis un peu trop emportée par mon désir.

Elle jeta un coup d'œil sur lui.

— Je ne suis pas la seule.

Il poussa un gémissement et reposa sa tête sur le lit.

— Si tu ne connais pas ta propre force, tu devrais arrêt…

Il haleta lorsqu'elle referma sa main sur lui.

— Je devrais quoi?

Elle caressa doucement son membre.

Il serra les dents.

— Continuer.

Elle fit de petits cercles autour de l'extrémité de son membre.

— Je pensais bien pouvoir te persuader de continuer.

— Ouais, je suis un homme facile.

Ses yeux se fermèrent en vacillant. Sa poitrine se soulevait au rythme de son souffle qui s'accélérait.

C'était un si bel homme. Et son membre était si gros. Elle suivit le tracé d'une veine avec son doigt, puis se rapprocha de lui afin de pouvoir faire la même chose avec sa langue. Un gémissement gronda profondément dans la gorge d'Austin. Elle donna des baisers de la base de son membre jusqu'à son gland, puis elle le prit dans sa bouche.

«Est-ce que tu aimes ça?» lui demanda-t-elle dans ses pensées.

«Mon Dieu, oui! Tu es vraiment douée. Tu es...»

— Attends!

Il lutta pour s'asseoir sur le lit.

Elle le libéra en lui donnant un baiser de ses lèvres.

— Mmm... ça goûte le poulet.

— Ce n'est pas drôle. Tu n'as jamais fait l'amour, depuis que tu es une femme vampire, c'est bien ça? Est-ce que tu sais seulement à quoi t'attendre?

Elle frotta sa joue contre son membre, puis l'embrassa de nouveau.

— Je m'attends à avoir du bon temps. Je suis douce.

— Tu ne peux toutefois pas contrôler tes yeux, ni ta force. Et si tu ne pouvais pas contrôler tes canines, et qu'elles décidaient de sortir de tes gencives?

Elle fit une pause avec sa bouche sur son membre.

— Ça ferait tout un perçage corporel.

Il la repoussa et l'épingla sur son dos.

Elle se mordit la lèvre pour s'empêcher de rire.

Il lui lança des regards noirs.

— Ce n'est pas drôle.

— Je ne t'aurais pas mordue.

Raisonnement de mâle typique. Si inquiet de la conservation de ses bijoux de famille.

— J'ai entendu ça.

Il examina son corps de ses yeux tandis qu'il maintenait une prise ferme sur ses poignets.

Elle supposa qu'elle était assez forte pour se défaire de son emprise. Si elle souhaitait le faire.

Il arqua un sourcil.

— Mais tu ne le souhaites pas.

Elle sourit lentement.

Elle agrippa l'édredon entre ses mains fermées et planta ses pieds fermement sur le lit.

— Voilà. Je suis prête. Vas-y, fais-moi mal. Enfin, fais-le bien, je veux dire.

Sa bouche trembla.

— D'accord.

Darcy haleta en sentant de nouveau sa bouche sur elle. Elle saisit l'édredon et ferma les yeux. Bon Dieu. Il était si doux, si amoureux, si minutieux, et si *fichtrement lent*! Il accéléra la cadence, et elle comprit qu'il l'avait entendu à travers le brouillard sensuel.

« Oh, je suis désolée. »

Elle était toutefois si impatiente qu'elle soulevât ses hanches en désirant plus de pression. Il répondit immédiatement à son désir en lui saisissant les hanches. Bon Dieu, cette télépathie était vraiment efficace!

« Un peu plus à droite. Non, l'autre droite. Plus rapidement. Plus vite. »

Elle perdit le contrôle, incapable à présent de lui donner des instructions. Il ne semblait toutefois pas en avoir besoin. Elle grimpait plus haut, atteignait des plateaux, des sommets, jusqu'à ce qu'elle soit juste au bord. Il continuait, jusqu'à…

Elle poussa un cri. Son corps se tordit de convulsions. Ses jambes se resserrèrent.

— Ah!

Il extirpa son corps d'entre ses jambes.

— Ce que tu peux être forte!

Elle poussa un gémissement et roula sur le côté. Son corps continuait d'être secoué par les spasmes les plus doux.

Il s'affala à côté d'elle et la tira dans ses bras.

— Est-ce que ça va, mon cœur?

— Oui, dit-elle en haletant.

Ils se tendirent tous les deux, quand ils entendirent frapper à la porte avec force.

— Hé, Austin ! cria Garrett. Que se passe-t-il ? As-tu besoin d'aide ?

Austin hurla.

— J'ai invité une amie. Vas-t-en.

Il y eut une pause.

— Tu es sûr que tu n'as pas besoin d'aide ?

Darcy roula des yeux, quand elle entendit un rire étouffé de l'autre côté de la porte.

— Fiche le camp, espèce d'idiot, cria Austin.

Quand tout fut calme de nouveau, il la roula sur le dos.

— Bon, où en étions-nous ?

Elle entoura son cou de ses mains.

— Je venais tout juste d'avoir l'orgasme le plus colossal de toute ma vie.

— Oh. Eh bien, c'est une grande commande. Voyons voir si nous pouvons faire mieux.

Il abaissa sa tête sur ses seins.

Darcy perdit presque le souffle alors que toutes les sensations qu'elle venait de connaître revenaient à grande vitesse. Ses jambes s'écartèrent peu après, et les doigts d'Austin étaient de nouveau trempés.

— Ai-je besoin d'un préservatif ? chuchota-t-il.

— Non.

Elle secoua la tête, les yeux fermés. Il l'agaçait en formant tout doucement de petits cercles dans son intimité.

— Je n'ai pas de maladies.

Sa main fit une pause.

— Et les enfants ?

Ses yeux s'ouvrirent. Son cœur eut quelques battements irréguliers tandis qu'elle observait son air préoccupé.

— Je ne peux pas avoir d'enfants.

Un éclat de douleur traversa son visage.

— Je l'ignorais. Je suis désolé.

Elle déglutit et refoula mentalement les larmes qui menaçaient d'envahir ses yeux. Austin serait un si bon père. Ce n'était qu'une raison de plus pour laquelle elle ne devrait pas lui permettre d'être en relation avec elle.

— Non. Je t'aime.

Il se plaça entre ses jambes, tout contre elle.

— Peu importe.

Elle poussa un cri lorsqu'il plongea en elle. Elle l'entoura de ses bras et de ses jambes, s'agrippant fermement à lui.

« Je t'aime. »

Il répéta ces mots dans sa tête tout en s'enfonçant en elle. Ils s'accrochèrent mentalement l'un à l'autre tandis que leurs sensations fusionnaient tout en les conduisant vers de nouveaux sommets de plaisir.

Son corps fut secoué de spasmes tandis qu'il jouissait en elle. Son gémissement résonna dans ses oreilles ainsi qu'à l'intérieur de sa tête. Son propre corps répondit à cela par un tressaillement sensuel. Elle ne savait pas si ce second orgasme était plus fort que le premier, mais il était certainement plus doux, étant donné qu'ils avaient joui ensemble.

Il s'affala à côté d'elle et la tira dans ses bras.

— Est-ce que ça va, mon cœur ?

Elle trembla tandis que la chaleur de son corps diminuait rapidement.

— Je recommence à avoir froid.

— Tiens. Va sous les couvertures.

Il se précipita hors du lit et rabattit l'édredon. Elle se glissa sous ce dernier tandis qu'il éteignait la lumière. Le clair de lune filtra par la fenêtre, donnant à ses cheveux une teinte argentée.

Il s'installa à côté d'elle en souriant.

— Je te réchaufferai à nouveau dès que j'aurai récupéré du premier round.

— Est-ce un combat de boxe ?

Elle se blottit près de lui.

Il grimaça.

— Ne t'attends pas à un combat de neuf rounds.

Elle sourit et caressa les poils frisés sur sa poitrine.

— Tu n'es plus dans ma tête.

Le coin de sa bouche se releva.

— Je conserve mon énergie.

— Est-ce que tu as toujours eu des pouvoirs de télépathie?

Il ferma les yeux. Sa respiration ralentit, et elle se demanda s'il était tombé endormi. Il semblait si inoffensif et beau.

Il ouvrit les yeux et regarda fixement le plafond.

— C'est de famille, mais ça saute une génération. Mon grand-père était télépathe. Le père de ma mère.

— Celui dont tu portes le nom?

Il hocha légèrement la tête.

— Grand-père Olaf. Quand j'étais très jeune, je pouvais entendre les gens dirent des choses, mais leurs lèvres ne bougeaient pas. Et quand je leur répondais, ils me regardaient comme si j'avais deux têtes sur les épaules. J'avais peur que quelque chose ne tourne pas rond en moi.

— Ça a sûrement été très déroutant.

— Ouais. Grand-père Olaf comprenait toutefois ce qui m'arrivait, et il m'a tout expliqué. J'ai d'abord eu peur, mais il a rendu ça amusant, en disant que c'était comme un club secret et bien spécial dont nous faisions tous deux partie.

Austin sourit.

— Nous passions des heures à pêcher sur son lac préféré au Minnesota, en ayant de longues conversations sans échanger un seul mot.

Darcy supprima un tiraillement de douleur. Elle s'ennuyait encore des longues conversations qu'elle avait avec ses sœurs.

— Tu étais chanceux de l'avoir.

— Oui. Il m'a conseillé d'être prudent avec ce don, mais en vieillissant, je suis devenu plus hardi et… vaniteux, j'imagine. Je me considérais comme étant le grand protecteur de mes trois plus jeunes sœurs. Quand leurs amis venaient à la maison, je lisais dans leurs esprits et je les chassais, si je n'aimais pas ce que je découvrais.

Darcy poussa un léger grognement.

— Je parie que tes sœurs aimaient cela.

Il sourit.

— Je me suis demandé à l'époque pourquoi elles n'en étaient pas reconnaissantes. Maintenant, je me rends compte que j'agissais comme un voyou qui savait tout.

Son sourire s'effaça.

— Mes pouvoirs augmentèrent grandement vers l'âge de 15 ans, et j'ai alors commencé à me vanter de ce que je pouvais faire. Cela contrariait mon père. Il a toujours envié la proximité que j'avais avec mon grand-père. Il devint convaincu que grand-père Olaf était une mauvaise influence dans ma vie. Il a même pensé que mon grand-père m'initiait aux choses surnaturelles.

— Oh, non.

Darcy posa sa tête sur sa main.

— Qu'a-t-il fait ton père ?

— Il m'a interdit de revoir mon grand-père. J'ai réagi avec colère, en disant qu'il ne pourrait jamais nous empêcher de communiquer, car nous pouvions entrer dans nos esprits à volonté. Cela le fit paniquer à un point tel qu'il déménagea toute notre famille au Wisconsin. Il m'a dit que mes pouvoirs étaient maléfiques et que je ne devais plus jamais les utiliser.

— Oh, je suis vraiment désolée.

Darcy caressa le front d'Austin.

— Cela a dû être épouvantable pour toi.

Il haussa les épaules.

— C'est alors que je me suis rendu compte que mes pouvoirs n'étaient pas aussi puissants que je l'avais imaginé. Je ne pouvais plus établir de communication avec mon grand-père sur une aussi longue distance. Je me retrouvais dans une nouvelle école secondaire, et je ne voulais pas être perçu comme une bizarrerie de la nature. Mes sœurs m'en voulaient beaucoup parce que le déménagement les avait éloignées de leurs amis. J'ai donc... cédé. Je voulais que tout le monde soit heureux avec moi, alors j'ai tenté d'agir comme un type normal. J'ai tenté de rendre mon père fier de moi. Je faisais partie de l'équipe de football américain et de l'équipe de natation. J'ai été un étudiant modèle tout au long de mes études secondaires et collégiales.

Darcy soupira. Elle savait trop bien ce que c'était que d'être pris au piège dans un monde où on ne pouvait pas être soi-même.

— Qu'est-il arrivé à ton grand-père?

— J'étais au collège lorsqu'il m'a appelé en me demandant d'aller le voir.

Austin ferma brièvement ses yeux. Ses lèvres s'amincirent tandis qu'un air de tristesse s'affichait sur son visage.

— J'ai eu de la difficulté à le reconnaître tellement sa santé s'était gravement détériorée. Je n'avais pas compris à quel point il avait besoin de moi. Il me pria de cesser de nier qui j'étais vraiment, et m'encouragea à accepter mes dons et à les utiliser pour faire le bien autour de moi. Il m'a dit de ne jamais en avoir honte, qu'il y avait une raison pour laquelle Dieu m'avait fait ainsi, et qu'il me revenait de trouver cette raison.

— C'était un homme bon, chuchota Darcy.

Sa philosophie lui fit penser à celle de Maggie, quoiqu'elle ne parviendrait jamais à comprendre ce qui pourrait être bon avec le fait d'être une femme vampire.

Austin soupira.

— J'ai eu l'impression de l'avoir trahi, et de m'être trahi moi-même. Sur son lit de mort, je lui ai promis de faire ce qu'il m'avait demandé. Je me suis donc joint à l'Agence centrale de renseignement et j'ai développé mes habiletés afin de pouvoir combattre le mal.

— Comme moi? demanda-t-elle sèchement.

Il lui jeta un regard irrité.

— N'insulte pas la femme que j'aime.

Elle sourit et posa sa tête sur son épaule. Elle comprenait maintenant ce qui motivait Austin à utiliser ses pouvoirs pour protéger les innocents et combattre le mal. Elle ne pouvait s'attendre à ce qu'il y renonce. Son don était trop rare et trop spécial pour qu'il soit ainsi gaspillé.

— Je parie que tu te déguisais en super héros pour l'Halloween.

Il eut un petit éclat de rire.

— Oui. J'appréciais particulièrement les capes.

— Et tu avais des sous-vêtements de Superman ?

Il hocha la tête.

— Et même un pyjama de Spiderman. Ma boîte à sandwichs était à l'effigie de l'incroyable Hulk.

Elle caressa sa poitrine musclée et ses abdominaux bien définis.

— Oh ouais. Tu es incroyable, ça, c'est sûr.

Il se roula sur le côté en souriant.

— Je parie que tu avais une poupée Barbie, modèle plage de Malibu.

Darcy éclata de rire.

— Ainsi que la maison de plage.

— Une adorable jeune fille typiquement américaine.

Il lui caressa le dos des fesses aux épaules.

— Raconte-moi ce qui t'est arrivé.

Son sourire s'effaça.

— J'aimerais mieux pas.

— Je veux le savoir.

— Je suis morte. Fin de l'histoire.

— Tu étais journaliste à la télévision. J'ai vu les bandes vidéo. Tu étais amusante et intelligente.

Il repoussa ses cheveux vers l'arrière.

— J'ai essayé de découvrir ce qui t'était arrivé. Je suis allé voir ton ancien caméraman, Jack.

Darcy haleta.

— Comment va-t-il ?

— Il ne va pas très bien. Quelque chose lui a vraiment fait peur. Il pense que tu as été enlevée par des extraterrestres suceurs de sang.

Elle tressaillit.

— Pauvre Jack.

— Dis-moi ce qui est arrivé. C'était il y a quatre ans, le soir de l'Halloween.

— Je réalisais un reportage sur des jeunes qui prétendaient être des vampires.

Elle le regarda d'un air sceptique.

— Est-ce que tu tiens vraiment à entendre ça ?

— Oui. Dis-le-moi.

Darcy frissonna tandis qu'elle permettrait à ses souvenirs de s'échapper du fichier mental où elle les avait enfermés.

— Nous sommes allés à une boîte de nuit, dans Greenwich Village, pas très loin de Washington Square. Ça s'appelait Les canines d'occasion. Jack avait sa vieille caméra vidéo. Nous allions interviewer quelques jeunes et partir peu après.

Elle ferma brièvement les yeux.

— Un couple de l'Université de New York est venu à notre table, Draco et Taylor. Draco s'était fait implanter des dents qui ressemblaient à des canines de vampires. Taylor était une gentille fille qui voulait seulement se faire remarquer. Ils ont posé pour la caméra, puis ils sont partis. C'est alors que j'ai remarqué deux hommes à l'allure étrange, et que je suis allée à leur table.

— Qui étaient-ce ? demanda Austin.

— C'était Gregori, en smoking, comme à son habitude. L'autre était un Écossais vêtu d'un kilt rouge et vert.

Austin se raidit.

— On dirait le vampire qui a enlevé Shanna, quand elle était sous ma protection. Un grand rouquin, les cheveux tirés en queue de cheval, qui s'exprime d'une manière semblable à un croisement entre Shrek et Billy Connolly?

Darcy sourit tristement.

— Oui. C'est Connor.

Elle avait d'abord pensé que son accent était vraiment mignon.

— J'ai cru qu'il pouvait s'agir de policiers. Ils ont d'ailleurs reconnu se trouver dans cette boîte parce qu'ils avaient entendu dire qu'il s'y passait des trucs pas très catholiques. J'ai alors pensé que c'était une affaire de drogue.

Elle soupira.

— Je leur ai dit qu'ils semblaient trop âgés pour jouer le jeu comme le faisaient ces jeunes. Connor a dit qu'ils n'avaient pas besoin de faire semblant, et que je n'avais aucune idée de son âge réel.

Austin fronça les sourcils.

— On aurait dit qu'il s'amusait à tes dépens.

— J'ai pensé qu'ils plaisantaient, surtout quand Connor a dit qu'il était un véritable vampire.

Austin s'assit sur le lit.

— Il a vraiment dit ça?

— Gregori et Connor ne cessaient de plaisanter. Je n'en croyais pas un mot, et ils le savaient. J'ai même demandé à Connor s'il avait été transformé par le monstre du Loch Ness, et il m'a dit que je ne devais pas me moquer de sa chère Nessie. Nous passions de bons moments et éclations de rire de temps en temps, jusqu'à ce que je demande à Jack de venir les filmer. C'est alors qu'ils sont devenus très nerveux.

— La caméra de Jack n'était pas numérique?

— Non. Tout à coup, j'ai senti ce froid glacial pénétrer dans ma tête, et une voix qui me disait que je n'allais pas les filmer. Cette même voix nous disait de partir, Jack et moi. Peu après, Gregori et Connor n'étaient plus à la table. Ils se trouvaient maintenant au bar, à boire quelque chose de rouge qui ressemblait à du sang. J'étais si confuse et dégoûtée que je me suis emparée de ma bourse et me suis dirigée vers la sortie la plus proche.

— Qui donnait sur la ruelle arrière? chuchota Austin.

Darcy se couvrit le visage, mais les terribles souvenirs envahirent son esprit.

— C'était trop terrible.

Austin l'enveloppa de ses bras.

— Ça ne le sera pas, si tu partages ton histoire avec moi. Dis-le-moi.

Elle baissa les mains.

— Je vais essayer.

Vingt-deux

— Je me suis donc retrouvée dans la ruelle avec Jack, commença Darcy. J'avais les nerfs à fleur de peau, et je me souviens d'avoir sursauté, quand la porte de métal s'est refermée dans un grand bruit. Un conteneur à déchets dégageait une mauvaise odeur. J'ai entendu des grattements, et j'avais peur que ce soit des rats.

Elle poussa un léger grognement.

— Ce n'était malheureusement pas le cas.

— Que s'est-il passé ? demanda Austin.

— J'ai entendu le cri d'une femme, et j'ai contourné le conteneur à déchets. C'était Taylor, la jeune femme que j'avais rencontrée dans la boîte. Un homme l'avait poussée contre le mur, et son visage était appuyé contre son cou. J'ai d'abord pensé que c'était son petit ami Draco. Ses vêtements étaient semblables. Taylor ne semblait pas consentante, car elle était manifestement terrifiée. J'ai donc agrippé l'épaule du type et je lui ai crié d'arrêter.

— Ce qu'il n'a pas fait, devina Austin.

Darcy grimaça.

— Il a poussé un hurlement affreux et guttural semblable à ceux des animaux. Cela m'a fait peur, mais comme il faisait mal à Taylor, j'ai tenté de lui faire lâcher prise en le tirant vers l'arrière. C'est à ce moment que Jack a allumé la lumière de sa caméra, et que j'ai compris que l'assaillant n'était pas Draco. J'ai aussi vu qu'il mordait le cou de Taylor. Je devins alors si furieuse que je l'ai frappé dans le dos. Jack m'a crié d'arrêter, mais il était trop tard.

— Il t'a attaquée?

— Il m'a repoussée avec tant de force que j'ai fait un vol plané. Je suis entrée en collision avec Jack, et nous sommes tombés sur le ciment. Je n'avais rien, mais Jack demeurait immobile sur le sol, une expression choquée sur son visage. J'ai saisi mon téléphone portable dans ma bourse et j'ai composé le numéro d'urgence. Je leur ai dit qu'on assassinait une femme dans la ruelle arrière.

Darcy se couvrit le visage.

— Une femme *a bel et bien été* assassinée. J'ignorais seulement que ce serait moi.

— Tout doux, ma belle.

Austin la pressa contre lui.

— Ça va, maintenant.

Elle baissa ses mains et prit une inspiration chancelante.

— J'ai regardé autour de moi à la recherche d'une arme. Puis, Jack a chuchoté le mot «vampire». Je pensais qu'il était en état de choc, mais il m'a donné la caméra et m'a dit d'y jeter un coup d'œil. Je me suis relevée, et Jack a bondit sur ses pieds avant de s'enfuir en courant.

— Tu n'es pas sérieuse.

Les yeux d'Austin scintillèrent de colère.

— Ce bâtard. Je devrais retourner le voir et lui botter le derrière.

— Non.

Darcy posa la main sur le visage d'Austin.

— Il était terrifié. Il connaissait déjà la vérité. J'ai pris la caméra et j'ai regardé par l'objectif. Je ne pouvais pas voir l'assaillant, mais

Taylor était ballottée contre le mur telle une poupée de chiffon avec deux trous dans le cou. J'étais réellement abasourdie. Il se tenait droit devant moi. Un véritable vampire.

— Qu'est-ce que tu as fait?

Darcy poussa un petit grognement.

— J'ai réagi comme une journaliste. J'ai appuyé sur le bouton d'enregistrement. Il s'est ensuite tourné vers moi et m'a regardée. Du sang dégouttait de ses canines. Je savais que je devais faire quelque chose, faute de quoi il allait nous tuer toutes les deux.

Les yeux de Darcy se remplirent de larmes.

— Je lui ai dit que je détenais la preuve de son existence et que j'allais diffuser cela aux actualités. Il se ferait alors pourchasser comme un animal. Il laissa tomber Taylor et elle s'effondra sur le sol. Je lui ai demandé si elle pouvait bouger. Je lui ai dit de courir, mais elle est cependant demeurée assise sur place en pleurant.

Austin embrassa le front de Darcy.

— Ma courageuse bien-aimée.

— J'ai lancé la caméra vers lui, mais il la repoussa au sol. Il se déplaça ensuite si vite que je ne vis qu'une tache. Il s'empara de moi par-derrière et me colla contre lui. Il puait le sang. Je pouvais sentir son souffle sur mon cou et le grattement de ses dents.

Austin la serra plus fort contre lui.

— Ce monstre t'a mordue?

— Non. La porte arrière s'ouvrit, et Connor s'approcha de nous en criant au vampire de me relâcher. Il a déclaré que ce vampire était un Mécontent et lui a demandé d'arrêter de chasser les innocents. Ce dernier a répondu qu'il aimait que ses repas soient frais.

— Alors, c'est bien vrai, dit Austin. Il y a deux factions — les vampires et les Mécontents.

— Oui. Les Mécontents aiment terroriser les mortels, et ils détestent les vampires qui tentent de les en empêcher.

Darcy soupira.

— Gregori a alors dit qu'il emmènerait Taylor chez lui et qu'il effacerait sa mémoire. Il s'est également emparé de la cassette de la caméra.

— Et que s'est-il passé avec toi ? demanda Austin.

Darcy trembla.

— Le Mécontent s'éloigna de Connor tout en maintenant son emprise sur moi. Connor lui a dit que j'allais le ralentir dans sa fuite, et qu'il serait mieux de me lâcher. Connor continua à se déplacer vers nous, et le Mécontent avait peur. Je pouvais sentir son souffle rapide contre mon cou. Il a ensuite dit qu'il avait besoin d'une distraction.

Elle toucha le visage d'Austin et plongea ses yeux dans les siens.

— C'est dans ce bref petit moment que j'ai su ce qu'était la véritable terreur. Tout a semblé ralentir. J'ai ouvert la bouche pour crier, mais le vampire a été plus rapide. Il a sorti un couteau et me l'a enfoncé dans la poitrine.

Austin fit s'asseoir Darcy sur ses genoux.

— Je le tuerai. Je le traquerai et je le tuerai.

— Tout est flou, après ça, chuchota Darcy.

— Je me souviens d'avoir entendu Connor crier de colère. Je me souviens aussi d'avoir éprouvé une grande douleur, puis un choc. Je me suis rendu compte que j'allais mourir. Le Mécontent a disparu, et Connor s'est mis à genoux à côté de moi. Il ne cessait de me dire qu'il était désolé, qu'il aurait dû l'empêcher d'agir. Je me souviens que ses yeux étaient bleus. Je le fixais du regard. Je ne voulais pas mourir seule. Connor a alors dit que je n'avais pas à m'inquiéter. Qu'il s'occuperait de moi.

Darcy glissa des genoux d'Austin et se recroquevilla sur le lit. Des frissons lui parcoururent le corps.

— Darcy.

Austin se coucha près d'elle et l'entoura de ses bras. Mais ses tremblements ne cessèrent pas.

« Darcy. »

Il inonda son esprit de sa forte et chaude présence.

« Tu es en sécurité. Tu es avec moi, maintenant. »

Elle poussa un long soupir. Elle avait réussi à lui raconter son histoire. Elle pouvait maintenant repousser ces vilains souvenirs dans un coin sombre de son cerveau.

— Je ne voulais pas devenir une femme vampire.

— Bien sûr que non.

— J'étais à peine consciente, quand ils m'ont transformée.

— Qui l'a fait ? chuchota Austin. Qui t'a mordue ?

Elle avala sa salive avec difficulté.

— Connor.

Le souffle d'Austin siffla entre ses dents serrées.

— Ce bâtard. Je devrais le détester, mais il t'a sauvé la vie.

Elle poussa un petit grognement.

— Il aurait pu me téléporter à Romatech, ou encore dans un hôpital, mais il tenait davantage à veiller sur son grand secret qu'à me maintenir en vie. J'ai perdu ma famille, ma maison, mon travail, mes économies, ma capacité d'avoir des enfants. J'ai perdu la lumière du jour et tout espoir d'avoir une vie normale.

— Mais tu es ici, maintenant. C'est bien mieux ça que d'être morte.

— Je suis morte, pendant le jour, chuchota-t-elle.

— Mais tu es vivante, la nuit. Disons que ta tasse est à moitié remplie, au lieu d'être à moitié vide. Et je suis prêt à partager cette tasse avec toi.

Elle se tourna vers lui et le regarda avec des yeux remplis de tristesse.

— Tu vas perdre ton travail, s'ils découvrent que tu as une relation avec une femme vampire.

Il haussa les épaules.

— Peut-être bien. Nous prendrons cela un jour à la fois, ou plutôt une nuit à la fois. Nous ferons en sorte que notre relation fonctionne.

— Je l'espère.

Elle respira à fond et ferma les yeux. Un parfum chatouilla son nez. C'était une odeur riche et délicieuse. *Austin*.

— Si Shanna et Roman peuvent y arriver, nous le pouvons, nous aussi.

— Oui, mais ils ont encore des problèmes.

Darcy sentit quelque chose d'étrange en elle, comme si le battement de son cœur était amplifié partout dans son corps. Elle lutta pour se concentrer sur la conversation.

— Shanna veut avoir des enfants, mais il se peut que ce soit impossible.

— Non, je ne pense pas que ça pourrait fonctionner.

Le battement devint de plus en plus fort. Darcy se demanda si quelque chose ne tournait pas rond avec son cœur.

— Roman voulait redevenir mortel, mais cela n'a pas davantage fonctionné.

— Quoi?

Austin s'appuya sur un coude.

Darcy haleta, quand elle remarqua la veine dans le cou d'Austin. Ce n'était pas le battement de son cœur qu'elle entendait, mais celui d'Austin. C'était son sang, pompé dans ses artères, qui lui lançait un appel.

— Darcy.

Il toucha son épaule.

Elle sursauta.

— Oui?

— Est-ce que ça va?

— Oui, je vais bien.

« Que Dieu me vienne en aide. J'ai faim. »

— Y a-t-il une façon de transformer un vampire en mortel?

— Roman pensait que oui, mais ils ont tenté l'expérience sur un porc, et ce dernier est mort. Qui plus est, Shanna refuse catégoriquement de laisser Roman tenter le coup sur lui-même.

Le regard de Darcy se posa de nouveau sur la veine du cou d'Austin. Bon Dieu, elle pouvait en fait voir son cœur battre dans sa veine. Elle pouvait sentir le sang. C'était épouvantable. Ça ne lui était jamais arrivé auparavant, mais elle n'avait jamais côtoyé de mortels au cours des quatre dernières années. Et maintenant, elle agissait comme… une femme vampire.

— Et cette expérience ? Comment fonctionne-t-elle ? demanda Austin.

— Elle ne fonctionne *pas*.

Darcy serra ses dents de frustration. Une douleur curieuse se faisait sentir dans ses gencives.

— Et pourquoi pas ?

— Tu ne portes pas ta chaîne de cheville ?

Elle jeta un coup d'œil vers le bas, mais l'édredon lui couvrait les jambes.

— Je l'ai enlevée, quand j'ai pris ma douche. Darcy, pourquoi l'expérience n'a-t-elle pas été concluante ?

— Ça a quelque chose à voir avec notre ADN. Il a subi une mutation. Roman pense que ça pourrait uniquement fonctionner avec l'ADN humain d'origine.

L'odeur du sang d'Austin inonda son cerveau. Le battement de son cœur résonnait dans son propre corps. Bon Dieu, et si Austin avait raison ? Elle n'avait aucun contrôle sur ses yeux ou sur sa force. Et si ses canines jaillissaient de ses gencives ?

Elle sauta du lit et fit des pieds et des mains pour rassembler ses vêtements sur le plancher. Elle ne put trouver ses sous-vêtements, alors elle se contenta de son short.

Austin s'assit.

— Qu'est-ce qui ne va pas ?

— Rien.

Elle localisa son débardeur et l'enfila. Le picotement dans ses gencives devenait plus fort. Oh, mon Dieu, et si elle le mordait ? Et si elle le tuait ?

Il sortit du lit.

— Ne t'en va pas. Le deuxième round nous attend.

Elle se glissa dans son peignoir de bain.

— Je ne veux pas tomber endormie ici. Le soleil va briller par tes fenêtres.

Elle enfila ses pantoufles.

— Je serai plus confortable dans le cabanon.

Il s'empara d'une paire de sous-vêtements dans sa valise et le mit.

— Je viens avec toi.

— Non !

Il la regarda durement.

— Ne me repousse pas. Tu as pris la décision de venir me rejoindre cette nuit, et ce fut magnifique. Tu ne peux plus faire marche arrière, à présent.

Une douleur vive se manifesta dans ses gencives.

— Je dois y aller.

Elle ouvrit la porte avec force.

— Merde, Darcy !

Il marcha à grands pas vers elle.

— Tu vas me dire ce qui ne va pas !

— *C'était* magnifique.

Ses yeux se remplirent de larmes.

— Ça ne doit toutefois pas se reproduire. Je suis désolée.

Elle fonça ensuite vers le vestibule.

— Nous devons discuter, hurla-t-il. Je serai à ta porte dans cinq minutes !

— Hé !

La voix de Garrett retentit dans le vestibule.

— Que se passe-t-il ?

Darcy accéléra afin que le deuxième homme de l'Agence centrale de renseignement ne puisse remarquer que la petite amie d'Austin était une femme vampire. C'était déjà assez grave de briser le cœur d'Austin. Elle ne voulait pas qu'il en perde aussi son travail. Elle pourrait continuer à entendre leurs voix au loin avec son ouïe ultra-sensible.

— Tu as un problème avec ta petite amie ? demanda Garrett.

— Je vais le régler, bougonna Austin. C'est seulement provisoire.

Les larmes montèrent aux yeux de Darcy tandis qu'elle grimpait les marches de l'escalier menant au toit. Le problème n'était pas provisoire. Elle allait être une femme vampire pour toujours.

Cinq minutes plus tard, Austin frappa à la porte du cabanon. Il n'eut pas de réponse.

— Darcy, je sais que tu es là.

Il l'avait observée avec la caméra de surveillance tandis qu'il s'habillait en vitesse. Elle s'était emparée d'une bouteille de Chocosang et d'une boîte de mouchoirs avant de filer vers sa chambre à coucher.

Il frappa plus fort.

— Nous devons discuter.

La porte s'entrouvrit. Ses yeux étaient rouges, car elle venait de pleurer. Merde, il avait horreur de la voir souffrir ainsi. Il détestait encore plus en ignorer la raison.

— Que s'est-il passé ?

— Je suis vraiment désolée, chuchota-t-elle.

— Nous étions en train de parler de cette expérience, quand tout à coup… attends un peu, est-ce de cela dont il s'agit ? Est-ce que tu es vexée parce que l'expérience a échoué ?

Il essaya d'ouvrir la porte, mais elle la maintenait en place avec sa force extraordinaire.

— Ne me rejette pas, Darcy. Tu sais que je t'aime.

Une larme coula sur sa joue.

— Je ne peux pas te demander de renoncer à tout pour moi.

— Tu n'as même pas à me le demander. C'est mon choix.

Elle secoua la tête.

— Non. Je ne veux pas que quiconque se sacrifie pour moi. Je ne le permettrai pas.

— Et pourquoi ne le ferais-tu pas ? Tu ne sais donc pas que tu en vaux la peine ?

Elle renifla tandis qu'une autre larme s'échappait de son œil.

— Je ne crois pas qu'il faille se sacrifier soi-même.

— Oui, tu y crois. Tu l'as toi-même fait quand tu as sauvé Taylor.

Son visage se décomposa.

— Et tu connais la suite. J'ai tout perdu. Je ne veux pas que ça t'arrive. Tu en viendras à me détester. Quand tu auras perdu ton travail, tes amis et ta famille, tu me détesteras.

— Non !

Il posa ses mains de chaque côté de la porte et se pencha vers l'avant.

— Darcy, tu as été l'héroïne de Taylor. Laisse-moi être ton héros.

Son souffle fut coupé par un sanglot.

— Je suis désolée.

Elle ferma la porte avec force.

Il regarda cette porte avec incrédulité. Merde alors. Il était prêt à renoncer à tout pour elle, et voilà qu'elle lui claquait la porte au visage ? Ses mains formèrent des poings.

— Non !

Il donna un coup de poing à la porte et retourna à sa chambre en marchant avec raideur.

Merde, merde et merde ! Chaque pas faisait augmenter le niveau de sa colère. Comment pouvait-elle lui faire ça ? Il avait fait beaucoup de chemin pour elle. Il avait commencé par détester les vampires, et il était maintenant amoureux d'elle. Elle ne pouvait simplement pas le rejeter de la sorte.

Elle ne le ferait pas, merde ! Il allait lui montrer qu'il n'était pas aussi facile de le mettre de côté.

Trente minutes plus tard, Darcy se redressa subitement en position assise sur son lit lorsqu'elle entendit cogner avec force à sa porte.

— Oh, qu'on me laisse tranquille, gémit-elle en retombant sur son oreiller imbibé de larmes.

Il y eut une pause sans bruit, et elle imagina Austin, indigné, en train de marcher à pas mesurés de l'autre côté de la porte. Ou peut-être était-il reparti en acceptant l'inévitable. De nouvelles larmes ruisselèrent sur son visage. Elle faisait la bonne chose. Elle lui sauvait probablement la vie, mais elle entretenait encore un espoir secret profondément dans son cœur qu'il forcerait la porte et refuserait pour toujours de renoncer à elle.

On frappa de nouveau à la porte.

«Oh, s'il te plaît. Ne m'oblige pas à te rejeter de nouveau.»

Elle se retourna et plaça un oreiller contre ses oreilles pour assourdir le bruit. On frappa encore et encore. Elle repoussa l'oreiller, car la taie d'oreiller humide refroidissait ses oreilles.

— Darcy, si tu ne viens pas m'ouvrir, je vais briser la porte!

«Vanda?»

Darcy tituba de la chambre à coucher à la porte d'entrée du cabanon.

— J'arrive.

Elle n'eut pas à élever la voix de façon notoire, car l'ouïe de Vanda était aussi bonne que la sienne.

— Eh bien, merci, mon Dieu. Je commençais à penser que tu étais malade ou quelque chose du genre, murmura Vanda.

Darcy ouvrit la porte.

— Je vais bien.

Les yeux de Vanda s'agrandirent.

— Mais oui, bien sûr. Tu n'as pas l'air bien du tout!

— Merci.

Darcy regarda la silhouette qui se blottissait derrière Vanda avec ses yeux enflés.

— Oh, non! Maggie, que s'est-il passé?

— Ouais, elle n'a pas l'air bien du tout, elle non plus.

Vanda traîna Maggie dans le cabanon.

— J'ai pensé que tu aurais été en mesure de la réconforter, mais...

Darcy examina les yeux rougeauds de Maggie et son visage où l'on voyait encore les coulisses des larmes, et éclata en sanglots.

— Génial, murmura Vanda. Voilà qui s'annonce fort amusant.

— Oh, Darcy. C'était épouvantable, gémit Maggie en laissant couler une nouvelle série de larmes.

Darcy l'entoura de ses bras.

— Pauvre Maggie.

Vanda ferma la porte en poussant un soupir.

— On dirait bien que j'ai apporté ce qu'il nous faut.

Elle souleva une bouteille dépourvue d'étiquette.

— Nous allons pouvoir noyer tout ça.

Darcy renifla.

— Qu'est-ce que c'est ?

Vanda marcha à grands pas dans la cuisine.

— C'est Gregori qui m'a donné ça. Il s'agit de la dernière invention de Roman en matière de cuisine Fusion pour vampires. Il faut toutefois savoir que le produit n'en est encore qu'aux essais. Il n'est pas encore en vente.

Darcy et Maggie se dirigèrent vers la cuisine avec lenteur, leurs bras toujours entrelacés.

Vanda secoua la tête.

— Vous avez vraiment l'air pathétiques.

Elle déposa bruyamment trois verres sur le comptoir et ouvrit la bouteille.

— Hou là !

Ses yeux larmoyèrent au contact des vapeurs de la bouteille qui parvinrent à son visage.

— Quelle est cette substance ? demanda Darcy.

— C'est du Swhisky. Moitié sang synthétique, moitié whisky écossais.

Vanda en versa quelques rasades dans chacun des verres.

— Et voilà.

Darcy ajouta un peu de glace dans le sien, et se joignit ensuite à ses amies dans le petit salon. Elle s'installa dans un fauteuil à bascule en osier.

— Cul sec!

Vanda souleva son verre en guise de salut.

Elles haletèrent et toussèrent, après quoi Vanda remplit à nouveau leurs verres. Elle déposa la bouteille sur la petite table en osier surmontée d'une vitre.

— Bon. À qui l'honneur?

Maggie vida son verre, puis parla d'une voix rauque.

— Moi.

Elle s'appuya contre les coussins à motifs floraux du canapé.

— Je me suis rendue dans les locaux du RTNV pour mon entrevue avec M. Bacchus.

— Oh, non, gémit Darcy. C'était ce soir?

— Oui.

Maggie essuya son visage mouillé.

— Je suis tellement désolée, Maggie. J'avais l'intention de te mettre en garde contre lui.

Elle avait cependant été trop absorbée par ses propres problèmes avec Austin.

Les lèvres de Maggie tremblèrent.

— Tu savais que c'était une ordure lubrique?

— Que s'est-il passé? demanda Vanda. Est-ce qu'il t'a tripotée? Maggie frissonna.

— En fait, il voulait que je le tripote. J'ai été tellement sous le choc que je suis demeurée immobile devant lui, la bouche grande ouverte d'étonnement. Ensuite, il m'a dit que puisque j'avais déjà la bouche ouverte, il ne me restait plus qu'à en faire bon usage.

— Ce Sly, murmura Darcy. Toujours aussi doué pour la conversation.

Vanda poussa un petit grognement.

— J'espère que tu lui as dit d'aller au diable.

Maggie tressaillit.

— C'est ce que j'aurais dû faire, mais j'étais si horrifiée que je me suis simplement enfuie de la pièce.

Elle s'effondra sur les coussins.

— Et maintenant, je peux dire adieu à ma carrière d'actrice. Je ne serai jamais avec Don Orlando.

Darcy avala le contenu de son verre de Swhisky d'un trait pour se donner du courage.

— Parlant de Don Orlando, tu dois savoir que les rumeurs sont fondées.

— Non.

Le visage de Maggie se décomposa. Vanda versa d'autre Swhisky dans son verre.

— Il a eu une liaison avec Corky Courrant ainsi qu'avec Tiffany, dit Darcy. Et il pourrait y en avoir d'autres.

— Le salaud, gronda Vanda.

De nouvelles larmes coulèrent sur le visage de Maggie.

— J'étais si convaincue qu'il était parfait pour moi.

Elle s'empara de son verre et le but.

Darcy renifla.

— Je suis vraiment désolée.

— Les hommes.

Vanda prit quelques gorgées de Swhisky.

— On ne peut vivre avec eux, même lorsqu'ils sont morts.

Elle remplit à nouveau leurs verres.

— À toi, Darcy. Pourquoi es-tu contrariée ?

Elle soupira.

— À cause d'un homme.

— Bien sûr.

Vanda leva son verre.

— Selon ce que vous me dites, il y a de quoi avoir une dent contre les hommes.

— Particulièrement contre les hommes vampires, ronchonna Maggie, avant de réaliser avec stupeur à quel point cette remarque pouvait être vraie dans leur cas. Il n'en fallait pas plus pour que les femmes éclatent de rire et vident une nouvelle fois leurs verres.

— Oh, mon Dieu.

Maggie s'essuya les yeux.

— Je n'arrive pas à y croire. Je suis vraiment en train de m'enivrer.

— Tu n'as jamais été ivre ? demanda Vanda.

— Non. J'ai été élevée dans une famille catholique très stricte. Boire de l'alcool était maléfique. Sainte Marie, tout était maléfique.

Maggie s'avachit contre les coussins et afficha un air rêveur.

— Je pensais pouvoir changer le monde avec une combinaison suffisante d'amour et de religion. C'est ainsi que j'ai rejoint les rangs de l'Armée du Salut, en 1884. J'avais un uniforme très élégant, et nous marchions dans les rues de Manhattan avec notre fanfare, à prêcher contre les vices des alcooliques, des ghettos et des pouilleux.

— Vraiment ? dit Darcy. Tu ne m'avais jamais parlé de ça.

Maggie haussa les épaules.

— Ça n'a pas duré très longtemps. Je n'avais que 19 ans et j'étais fort naïve. Après quelques semaines, je me suis jointe à l'équipe qui œuvrait dans les bidonvilles, et nous nous sommes rendus dans ce quartier miteux près des bassins. Nous avions des paniers de pain frais, et nous allions nourrir les pauvres. J'ai cependant été séparée du groupe et j'avais perdu tout espoir de les retrouver au coucher du soleil.

Elle fronça les sourcils et toucha les cicatrices sur son cou.

— J'ai donc fini par nourrir les pauvres.

Darcy cligna des yeux.

— Tu veux dire, littéralement ?

Les femmes se regardèrent, puis se mirent à rigoler.

— À Maggie et à l'acte de nourrir les pauvres.

Vanda leva son verre, qui était bien rempli.

Ils firent tinter leurs verres et burent.

Vanda se tourna vers Darcy.

— Alors, dis-moi, qui est donc ce salaud dans ta vie ?

— C'est Austin, mais ce n'est pas un salaud.

Maggie fronça les sourcils.

— Je ne pense pas que nous le connaissions.

— Oh.

Darcy appuya ses pieds contre le bord de la petite table pour faire bouger son fauteuil à bascule.

— Vous le connaissez sous le nom d'Adam.

— Adam te cause des ennuis ? demanda Vanda d'un air perplexe. Il m'a pourtant dit dans le spa qu'il était amoureux de toi.

— Vous avez parlé de moi dans le spa ?

— Bien sûr.

Vanda fronça les sourcils.

— Je l'ai bien averti de ne jamais te faire de mal.

— Il ne me fait pas de mal. C'est moi qui lui fais du mal.

— Hourra !

Maggie traînassa sur le canapé, le sourire aux lèvres.

— Botte-lui le derrière comme il le mérite.

Vanda lui jeta un regard ennuyé.

— Darcy n'a pas de plaisir à lui faire ça.

— Oh, désolée.

Maggie se pencha vers l'avant et tomba sur le plancher.

— Comment se nomme-t-il encore ? demanda Vanda. Austin ?

Maggie roula sur son dos et hoqueta.

— Je croyais que son nom était Adam. Ou Apollon, le dieu du soleil.

— Adam est son nom d'artiste, clarifia Darcy.

— Adam, Austin, Apollon.

Vanda haussa les épaules.

— Un imbécile portant n'importe quel autre nom sentirait tout aussi bon.

Un éclat de rire bébête provint du plancher où Maggie était étendue.

Darcy rit comme un cheval et poussa trop fort contre la petite table. Son fauteuil à bascule culbuta vers l'arrière et vacilla à son point limite d'équilibre.

— Ahhh!

Darcy s'écrasa sur le plancher.

Vanda se leva en tanguant et s'avança près d'elle en chancelant.

— Est-ce que ça va?

— Je vais bien.

Darcy rit sottement en roulant sur le plancher.

— Je suis amoureuse.

Elle fondit en larmes.

— Oh, génial.

Vanda l'aida à se lever.

— Nous ferions mieux de nous rendre dans un endroit sûr avant le lever du soleil.

— Dans la chambre à coucher.

Darcy marcha en tanguant vers la chambre, suivie de Vanda et de Maggie. Elles s'affalèrent sur le grand lit.

«Le soleil doit être en train de se lever à l'horizon», pensa Darcy.

Elle pouvait sentir la lourde attraction du sommeil mortel.

— Tu sais, il y a une bonne chose reliée au fait d'être une femme vampire, chuchota Vanda à la droite de Darcy.

— Et qu'est-ce que c'est? demanda Maggie à la gauche de Darcy.

— Peu importe ce qui nous tourmente, jamais nous ne perdrons une minute de sommeil.

— C'est vrai.

Darcy tendit les mains vers celles de ses amies.

— Merci d'être ici avec moi.

Ainsi entourée de bonnes amies, elle parviendrait peut-être à survivre à cette épreuve. Elle glissa enfin dans l'oubli.

Vingt-trois

Darcy se réveilla avec un mal de tête monstrueux. Vanda et Maggie semblaient tout aussi misérables tandis qu'elles retournaient en chancelant à l'étage des domestiques. Darcy fila sous la douche et s'habilla, réalisant en même temps qu'elle ne pouvait plus revoir Austin. Si elle le faisait, elle pourrait être tentée de le supplier de la reprendre. Elle fit donc un arrêt au local des caméramans et leur demanda d'aller de l'avant sans elle.

Maria Consuela était la juge de la rivalité de la soirée. Gregori l'escorta dans la bibliothèque de l'appartement de grand luxe. Les autres femmes de l'ancien harem, incluant Darcy, allaient regarder le tout depuis le salon des domestiques.

Cora Lee poussa des cris aigus en pointant la télévision du doigt. On pouvait maintenant y voir la bibliothèque.

— Ils sont là !

— Pas si fort, murmura Vanda.

Maggie gémit. Darcy massa ses tempes douloureuses.

Gregori sourit à une caméra.

— Bienvenue à *L'homme le plus séduisant sur terre*. Il n'y a plus que quatre concurrents en lice, et deux d'entre eux seront éliminés ce soir, alors que leur force sera mise à l'épreuve. Notre juge, ce soir, est la ravissante Maria Consuela, d'Espagne.

Maria Consuela inclina sa tête vers la caméra d'une manière calme et majestueuse. Seule son emprise ferme sur son rosaire trahissait sa nervosité.

— Notre premier concurrent est Roberto, de Buenos Aires.

Gregori ouvrit la porte de la bibliothèque, et Roberto entra dans la pièce.

Il avait l'air mielleux, avec ses cheveux noirs lissés par-derrière, dégageant son front haut. Il fit la révérence devant Maria Consuela.

— À votre service, *señora*.

— *Gracias*.

Maria Consuela se tenait à côté de la cheminée. Elle fit un signe de la main vers un fauteuil à oreilles qui se trouvait tout près.

— Je crois que ce fauteuil serait mieux devant le bureau.

— *Claro*.

Roberto souleva le fauteuil bien haut au-dessus de sa tête. Il marcha vers le bureau et déposa le fauteuil.

— Est-ce mieux ainsi ?

— Enfin, oui.

Les yeux noirs de Maria Consuela brillaient en guise d'approbation.

— Et quant à ce canapé dans le coin, je crois qu'il serait mieux ici, près de la cheminée.

— Bien sûr.

Roberto souleva aisément le canapé ancien et le posa près de la cheminée. Il se redressa et ajusta ses boutons de manchette. Il n'avait même pas froissé son complet.

Maria Consuela rayonna.

— *Gracias, señor*. Vous pouvez partir, maintenant.

Roberto fit une nouvelle révérence.

— Ce fut un plaisir, *señora*.

Il quitta la pièce.

Lady Pamela soupira.

— C'est certainement un vampire.

— Oui, acquiesça la princesse Joanna. Nous ne devrions pas l'éliminer.

Les femmes se tournèrent de nouveau vers la télévision lorsque Gregori présenta le prochain concurrent.

Garth, du Colorado, sourit.

— Bonsoir.

Darcy retint son souffle. Garth Manly, c'est-à-dire Garrett, l'homme de l'Agence centrale de renseignement, devait impérative-ment être éliminé ce soir.

Maria Consuela inclina la tête vers lui.

— Seriez-vous assez aimable pour déplacer ce canapé dans le coin, je vous prie ?

— Aucun problème.

Garrett essaya de soulever le canapé, mais il était trop long et peu maniable pour lui. Il décida finalement de soulever un côté et de le pousser. Les pattes frottèrent contre le plancher de bois.

Maria Consuela râla.

— Vous abîmez le plancher.

— Désolé.

Garrett donna une dernière poussée au canapé.

Maria Consuela plissa ses yeux.

— Pouvez-vous soulever le bureau ?

Garrett regarda l'énorme bureau en acajou tout en fronçant les sourcils.

— Je ne peux y arriver seul. Il faudrait au moins deux per-sonnes, et peut-être plus.

Maria Consuela fit une moue désapprobatrice.

— Je vois. Vous pouvez partir.

Darcy poussa un soupir de soulagement. Garrett avait été découvert.

Maria Consuela se pencha vers une caméra.

— Je soupçonne cet homme d'être un mortel.

— Hourra !

Cora Lee applaudit.

— Nous avons trouvé un autre mortel !

— Doucement, bougonna Vanda en frottant son front.

Lady Pamela poussa un petit grognement.

— Tu es vraiment d'une humeur massacrante.

— Silence, dit Darcy au moment où le prochain concurrent entrait dans la pièce. Austin.

— Oh, regardez, c'est Adam ! s'exclama Cora Lee. Je l'aime bien.

Darcy voulut grogner, mais cela lui aurait fait un peu trop mal à la tête.

— Bonsoir, comment allez-vous ?

Austin semblait fatigué. Il avait les traits tirés et semblait tendu.

Maria Consuela tapota son menton avec son doigt.

— Je crois que ce fauteuil devrait être ici, près de la cheminée.

— D'accord.

Austin marcha à grands pas vers le bureau, souleva le fauteuil à oreilles et le posa près de Maria Consuela.

Darcy se redressa dans sa chaise, le cœur en proie à des palpitations. Il avait déplacé ce fauteuil sans sembler faire d'effort. Ce n'était toutefois qu'un fauteuil, et les hommes mortels pouvaient sans doute déplacer des fauteuils toute la journée sans s'épuiser.

Les sourcils de Maria Consuela s'arquèrent.

— Et le canapé dans le coin ? Pourriez-vous le mettre devant le bureau ?

— Bien sûr.

Austin contourna le canapé. Il jeta un coup d'œil à la caméra, le visage chargé d'émotions.

Darcy sentit une sonnette d'alarme retentir dans sa tête douloureuse.

Austin se pencha, puis se releva avec le canapé en équilibre dans les airs, sur une main.

Les femmes haletèrent.

Darcy fut bouche bée. Vanda et Maggie lui lancèrent des regards embarrassés. Elles savaient elles aussi qu'Austin était un mortel.

— Il doit y avoir un truc, chuchota Darcy en le regardant traverser la pièce avec le canapé dans les airs.

— Je le savais.

La princesse Joanna hocha la tête d'un air satisfait.

— Cet homme est un vampire.

Darcy s'enfonça dans sa chaise. Qu'est-ce qu'Austin était en train de faire? Il était censé se faire éliminer. Il lui avait dit qu'il agirait en conséquence. La vérité s'étalait devant ses yeux, et elle poussa un halètement effrayé. Il avait l'intention de rester. Il voulait une autre nuit. Avec elle.

Austin posa le canapé sur le plancher.

— Autre chose?

— Non.

Maria Consuela sourit.

— C'était merveilleux. *Gracias.*

Austin quitta la pièce. Merde! Darcy serra les dents. Comment diable avait-il pu réussir un tel tour?

— Voici le dernier concurrent, annonça Gregori. Otto, de Düsseldorf.

Dieu merci. Darcy se redressa à nouveau dans sa chaise, espérant que l'homme fort Otto ferait tourner le bureau sur son doigt comme un ballon de basket-ball. Si quelqu'un pouvait battre Austin, c'était bien lui.

— Ouais, Otto est là.

Il marcha et prit une pause pour une des caméras. Le tissu de sa veste était tendu sur les muscles de son dos.

— Oh, Otto doit enlever sa veste avant qu'elle ne se déchire en petits morceaux à cause de ses gros muscles.

Il fit de gros yeux à la caméra tout en retirant sa veste.

— Ouais. Toutes les femmes aiment les gros muscles.

— Oh, mon Dieu.

Maria Consuela s'effondra dans le fauteuil à oreilles.

— Vous êtes si fort.

— Ouais. Vous voulez voir à quel point je suis fort ?

Il alla se placer derrière le fauteuil.

— Otto va vous lever bien haut dans les airs.

— *Santa Maria.*

Maria Consuela agrippa les bras du fauteuil.

— Êtes-vous sûr ?

— Ouais. N'ayez pas peur. Vous êtes légère comme une plume.

Otto s'empara du fauteuil, les mains sous les bras de ce dernier. Il se redressa d'un seul coup, faisant pousser des cris aigus à Maria Consuela tandis qu'il la soulevait dans les airs.

— Vous voyez, c'est facile.

Otto commença à baisser le fauteuil, puis il glapit.

— Ah !

La chaise se renversa, faisant tomber Maria Consuela sur le plancher avec fracas. Son cri perçant fut réduit au silence lorsque le fauteuil lui tomba sur la tête.

— Ah ! répéta Otto. Je me suis cassé un ongle. Mon ongle s'est replié dans le sens contraire.

Gregori se précipita vers la scène et retira le fauteuil du corps de Maria Consuela.

— Est-ce que ça va ?

— Non !

Elle se releva dans un sursaut en fixant Otto du regard.

— Espèce d'imbécile maladroit ! Je n'ai pas été traitée ainsi depuis l'Inquisition espagnole !

— Mais Otto est blessé.

Otto enfonça son doigt endolori dans sa bouche et le suça.

L'œil de Darcy eut un tic. Une chose incroyable venait de se produire.

Otto, de Düsseldorf, avait échoué l'épreuve de la force.

Elle était *lâche*. Elle l'évitait. Austin se tenait sur le palier de l'escalier, regardant les femmes entrer l'une à la suite de l'autre dans le hall. Pas de trace de Darcy.

Gregori marcha à grands pas vers le centre du hall.

— Bienvenue à une autre cérémonie des orchidées de *L'homme le plus séduisant sur terre*. Ce soir, deux hommes partiront et deux hommes resteront. Ces deux derniers concurrents rivaliseront pour le titre et une somme faramineuse de *cinq* millions de dollars.

Les caméramans se précipitèrent pour capter toutes les réactions de joie. Maria Consuela alla rejoindre Gregori sous le lustre avec deux orchidées noires dans ses mains.

— Êtes-vous prête ? demanda Gregori.

Elle hocha la tête, et il continua.

— Qui sera éliminé ? Nous le saurons bientôt, mais d'abord, un message de notre commanditaire, la cuisine Fusion de Romatech.

Il fit une pause, puis reprit de plus belle avec un sourire.

— Nous sommes de retour, et Maria Consuela est prête à distribuer ses orchidées.

Elle hocha la tête.

— La première orchidée va à Garth, du Colorado.

— Ça se comprend, marmonna Garrett.

Il descendit l'escalier pour recevoir son orchidée. Il remonta ensuite les marches jusqu'au palier pour se tenir près d'Austin.

— J'imagine que tu seras le prochain, chuchota-t-il.

Austin retint son souffle.

— La deuxième orchidée va à Otto, de Düsseldorf.

Maria Consuela regarda fixement le vampire allemand tandis qu'il descendait l'escalier d'un pas lourd.

Otto remonta les marches en se traînant les pieds. Il regarda Roberto et Austin, et ses épaules massives s'affalèrent.

— C'est épouvantable. Otto a été battu par deux hommes pas très masculins.

— Allons-y.

Austin marcha vers l'aile est en compagnie de Garrett. Austin se rendit dans sa chambre pour regarder ce qui se passait dans la salle des portraits avec sa caméra de surveillance pendant que Garrett allait cueillir ses valises.

Les femmes poussèrent un soupir quand la lumière ultraviolette révéla qu'Otto était un vampire, et poussèrent des acclamations en apprenant que Garrett était un mortel.

— Nous l'avons fait ! s'exclama une des femmes. Nous nous sommes débarrassées du dernier mortel !

Austin tressaillit. Darcy était probablement furieuse. Il devrait la convaincre que le sort n'était pas jeté. Il pouvait encore faire en sorte que Roberto remporte la finale.

Il accompagna Garrett au rez-de-chaussée et l'aida à charger ses valises dans la limousine Hummer. Otto était déjà à l'intérieur, bougonnant. La limousine s'éloigna, et Austin se rendit directement sur le toit. Il frappa à la porte du cabanon. Il posa la main sur la poignée et tourna. Elle n'était pas verrouillée, et il entra.

— Darcy ? Es-tu là ?

La pièce principale était déserte, tout comme la chambre à coucher. Il se dirigea à nouveau vers la cuisine et se servit un verre d'eau avec des glaçons. Il se rendit ensuite au petit salon et posa son verre d'eau sur la petite table. Il y avait trois verres vides sur cette table, de même qu'une bouteille presque vide. Il souleva la bouteille et renifla. Ho ! Il posa les yeux sur le fauteuil à bascule renversé. Ainsi, Darcy avait décidé de s'enivrer après l'avoir rejeté. Il sourit lentement.

La porte d'entrée grinça en s'ouvrant, et il se tourna vers elle.

Darcy fut bouche bée.

— Hé, mon cœur.

Il leva la bouteille dans sa main.

— As-tu encore envie de t'enivrer ?

Son regard se posa momentanément sur la bouteille.

— J'en ai assez eu, la nuit dernière.

— C'est étrange.

Il reposa la bouteille sur la table dans un bruit sourd.

— Moi, je n'en ai pas eu assez.

Elle tressaillit, puis referma doucement la porte.

Il s'assit sur le canapé en osier.

— Est-ce que ça a fonctionné ?

Elle s'approcha de lui prudemment.

— De quoi parles-tu ?

— Est-ce que le fait de t'être enivrée t'a permis d'oublier que tu es amoureuse de moi ?

La douleur pouvait se lire dans ses yeux tandis qu'elle s'assoyait à l'extrémité de la chaise de salon en osier.

— Rien ne pourrait me faire oublier ça.

Son regard se durcit.

— Je me souviens aussi que tu avais accepté de te faire éliminer de l'émission.

— Je ne pouvais pas partir. Pas sans avoir eu la chance de te parler.

— Tu aurais pu m'envoyer un télégramme.

Ses yeux luisaient de colère.

— Est-ce que tu essaies de me faire virer ? C'est ce qui arrivera, si tu gagnes.

— Je ne gagnerai pas. Je serai très désagréable et grossier, demain soir.

— Il n'y aura pas de tournage au cours des deux prochains jours. La deuxième émission de la série sera diffusée demain soir. Tu ne me reverras pas avant vendredi. C'est le dernier soir de tournage. Et tu ferais mieux de perdre.

— Je le ferai. Fais-moi confiance.

— Te faire confiance ? Ne me fais pas rire, *Adam*.

— Je ne t'ai jamais menti à propos de mes sentiments.

Ses yeux se plissèrent.

— Comment y es-tu parvenu ? Comment as-tu pu soulever le canapé d'une seule main ?

Il se concentra sur le fauteuil à bascule renversé. Ce dernier monta lentement dans les airs, puis se remit dans sa position naturelle.

Bouche bée, Darcy regarda le fauteuil à bascule, puis Austin, puis reporta son attention sur le fauteuil.

— Comment ?

— C'est de la psychokinésie.

— Bon Dieu, quelle sorte de puissance possèdes-tu ?

Il haussa les épaules.

— Je me sens drôlement impuissant, quand c'est de toi dont il est question. Je veux passer le reste de ma vie avec toi, et tu me repousses comme si de rien n'était.

— Tu penses que c'est *facile* pour moi ?

Elle se frotta le front.

— J'ai un mal de tête monstrueux.

— On dirait bien que tu as deux choix. Tu peux m'épouser, ou encore passer l'éternité à t'enivrer.

Elle le regarda fixement tout en se massant les tempes.

— Oh, merci. C'est la demande en mariage la plus adorable qu'une femme pourrait espérer recevoir.

Il s'installa sur le bout de la chaise qui se trouvait à côté d'elle.

— Laisse-moi faire.

Il appuya une pression sur sa tête du bout de ses doigts tout en dessinant de petits cercles.

Elle ferma les yeux.

— Je ne devrais pas te laisser me toucher.

— Pourquoi pas ?

— Parce que ma résistance fond comme de la neige au soleil.

— C'est bien.

Il déplaça ses mains sur son cou et continua son massage.

— Tu as horreur d'avoir froid, mon cœur. Arrête de combattre et laisse-toi fondre avec moi.

Elle gémit, ses yeux toujours fermés.

— Je veux que tu sois heureux, Austin. Comment peux-tu être heureux avec moi ?

— Je t'aime. C'est évident que je serai heureux avec toi.

Il se concentra sur son verre d'eau. Ce dernier glissa sur la table jusqu'à ce qu'il soit à sa portée. Il en sortit un glaçon, et traça une ligne avec lui le long du cou de Darcy.

Elle se raidit, les yeux soudainement grands ouverts.

— C'est si froid.

— Oui, mais je suis ici pour te réchauffer.

Il flaira son cou, et lécha la trace d'eau froide qu'avait laissée le passage du glaçon.

Elle frissonna.

— Réalises-tu ce que tu fais ?

— Que je suis en train de te séduire ?

Il fit glisser le glaçon le long de sa clavicule, avant de le faire passer entre ses seins.

Sa peau se couvrit de chair de poule.

— Je ne peux pas quitter le monde des vampires. Je suis prise ici. Tu seras dans l'obligation de le partager avec moi.

— Je sais.

Il dessina deux cercles autour de ses seins avec son glaçon.

— Je n'ai qu'une question pour toi.

Elle trembla.

— Laquelle ?

Il frotta le glaçon sur ses mamelons, imbibant son t-shirt et son soutien-gorge.

— Est-ce que tu m'aimeras encore quand je serai vieux et grisonnant ? Ou même chauve ?

— Bien sûr.

— Alors, c'est réglé.

Il jeta le glaçon sur la table.

— À t'entendre, il n'y a rien de plus facile.

Elle frissonna.

— Tu devrais avoir honte. Tu sais à quel point je déteste avoir froid.

— Je sais aussi que tu aimes ça quand je te réchauffe.

Il retira le t-shirt de Darcy, puis il passa la main dans son dos pour décrocher son soutien-gorge.

— Que Dieu me vienne en aide, car je t'aime.

Elle passa ses bras autour de son cou.

Oui ! Un sentiment de victoire le traversa tandis qu'il l'étendait sur la chaise de salon. Elle l'aimait vraiment. Elle le *voulait* vraiment. Il fit l'amour à ses seins, puis il défit la fermeture à glissière de ses jeans et les fit descendre sur ses jambes. Ses jeans se coincèrent sur ses chaussures de tennis, et il retira ces dernières ainsi que les jeans en même temps. Elle s'étira sur les coussins à motifs floraux, ne portant plus qu'un sous-vêtement de dentelle rouge.

— Tu es vraiment magnifique.

Il se positionna sur la chaise à côté d'elle.

— Merci.

Elle tendit la main vers lui.

— Une petite minute.

Il s'empara d'un autre glaçon dans son verre d'eau et examina son slip.

— Hum.

Ses yeux s'agrandirent.

— N'y pense même pas.

— Je te promets de te réchauffer.

Elle descendit de la chaise en vitesse, mais il parvint à saisir l'élastique de son slip et glissa le glaçon à l'arrière de son slip.

— Ah !

Elle se hâta de le retirer en gigotant.

— Hou là !

Il se leva en souriant.

— Je n'ai jamais vu une femme se défaire de son slip si rapidement.

— Espèce de vaurien.

Elle planta ses mains sur ses hanches et l'examina du regard.

— Nous avons un sérieux problème.

— Lequel ?

Ses yeux clignèrent d'une façon espiègle.

— Je suis complètement nue, alors que toi, tu portes encore ton complet et ta cravate.

— Oh. Aucun problème.

Il commença à enlever sa veste, mais elle l'arrêta.

— Je pense que j'aime ça.

Elle tourna lentement autour de lui, glissant une main sur sa poitrine, puis sur son bras, et enfin sur son dos.

— Ça me fait sentir... sauvage et dévergondée.

Il inhala brusquement, quand ses seins se frottèrent contre son bras. Son membre se raidit.

— Je dois admettre que j'aime bien la vue qui m'est offerte.

— Moi aussi.

Elle souleva le bout de sa cravate et le fit glisser le long de son cou et entre ses seins.

Il l'agrippa par les hanches et la tira contre son membre en érection.

— Es-tu prête à te faire réchauffer ?

— S'agit-il d'un fer à repasser, ou es-tu simplement heureux de me voir ?

Elle se dégagea de ses bras.

— Viens.

Elle tira sur sa cravate, le guidant comme un chien au bout d'une laisse.

Et il la suivit. Volontiers. Par l'enfer, il avait le goût de hurler. Après tout, la femme qu'il aimait le conduisait dans sa chambre à coucher, et le fait de voir ses fesses bouger ainsi était un boni.

Elle s'arrêta en arrivant au lit. Elle se retourna lentement.

— Laisse-moi te déshabiller.

Il s'était cependant déjà débarrassé de sa veste et de ses souliers. Ses yeux s'agrandirent.

— Tu sembles bien pressé.

— Mon cœur, je suis sur le point d'éclater.

— Vraiment ?

Elle l'entoura d'une de ses jambes et frotta l'intérieur de sa cuisse contre son pantalon.

— Est-ce que cela te fait souffrir ?

— Tentatrice, murmura-t-il tandis qu'elle desserrait sa cravate et la glissait par-dessus sa tête.

Elle se mit ensuite à déboutonner sa chemise avec une lenteur exaspérante. Il poussa un grognement, puis il défit sa ceinture et sa fermeture à glissière, fit tomber ses pantalons et les repoussa d'un coup de pied. Son sous-vêtement connut le même sort, et elle était encore occupée à déboutonner sa chemise.

— C'est assez.

Il fit passer sa chemise et son maillot de corps au-dessus de sa tête en un mouvement. Il se concentra sur la porte, et elle se ferma.

— Hou là, dit-elle.

Il retira l'édredon du lit avec son esprit. Des draps blancs propres et des oreillers apparurent.

— Allez ! grimpe, mon cœur.

Elle poussa un petit grognement.

— Eh bien, c'est un tour intéressant, mais si tu veux vraiment m'impressionner, tu sauras aussi comment faire le lit.

Il l'agrippa par la taille et la projeta sur le matelas.

— Et tu sauras aussi te charger de la lessive, ainsi que de la vaisselle sale, des tabous pour certains hommes.

— J'adore ça quand tu me parles de tabous.

Il la fit se coucher sur le dos et accorda toute son attention à ses seins.

Elle poussa un gémissement et glissa ses mains dans ses cheveux.

— J'ai tenté de rester loin de toi. Je savais que je ne pourrais pas te résister.

Il écarta ses genoux et s'installa entre ses cuisses.

— Je suis ici pour rester.

Elle sursauta de plaisir lorsqu'il la chatouilla entre les jambes. Elle était chaude et mouillée. Il étala sa moiteur tandis qu'elle tremblait et haletait. L'odeur de son désir l'attirait de plus en plus. Il posa la bouche sur elle et la convainquit rapidement qu'ils pouvaient effectivement trouver le bonheur à vivre ensemble.

Elle poussa un cri. Il se colla le visage sur elle pour sentir ses spasmes palpitants. Nom de Dieu. Il devait vite entrer en elle.

— Je t'aime, haleta-t-elle.

Il jeta un coup d'œil vers son visage et vit ses yeux animés d'un éclat rougeoyant. Il hésita pendant quelques secondes, et elle en profita pour le pousser de côté et rouler sur lui.

— Je t'aime, répéta-t-elle tout en lui donnant des baisers sur la poitrine.

Elle taquina ses mamelons avec sa langue.

Son membre en érection frottait contre ses fesses, et il peinait à se contenir.

— Darcy, je ne peux plus attendre.

Elle s'installa à califourchon sur lui et commença à glisser son membre en elle. Elle s'agita pour le faire pénétrer de plus en plus, ce qui le faisait gémir à chaque mouvement.

— Maintenant.

Il agrippa ses hanches et s'enfonça en elle jusqu'au bout.

« Plus vite, lui dit-il mentalement. Je ne peux pas me retenir encore longtemps. »

Elle se redressa et repoussa ses cheveux derrière ses épaules. Elle se mit à se balancer lentement, les yeux fermés, la bouche légèrement ouverte. Il ne l'avait encore jamais vue si belle, si séduisante. Il prit ses seins dans ses mains et les serra doucement. Elle poussa un gémissement et se laissa tomber contre sa poitrine. Il saisit ses hanches pour augmenter la cadence. La respiration de Darcy devint plus saccadée, et ses doigts s'enfonçaient dans sa peau.

Il remontait ses hanches, et leurs hanches se frottaient au même rythme. Il approchait du point de non-retour. Il serra les dents, tentant de gagner encore quelques secondes. Il allait la faire jouir avec lui, d'une façon ou d'une autre. Il glissa une main entre eux et caressa son point le plus sensible. Elle poussa un cri. Il l'entoura de ses bras, et ils furent tous deux secoués de spasmes orgasmiques.

Tout à coup, elle se raidit et se libéra de son emprise. Elle s'assit sur le matelas, son propre corps secoué de tremblements.

— Darcy, qu'est-ce qui ne va pas?

— Non!

Elle posa rapidement ses deux mains sur sa bouche. Ses yeux bleus se remplirent d'horreur.

— Darcy?

Elle s'éloigna de lui. Ses yeux devinrent rouges, et elle se replia le corps en deux, pleurant de douleur.

Il ne pouvait pas la laisser dans cet état.

— Qu'est-ce que je peux faire?

— Vas-t-en d'ici! Sauve-toi en courant!

Il fit un bond vers l'arrière lorsqu'il entrevit l'éclat blanc de ses canines. Merde. Ses canines étaient sorties de ses gencives. Il chuta du lit.

Un cri s'échappa de sa gorge. C'était un cri chargé de tant de douleur et de terreur qu'il hésita un moment. Elle avait besoin d'aide. Que pouvait-il faire?

— Sauve-toi!

Elle agrippa un oreiller et y enfonça ses canines.

Il frissonna en entendant le tissu se déchirer. Ça aurait pu être son cou. Des plumes flottaient autour de sa tête.

Il courut à la cuisine, s'empara d'une bouteille de Chocosang et se retourna en toute hâte dans la chambre à coucher. Il dévissa le bouchon.

— Tiens.

Elle demeura en position fœtale tout en pleurant.

— Darcy!

Il donna de petits coups sur son bras à l'aide de la bouteille froide.

Elle se redressa en poussant un sifflement fâché. Il bondit vers l'arrière. Elle rampa vers lui sur le lit avec ses yeux rouge vif et ses canines complètement sorties.

Merde. Il avait l'impression d'être en train d'essayer de nourrir un animal sauvage. Il lui tendit précautionneusement la bouteille.

Elle s'en empara et la retourna dans sa bouche. Elle en avala le contenu à une telle vitesse que des gouttes de sang s'échappèrent de sa bouche et coulèrent sur son cou jusqu'à ses seins.

Austin déglutit. Comment pourrait-il vivre avec cela? Il se retourna pour se rhabiller. Il pouvait l'entendre boire derrière lui. Ce fut lorsqu'il boutonnait sa chemise que tout redevint calme.

Il se retourna. Elle posa la bouteille vide sur la table de nuit, puis se servit du drap pour essuyer le sang sur ses seins.

— Est-ce que ça va?

Elle secoua la tête, incapable de le regarder.

— Est-ce que c'est la première fois que tes canines sortent ainsi de tes gencives?

— Ça m'est arrivé une seule fois auparavant, après avoir été transformée. C'était alors une réaction automatique. Ça s'est passé il y a quatre ans. Je… je n'ai jamais voulu mordre quelqu'un. Je pensais que je pouvais contrôler ça.

— C'est seulement que tu avais faim. Nous nous assurerons que…

— Non!

Elle le regarda, les yeux brillants de larmes.

— J'ai mangé, ce soir. Je n'ai pas vraiment faim. C'était… je ne sais trop. J'ai perdu le contrôle.

— À cause du sexe?

Une larme coula sur son visage.

— Nous ne pouvons plus faire ça. J'aurais pu te tuer.

— Mais tu ne l'as pas fait. Tu as attaqué un oreiller.

L'oreiller en morceaux le fit grimacer.

— Je devais mordre quelque chose.

De nouvelles larmes coulèrent sur ses joues.

— Je ne peux te laisser vivre avec moi. Je suis trop dangereuse.

Son cœur devint bien lourd.

— Nous trouverons quelque chose.

Cela ne pouvait pas être en train de se produire. Il ne pouvait pas la perdre maintenant.

— *Non.*

Elle détourna la tête.

— Je veux que tu t'en ailles. Maintenant.

Il eut l'impression que son cœur venait d'être plongé dans une cuve d'acide et qu'il en était ressorti desséché et rongé par la douleur. Il pensa pouvoir discuter avec elle, la supplier, ou faire n'importe quoi pour la garder près de lui, mais elle ne le regarda même pas.

Une dernière plume retomba sur le lit, tout juste à côté du drap taché de sang. Il jeta un coup d'œil à l'oreiller éventré. Elle avait raison. Elle aurait pu le tuer. Il tituba vers la porte et quitta les lieux.

Vingt-quatre

Austin ne pouvait pas demeurer dans l'appartement de grand luxe. Sa chambre à coucher lui faisait trop penser à Darcy. Le parfum de son shampooing persistait sur ses oreillers, ce qui l'empêchait de dormir. Il emprunta le métro pour rejoindre son appartement dans Greenwich Village. Et encore là, il ne put échapper à la douleur ou à ses souvenirs.

Le jour suivant, il se rendit au bureau. Cinq minutes suffirent pour lui faire comprendre à quel point il lui serait difficile de continuer à travailler pour l'Agence centrale de renseignement. Il ne pourrait plus combattre les vampires avec la conviction qu'ils étaient tous maléfiques. Il devait convaincre Sean que seuls les Mécontents attaquaient les gens. S'il pouvait faire en sorte que l'équipe de Surveillance concentre son attention sur les Mécontents et laisse les vampires modernes respectueux des lois en paix, alors il pourrait conserver son emploi sans problème.

Emma passa le voir à son bureau et l'examina des pieds à la tête.

— Tu as l'air fatigué. Ça doit être difficile d'être l'homme le plus séduisant sur terre.

— C'est épuisant.

Elle poussa un petit grognement.

— Eh bien, réveille-toi, Don Juan. Sean exige que tu sois dans la salle de conférences avec Garrett dans cinq minutes.

Austin gémit. Sean voulait probablement un compte rendu de l'émission de téléréalité et du RTNV. Aucun de ces vampires ne représentait une menace pour l'humanité. Pas même le très musclé Otto, qui ne faisait qu'aboyer sans jamais mordre personne.

Il se traîna jusqu'au bureau de Garrett.

— Comment ça va ?

Garrett leva les yeux vers lui.

— Je révise ma liste de concurrents vampires. Reginald venait de quel endroit ?

Austin fronça les sourcils.

— Reginald ? Est-ce qu'il était un vampire ?

— Ouais, je pense bien.

Austin soupira.

— J'ai de la difficulté à m'en souvenir. Je commence à croire que les vampires ont peut-être truqué ma mémoire.

— Vraiment ?

Les yeux de Garrett s'agrandirent.

— Et quand cela se serait-il produit ?

— Je ne sais pas. S'ils ont effacé mes souvenirs, comment veux-tu que je m'en souvienne ?

— Oh.

Garrett se concentra de nouveau sur sa feuille.

— Je me souviens de ces noms.

— Est-ce que je peux examiner ta liste ? Peut-être que ça ravivera mes souvenirs.

— Bien sûr.

Garrett lui tendit sa feuille.

Austin parcourut la liste de noms. Garrett ne s'était pas tellement appliqué à la tâche si c'était tout ce qu'il avait pu trouver en
travaillant comme agent secret.

— Tu n'as pas leurs noms de famille. Ce sera difficile de les
traquer.

Garrett haussa les épaules.

— Nous n'avons jamais su quels étaient leurs noms de famille.

— Tu en es sûr?

Austin haussa un sourcil.

— Ont-ils effacé une partie de ta mémoire, aussi?

Garrett sembla embarrassé.

— Je ne sais pas.

— Est-ce que tu as découvert où se trouve Shanna?

— Non.

Garrett se leva avec lenteur.

— Ou peut-être que oui, mais qu'ils ont effacé l'information.

— Merde.

Austin froissa la feuille de papier dans son poing.

— Sean s'attend à ce que nous lui fassions des comptes rendus
détaillés, mais nous ne nous souvenons pas de grand-chose.

— Je me souviens toutefois de plusieurs choses. Je me souviens
de l'appartement de grand luxe, des cinq femmes juges, et…

Austin écouta Garrett déblatérer, puis il se glissa dans sa tête
sans que ce dernier s'en rende compte. Austin ne pouvait pas effacer
les souvenirs comme pouvait le faire un vampire, mais il pouvait
certainement embrouiller les souvenirs d'une personne en projetant
des images contradictoires dans sa tête. Garrett cessa de parler et
ferma les yeux tandis que son esprit recevait en rafale les images
mentales qu'Austin lui envoyait.

— Hé, est-ce que ça va?

Garrett se frotta le front.

— Il fait chaud ici.

— Peut-être que tu couves quelque chose. Ou peut-être qu'il s'agit seulement des effets secondaires des manipulations de nos esprits par les vampires.

— Ouais.

Garrett hocha la tête.

— C'est peut-être ça.

Il marcha en flânant jusqu'à la salle de conférences.

— Je te rejoins sous peu.

Le cœur d'Austin battit précipitamment tandis qu'il se dirigeait vers la déchiqueteuse. Il lui avait été très facile, et même trop facile de confondre Garrett, mais il n'en demeurait pas moins que le fait de jouer dans la tête d'un collègue ressemblait énormément à de la trahison. Qu'est-ce qu'Austin pouvait bien faire d'autre ? Il ne pouvait pas laisser Sean éliminer les bons vampires.

Austin glissa la liste de Garrett dans la déchiqueteuse et appuya sur le bouton de mise en marche. Enfer et damnation. Il venait de commettre son premier acte en tant qu'agent double.

Il se hâta vers la toilette des hommes et s'aspergea le visage d'eau froide. Il prit de longues respirations jusqu'à ce qu'il retrouve son calme, puis il marcha vers la salle de conférences.

Il avait été facile de manipuler Garrett. Il en serait tout autrement avec Sean Whelan.

Il entra dans la salle de conférences et hocha la tête en direction de Garrett et de Sean en guise de salutation.

— Bonjour.

Il ferma la porte.

— Tu es en retard.

Sean était assis au bout de la table. Garrett était assis sur le côté droit, les épaules affalées.

Sean tapota l'extrémité de son stylo sur la table.

— Nous avons un problème.

— Ah oui ?

Austin s'approcha de la table.

— Je veux vos comptes rendus, mais Garrett n'en a pas à m'offrir. Il dit que tu n'en as pas, toi non plus. Il dit que les vampires ont joué dans vos têtes.

Austin choisit une chaise.

— Oui, je crois que c'est ce qu'ils ont fait.

— Comment as-tu pu laisser cela se produire? demanda Sean en le regardant fixement. Je peux comprendre que Garrett éprouve des difficultés à les empêcher de contrôler son esprit, mais toi... Austin, tes pouvoirs psychiques sont supérieurs au meilleur résultat possible en fonction de nos grilles d'évaluation! Tu aurais dû être en mesure de les arrêter.

Austin plissa les yeux comme s'il était en train de se concentrer au maximum.

— Je me souviens de certaines choses, mais rien qui n'ait une certaine valeur utile. Nous ne savons pas où se trouve votre fille. Je suis désolé.

La mâchoire de Sean se serra.

— De quoi te souviens-tu?

Austin haussa les épaules.

— Je n'arrive pas à me souvenir de leurs noms, mais il y avait plusieurs vampires sur place. Ils étaient inoffensifs.

Sean poussa un petit grognement.

— Voilà une affirmation qui se contredit d'elle-même. Un vampire inoffensif.

— Ils ne nous auraient jamais fait de mal.

Sean frappa la table avec son stylo.

— Ils ont joué avec vos esprits. Ça, c'est vous faire du mal.

— Je me souviens de quelques noms, dit Garrett. Roberto. Non, c'était peut-être Alberto. Et il y avait une maison sur la plage.

Austin secoua la tête.

— Non, c'était un appartement de grand luxe.

— Ah ouais, c'est ça.

Garrett grimaça.

— Pourquoi est-ce que je me souviens d'une maison sur la plage?

Austin se glissa dans l'esprit de Garrett et l'alimenta avec d'autres images.

— Je me souviens du concours, et qu'il y avait cinq juges.

— Des caniches, dit Garrett.

— Pardon?

Sean lui lança un regard confus.

— Les juges étaient des caniches roses duveteux.

Garrett fronça les sourcils et frotta son front luisant.

— Ça n'a aucun sens.

— Les bâtards.

Sean donna un coup de poing sur la table.

— Ils se moquent de nous.

Il se leva et marcha à pas mesurés dans la salle.

— Tout ça n'aura donc été qu'une perte de temps. Nous ne savons toujours pas où est ma fille.

Austin prit une grande inspiration.

— Je pense que nous devrions concentrer nos efforts sur les vampires qui attaquent les gens. Les vampires du RTNV veulent seulement se distraire en regardant des feuilletons abrutissants et vendre quelques bouteilles de Chocosang. Ils sont peut-être coupables de manquer de bon goût, mais ils sont essentiellement inoffensifs.

Sean arrêta de marcher à pas mesurés pour fixer Austin du regard.

— Si les vampires ont joué avec ta tête, alors tout ce que tu racontes est suspect à mes oreilles. Ça n'existe tout simplement pas, un vampire inoffensif.

— Je me souviens suffisamment de l'émission de téléréalité pour savoir que ces vampires-là ne feraient jamais de mal à personne.

Sean s'en moqua.

— Est-ce de ça que tu te souviens, toi aussi, Garrett? Une bande de vampires doux et inoffensifs?

Le visage de Garrett s'empourpra.

— Il n'y a eu aucune morsure. Les caniches étaient forts gentils.

De la sueur perla sur son front.

— Enfin, les femmes.

Sean le regarda en fronçant les sourcils.

— Tu as l'air malade. Est-ce que tu as examiné ton cou pour voir si tu avais des marques de dents?

Garrett pâlit.

— Oh, mon Dieu.

Il déboutonna le col de sa chemise et glissa ses doigts sur son cou.

— Je vais bien.

— Non, tu ne vas pas bien du tout.

Sean serra les dents.

— Tu as eu un lavage de cerveau. Va consulter le psychiatre de l'Agence.

— Oui, monsieur.

Garrett essuya son front moite.

— Je me sens en effet un peu étrange, comme si j'avais la fièvre.

Sean plissa les yeux.

— Tu peux t'en aller, lui ordonna-t-il en douceur.

— Merci, monsieur.

Garrett se fraya un chemin jusqu'à la porte et quitta la pièce.

Austin se leva pour la quitter à son tour.

— Assis.

Il reposa ses fesses sur sa chaise. Un puissant courant d'air chaud suffocant encercla son esprit. Austin savait ce que c'était, et savait aussi que son esprit était rempli de souvenirs qu'il devait à tout prix conserver pour lui seul. Des souvenirs qu'il avait prétendu avoir oubliés, et des souvenirs de Darcy. La puissance psychique de Sean se referma sur son esprit comme un étau. Austin érigea aussitôt un coupe-feu et commença à rassembler ses propres pouvoirs.

— Pas mal, chuchota Sean. Tu sais que l'invasion de ton esprit par un humain provoque une sensation de chaleur, n'est-ce pas? Comme c'est intéressant de repenser au fait que Garrett ressentait aussi une telle chaleur.

La puissance d'Austin avait atteint sa masse critique. Il abaissa son coupe-feu et libéra sa puissance, brisant l'étau qui entourait jusque-là son esprit.

Sean se raidit en haletant.

Austin se leva.

— Ne tentez plus ça sur moi.

— Et tu t'attends à ce que je croie que les vampires ont joué avec ton esprit?

La colère se lisait sur le visage de Sean.

— Puissant comme tu l'es, ils ne pourraient jamais pénétrer dans ton esprit, à moins que tu ne les laisses volontairement faire.

Austin serra les dents. Il avait espéré attirer l'attention de Sean sur les Mécontents et qu'il laisse Darcy et ses amis en paix, mais ça ne pourrait jamais fonctionner, car Sean n'avait plus confiance en lui.

Sean lui lança un regard noir.

—Qu'est-ce qui t'est arrivé, Austin? Tu as laissé une de ces chiennes de vampires te séduire?

Il forma des poings avec ses mains.

— Je vous assure que je suis en plein contrôle de ma personne.

— Alors, tu n'as plus qu'à me le prouver. Retourne à l'appartement de grand luxe et tue-les tous avec des pieux dans le cœur pendant qu'ils dorment.

Austin avala sa salive avec difficulté.

— Non.

Sean planta ses paumes sur la table et se pencha vers l'avant.

— Tu fais mieux d'y penser deux fois, avant de me répondre, Erickson. Est-ce que tu es en train de désobéir à un ordre direct ?

Les battements de son cœur accélérèrent, provoquant des bruits sourds dans ses oreilles.

— Oui, c'est ce que je fais. Je vais vous remettre ma démission dès aujourd'hui.

— Tu n'es qu'un imbécile.

Austin secoua la tête.

— Vous refusez de voir la réalité. Il y a deux types de vampires. Vous devriez concentrer vos efforts sur les Mécontents et laisser les autres vampires inoffensifs en paix. Les Mécontents sont ceux qui sont dangereux.

— Ils sont tous dangereux !

— Non, ce n'est pas vrai ! De grâce, Sean, parlez à votre fille. Shanna vous dira la vérité.

— Ne me parle pas d'elle ! Elle s'est retournée contre moi. Et maintenant, voilà que tu me trahis, toi aussi. Sors d'ici !

Austin marcha à grands pas vers la porte.

— Je vais continuer le combat contre le mal. Nous serons toujours du même côté.

— *Tu* es maléfique ! Tu es un traître ! Sors d'ici, hurla Sean.

Austin ferma la porte derrière lui. Alyssa et Emma se trouvaient juste là, et l'inquiétude se devinait sur leurs visages. Il s'empara de sa carte d'identité et la donna à Emma.

— Tu ne peux pas partir, chuchota-t-elle. Tu es le plus puissant d'entre nous.

— Je me battrai toujours contre les vilains.

Austin sourit avec tristesse.

— Faites attention à vous.

Il s'éloigna d'elles et utilisa l'ascenseur pour se rendre au rez-de-chaussée.

Il avait tout fait rater. Sean savait à quel endroit avait lieu le tournage de l'émission de téléréalité, et il était assez furieux pour être capable d'assouvir sa vengeance sur les vampires qui se trouvaient là. Austin devrait retourner à l'appartement de grand luxe pour s'assurer que Darcy et ses amis étaient protégés. Il n'y avait plus qu'une nuit de tournage à compléter. Une fois cela terminé, Darcy et ses amis seraient en sécurité.

Qu'est-ce qu'il allait faire, maintenant ? Il avait perdu son emploi. Il avait perdu la femme qu'il aimait. Il avait essayé de bien faire dans tout et pour tout, mais tout s'était écroulé comme un château de cartes.

« Tu peux m'épouser, ou encore passer l'éternité à t'enivrer. »

Le choix de mots peu judicieux d'Austin continuait à hanter Darcy. Elle ne pouvait l'épouser. Comment pourrait-elle lui imposer de vivre dans l'obscurité avec une femme qui pouvait se transformer en monstre à n'importe quel moment ? Elle frissonnait chaque fois qu'elle repensait à la douleur qui avait accompagné l'allongement de ses canines, la forte envie qu'elle avait ressentie de les utiliser et l'accablante soif de sang qu'elle avait éprouvée.

Fort heureusement, sa réaction d'horreur et de dégoût avait été aussi forte que sa soif de sang. C'est ça qui l'avait aidée à conserver assez de contrôle pour ne pas mordre Austin. Et si cela se produisait encore et encore ? Et si elle s'y habituait lentement et que l'horreur de la chose finissait par ne plus être un facteur ? Plus rien ne pourrait alors l'empêcher de mordre Austin ou de le transformer contre son gré. Et il la détesterait, comme elle détestait Connor.

Des larmes vinrent brouiller sa vision. D'après ce qu'elle en savait, Gregori était le seul autre vampire dans le monde à part elle à n'avoir jamais mordu personne. Elle savait que ses autres amies devaient avoir mordu des gens dans le passé, mais elle avait toujours de la difficulté à se l'imaginer. Comment la petite et douce Maggie aurait-elle pu enfoncer ses canines dans le cou de quelqu'un ?

Elle savait maintenant de quelle façon cela pouvait se produire. Lorsque ses canines s'étaient allongées, elle avait éprouvé une soif de sang terrifiante. Et si cela se produisait nuit après nuit, nul doute que le phénomène perdrait graduellement son aura de terreur. Cela deviendrait normal. Et avec le temps, elle en tirerait probablement même du plaisir.

Elle ne pouvait pas entraîner Austin dans ce piège, et le fait de passer l'éternité à s'enivrer était pathétique. La seule chose à laquelle elle pouvait penser pour s'en tirer était de se surmener au travail. Elle pourrait au moins être productive, et cela l'empêcherait de penser constamment à Austin.

Elle se pointa dans les locaux du RTNV, le mercredi soir, peu après le coucher du soleil, et se mit aussitôt à travailler sur le montage du troisième épisode de la série qui serait diffusé le samedi suivant. Quelques heures plus tard, Sly jeta un coup d'œil furtif dans son bureau. Darcy eut fortement envie de lui lancer une agrafeuse au visage pour avoir été aussi désagréable avec Maggie.

— Et puis, Newhart, est-ce que tu as pu découvrir qui était la superbe créature que j'ai pu voir dans le spa ?

— Non.

Elle se concentra encore davantage sur son travail afin qu'il puisse se rendre compte qu'il la dérangeait.

— Je crains fort que cela ne demeure un mystère.

— Hum.

Il se gratta la barbe et ne remarqua évidemment pas qu'il la dérangeait dans son travail.

— Selon la plupart des appels téléphoniques et des courriels que nous avons pu recevoir, les téléspectateurs pensent qu'il s'agissait de Cora Lee ou de Lady Pamela.

Darcy soupira et continua à travailler.

— Nous recevons encore des courriels à propos des vêtements démodés que les femmes portent, continua Sly. Est-ce que tu t'es occupée de ça ?

— Oui. Leurs vêtements ont été totalement modernisés. Ça ne se verra pas encore avant quelques épisodes, mais je pense que vous serez très heureux du résultat.

— C'est bien.

Sly s'appuya contre le montant de porte comme s'il avait l'intention de rester là encore cinq minutes de plus. Darcy étouffa un gémissement.

— Est-ce que tout fonctionne encore comme prévu ? demanda-t-il. Le tournage de la dernière émission aura lieu vendredi ?

— Oui, monsieur. Nous aurons un gagnant vendredi soir.

Et il fallait que ce soit Roberto, sans quoi elle pourrait dire adieu à son emploi.

— Génial ! Je serai là pour la dernière cérémonie, question de pouvoir remettre le chèque au gagnant. J'ai demandé à ce qu'on en prépare un de format surdimensionné.

— D'accord.

— Et j'ai aussi dit à Corky Courrant d'être présente, afin de pouvoir réaliser quelques entrevues suivant la cérémonie.

— Ça me semble excitant, marmonna Darcy.

— C'est excitant !

Sly tourna la tête, son attention ayant été attirée par quelque chose dans le vestibule.

— Hé, Tiffany ! Tu es en retard.

Son regard se posa de nouveau sur Darcy.

— J'ai un rendez-vous. On se revoit plus tard, dit-il en fermant la porte.

Darcy frissonna. Bien sûr. Tiffany et lui devaient discuter de quelque chose d'important. Darcy travailla jusqu'à minuit, avant de prendre une pause pour visionner le deuxième épisode de *L'homme le plus séduisant sur terre*, diffusé sur le réseau de télévision numérique des vampires. C'était l'épisode où Lady Pamela invitait les concurrents à faire une promenade dans la serre. Le fait de voir Austin à la télévision lui tordit le cœur de douleur. Lorsqu'il se piqua le doigt sur une épine de rose, les caméramans firent de l'excellent travail pour que les téléspectateurs puissent deviner le désir qu'avait Pamela de goûter à son sang.

L'œil de Darcy eut un tic. Elle massa le nerf sensible sur sa tempe. Elle avait pris la bonne décision. Austin ne pourrait jamais être en sécurité avec elle dans le monde des vampires. C'était comme si quelqu'un agitait une bouteille de vin devant les yeux des membres d'un groupe d'alcooliques en phase de rémission. Le téléphone sonna dès la fin de l'émission.

— Darcy !

Maggie sembla heureuse.

— Nous avons tous aimé l'émission.

— C'est bien.

Elle pouvait entendre des voix excitées en bruit de fond.

— Que se passe-t-il ?

— Nous faisons la fête ! Bart, Bernie et Gregori sont descendus dans le salon des domestiques pour regarder l'émission avec nous. Nous célébrons l'événement avec du Sang Pétillant. Oh, et Roberto voulait se joindre à nous. Il disait qu'il s'ennuyait tout seul dans l'appartement de grand luxe, mais Gregori lui a dit qu'il ne pouvait pas la regarder, que ce n'était pas juste pour le concours.

— Je vois.

— Vanda essaie de convaincre Gregori de nous emmener dans un autre club de danseurs. Bart dit qu'il y en a un vraiment excitant tout près, mais je me demande bien comment il peut être au courant.

Darcy haussa les sourcils. Bart aimait les danseurs ?

— Je vois.

— Veux-tu venir avec nous ?

Gregori pourrait te téléporter ici en un instant.

— Non merci. J'ai beaucoup de travail à faire.

— Oh, d'accord.

Maggie soupira.

— Je ne veux simplement pas que tu sois triste parce que… oh, ça me fait penser. J'imagine que je devrais t'en parler.

Darcy fronça les sourcils devant l'hésitation de son amie.

— Qu'est-ce qui ne va pas ?

— Gregori a entendu quelque chose à l'extérieur, dans le hall, et il est allé vérifier ce qui se passait. C'était Adam. Ou Austin. Enfin, tu sais qui.

Le cœur de Darcy fit un bond.

— Que faisait-il ?

— Gregori a dit qu'il marchait autour de l'appartement de grand luxe, et qu'il était inquiet au sujet de la sécurité. Il a dit que nous avions besoin d'augmenter le nombre de gardes de jour comme de nuit.

Darcy retint son souffle. Austin savait-il quelque chose ? Il était après tout un agent de l'Agence centrale de renseignement. Il avait peut-être de bonnes raisons de s'inquiéter de leur sécurité.

— Maggie, j'aimerais parler avec Gregori.

— D'accord.

Il y eut une pause.

— Que se passe-t-il, mon ange ? dit Gregori.

— Je crois que tu devrais sortir avec les femmes. Fais en sorte que Bart et Bernie vous accompagnent. Et téléphone à… Connor. Demande-lui s'il peut nous prêter quelques gardes pour l'appartement de grand luxe.

— Que se passe-t-il ? Tu sembles aussi inquiète qu'Adam.

— Je t'expliquerai plus tard. Si Adam est inquiet, il doit y avoir une bonne raison. Crois-moi. Sois prudent.

Darcy raccrocha et retourna travailler.

Elle travailla encore de longues heures dans la nuit de jeudi à vendredi, et deux nouvelles émissions étaient maintenant prêtes à être diffusées. Vendredi soir, les femmes enfilèrent leurs plus belles robes neuves de soirée. C'était le moment où elles auraient enfin un nouveau maître, et où Darcy verrait Austin pour la dernière fois.

Vingt-cinq

Darcy alla à la rencontre de Maggie et des cinq juges dans la salle des portraits.

— Ce soir, vous jugerez les hommes en fonction du dernier critère de votre liste, l'intelligence. J'ai préparé une question pour vous.

Elle tendit la feuille de papier à Lady Pamela.

Les femmes s'assirent sur les canapés qui faisaient face aux deux portraits restants sur le mur. Austin et Roberto.

Une puissante voix résonna dans le hall, et la porte s'ouvrit.

— Je suis là ! annonça Sly.

Il marcha à grands pas à l'intérieur tout en portant un chèque imprimé sur un panneau de quatre pieds de long. Il l'appuya contre le mur, puis se retourna pour saluer les femmes.

— Hou là ! Vous êtes séduisantes à souhait !

La princesse Joanna et Maria Consuela rougirent et baissèrent les yeux vers leurs mains, posées sur leurs cuisses. Lady Pamela et Cora Lee rirent sottement. Vanda haussa un sourcil et jeta un regard à Sly, tandis que Maggie se glissait derrière Darcy, le visage pâle.

Darcy remarqua à quel point Maggie était peu à l'aise en présence de Sly.

— Est-ce que tu peux aller vérifier si les hommes sont prêts?

— Bien sûr.

Elle se précipita hors de la salle.

Sly la regarda partir.

— J'ai l'impression de l'avoir déjà vue quelque part.

Il se retourna vers les femmes et se concentra sur les deux blondes.

— J'ai entendu dire que l'une d'entre vous aimait bien le spa.

Darcy se racla la gorge.

— Est-ce que Corky Courrant est arrivée?

— Non. Elle ajoute la touche finale à son émission au RTNV, répondit Sly. Elle sera ici sous peu.

La porte s'ouvrit. Les caméramans entrèrent en vitesse. Maggie et Gregori firent ensuite leur entrée, suivis par les deux derniers concurrents. Darcy se retira en douce dans un coin sombre de la salle. Cela allait être horriblement difficile de se retrouver dans la même salle qu'Austin, mais c'était la dernière fois où cela allait se produire. Maggie alla la rejoindre dans le coin avec un sourire timide. Elles se cachaient toutes les deux, et chacune savait pourquoi l'autre agissait ainsi.

Les caméramans allumèrent leurs lumières et se mirent à faire de gros plans. Darcy cligna des yeux lorsqu'elle vit ce que portait Austin. Roberto avait fière allure comme toujours dans un complet dispendieux, tandis qu'Austin portait des jeans décolorés et un t-shirt froissé. Ses cheveux en broussailles formaient des pointes dressées, et ses favoris soulignaient sa mâchoire.

Darcy réalisa qu'il tentait d'avoir l'air malpropre et irrespectueux, mais sa stratégie produisait l'effet inverse. Il avait l'air encore plus séduisant. Elle réalisa également dans un serrement de cœur qu'elle n'avait pas besoin de se cacher dans un coin. En effet, Austin ne la regardait pas du tout. Il lançait plutôt des regards noirs à ses bottes brunes éraflées. Pendant ce temps, Roberto jetait des regards langoureux en direction des juges féminines.

— Bienvenue au dernier épisode de *L'homme le plus séduisant sur terre*, dit Gregori d'entrée de jeu. Ce soir, les femmes feront leur choix final. Tout se jouera entre Roberto, de Buenos Aires, et Adam, du Wisconsin. L'un de ces deux hommes remportera le concours et deviendra l'homme le plus séduisant sur terre.

Bart pointa sa caméra sur les deux hommes. Roberto y alla d'un sourire éblouissant, tandis qu'Austin ignorait la caméra en regardant ses bottes tout en fronçant les sourcils.

— Ce soir, les cinq femmes seront juges.

Gregori les présenta tandis que Bernie les filmait avec sa caméra.

— Nous avons également un invité spécial, continua Gregori. Sylvester Bacchus, le producteur de cette émission, remettra au gagnant un chèque de cinq millions de dollars.

Sly sourit à la caméra.

— Voici venue la soirée que nous attendions tous. Depuis le début de l'émission, nous avons reçu plus de 5 000 appels téléphoniques et courriers électroniques. Je suis sûr que vous avez aussi hâte que moi de savoir qui l'emportera.

— En effet, acquiesça Gregori. Le gagnant de ce soir recevra le titre de l'homme le plus séduisant sur terre, en plus d'un chèque de cinq millions de dollars.

— Et ce n'est pas tout !

Sly leva les mains de façon théâtrale.

— Le gagnant recevra encore plus que ça !

— Mais d'abord, un mot de notre commanditaire, l'interrompit Gregori. Comment célébrer ces occasions vampiriques uniques ? Avec du Sang Pétillant, bien évidemment. C'est une fusion de sang synthétique et de champagne, créée par Romatech.

Le sourire de Gregori se figea jusqu'à ce que le caméraman cesse de tourner.

L'œil de Darcy eut un tic. Manifestement, toutes les personnes présentes supposaient que les deux derniers concurrents étaient des vampires.

Gregori fit signe au caméraman de recommencer à filmer.

— Nous voici de retour, juste à temps pour une annonce importante de Sylvester Bacchus.

— Oui.

Sly sourit lorsque la caméra se posa sur lui.

— Comme vous le savez, nos cinq magnifiques juges faisaient autrefois partie du harem de Roman Draganesti. Ce serait un véritable crime que de laisser ces femmes sans un maître pour prendre soin d'elles. C'est ainsi que le gagnant de ce soir remportera non seulement le titre et l'argent, mais il deviendra également le maître de ces belles femmes, qui constitueront son harem tout neuf !

Austin releva brusquement la tête. Cette annonce le laissa totalement bouche bée.

Les yeux de Roberto brillèrent. Il regarda les femmes en se léchant les lèvres.

Darcy jeta un coup d'œil aux femmes. Il y a quelques semaines, c'était cela qu'elles voulaient plus que tout. Un nouveau maître fortuné qui veillerait à tous leurs besoins. Cependant, elles ne semblaient pas très excitées ou soulagées par cette annonce. En fait, elles avaient l'air mal à l'aise, et même embarrassées. Darcy soupçonna qu'elles avaient développé suffisamment d'amour-propre pour ne pas être heureuses d'être ainsi considérées comme le prix du concours.

Elle jeta un coup d'œil à Austin. Il la regardait à présent. Non. Il lui lançait des regards furieux. Sans doute était-il quelque peu en rogne à l'idée de gagner un harem. C'était tant pis pour lui. Elle lui avait conseillé à plusieurs reprises de se faire éliminer.

— Le gagnant de ce soir sera jugé sur la qualité de la réponse qu'il offrira à une seule question.

Gregori se tourna vers les deux concurrents.

— Qui veut commencer ?

— Moi, bougonna Austin. Je veux en finir avec ça.

Les sourcils de Gregori s'arquèrent sous l'effet du ton revêche utilisé par Austin.

— Très bien.

Il se tourna vers Roberto.

— Voudriez-vous nous excuser un moment ?

Maggie se précipita pour escorter Roberto à l'extérieur de la salle. Austin se tenait face aux juges, dans l'attente de leur question.

Gregori fit un signe de la tête aux femmes.

— Vous pouvez lui poser votre question.

Lady Pamela lut la question à haute voix.

— Si vous étiez notre maître, que nous étions votre harem et que nous étions entraînées dans un désaccord épouvantable, que feriez-vous pour résoudre notre conflit ?

Darcy s'avança de quelques pas, curieuse de la réponse qu'allait donner Austin. Jusque-là, il n'avait cessé de jeter des regards noirs à ses bottes.

Il leva son menton et lança un regard irrité aux juges.

— Je ne ferais rien.

Il se retourna pour s'en aller.

Les visages des juges furent assaillis par le choc et la consternation.

— Je vous en prie, dit la princesse Joanna. Pourriez-vous nous expliquer pourquoi vous ne voudriez pas nous aider ?

Austin hésita.

— Vous êtes des femmes intelligentes. Vous pouvez résoudre vos propres problèmes.

Il marcha à grands pas vers la porte et quitta la salle.

Vanda jeta un bref regard en direction de Darcy.

— C'est un abruti.

Darcy retint son souffle. Cette situation épineuse pourrait se résoudre favorablement avec l'aide de Vanda et les manières brusques d'Austin.

La princesse Joanna poussa un petit grognement.

— Il n'a aucun sens de la galanterie.

— Sans parler de son air revêche.

Maria Consuela fronça les sourcils.

— J'ai connu des tortionnaires de l'Inquisition qui avaient des visages plus amicaux.

Cora Lee croisa ses bras sur sa poitrine en faisant la moue.

— Il nous a presque regardées en montrant les dents comme un chien enragé.

— Et sa façon de se vêtir était plus qu'irrespectueuse, ajouta Lady Pamela. Nous ne pouvons avoir un tel homme pour maître.

Vanda sourit.

— Alors, c'est décidé. Adam est rejeté.

Darcy poussa un énorme soupir de soulagement. Elle regarda Vanda et articula silencieusement le mot « merci ». Austin ne se retrouverait donc pas embêté par un harem, et elle pourrait conserver son emploi.

Maggie entra avec Roberto. Il marcha à grands pas vers les femmes et leur fit la révérence. Lady Pamela répéta la question.

Le sourire de Roberto était aussi onctueux que ses cheveux lissés vers l'arrière pouvaient être gras.

— Permettez-moi de vous dire que ce serait un grand honneur d'être votre maître.

— Nous vous remercions, mon bon monsieur, répondit la princesse Joanna. Et comment feriez-vous pour résoudre un conflit entre nous ?

Roberto haussa les épaules.

— C'est difficile à dire. Il n'y aurait aucun désaccord.

— Je vous demande pardon ? demanda Lady Pamela.

— En ma qualité de maître, seul mon avis importera. Vous serez donc toujours d'accord avec moi, et nous vivrons dans la paix et l'harmonie.

Il y eut un moment du silence. Roberto sourit, croyant apparemment qu'une ère de paix et d'harmonie venait de commencer.

Les yeux de Vanda se plissèrent.

— Et si nous ne sommes pas d'accord avec vous?

— Je suis le maître. Vous ferez ce que je dis, et vous croirez ce que je vous dirai de croire.

Nouveau silence. Les femmes échangèrent des regards.

— Voulez-vous sortir pendant un moment?

Gregori désigna la porte d'un signe de la main.

— Les femmes doivent rendre leur décision.

Roberto fit la révérence, puis marcha à grands pas hors de la salle.

— Eh bien, soupira Cora Lee. On peut au moins dire qu'il était bien habillé.

— Il est beau, murmura Lady Pamela. Et il... fait de belles révérences.

— Et pourtant, dit la princesse Joanna, il y a quelque chose en lui qui me donne envie de lui *arracher la tête*.

Maria Consuela hocha la tête.

— Il est maléfique.

— C'est un bâtard arrogant, murmura Vanda.

— Ces qualités ne conviennent-elles pas à un maître? demanda Cora Lee.

Vanda poussa un petit grognement.

— Si c'est le cas, alors je ne veux pas de maître.

— Nous devons cependant en avoir un! insista Lady Pamela. Nous ne pouvons pas nous débrouiller seules.

— Nous nous sommes bien tirées d'affaire jusqu'à présent, répondit Vanda. Nous n'avons pas besoin d'un homme pour s'occuper de nous.

La princesse fronça les sourcils.

— Nous avons toutefois besoin d'argent pour survivre. Nous devons avoir un maître pour avoir de l'argent.

Cora Lee hocha la tête.

— Est-ce que quelqu'un peut me rappeler ce qui clochait avec Adam?

Darcy déglutit.

— Non.

Vanda se leva.

— Nous étions toutes d'accord. Adam est rejeté.

— Il n'était pas bien vêtu, répondit Lady Pamela.

— Flûte alors, râla Cora Lee. Nous lui enseignerons comment s'habiller.

Maria Consuela se leva pour leur faire face.

— Il a été très peu courtois. Il a refusé de nous aider à résoudre notre conflit.

— C'est vrai.

La princesse Joanna se leva avec lenteur.

— Il a cependant refusé de s'en mêler parce qu'il était d'avis que nous pourrions le résoudre nous-mêmes. Il a dit que nous étions intelligentes.

Cora Lee bondit sur ses pieds.

— Tu veux dire qu'il ne tenterait pas de nous dire comment penser ? Ou quoi dire ?

La princesse hocha la tête.

— Je crains que nous ayons mal jugé Adam.

Darcy fut bouche bée. Elle lança à Vanda un regard de désespoir.

— Écoutez !

Vanda leva ses mains devant elle.

— Nous n'avons pas besoin de l'un ou l'autre de ces hommes. Nous pouvons très bien nous tirer d'affaire sans eux.

— Je vote pour Adam, annonça la princesse Joanna.

— Moi aussi, dirent Cora Lee et Lady Pamela.

— C'est également mon avis, dit Maria Consuela. C'est d'Adam dont nous avons besoin.

Darcy gémit intérieurement. Elle pouvait dire adieu à sa carrière.

— Je vote *non* aux deux concurrents, insista Vanda. Regardez un peu le chemin que nous avons parcouru. Ne faites pas une croix là-dessus maintenant.

— Nous avons toutes voté, et c'est la majorité qui l'emporte.

Gregori fit signe aux femmes de s'asseoir. Il retira la torche électrique spéciale du coffre-fort mural. Maggie ouvrit la porte et invita les deux hommes à revenir dans la salle. Austin semblait nerveux, mais le sourire de Roberto rayonnait de confiance.

Sly s'avança vers eux.

— C'est avec honneur que j'annoncerai le nom du gagnant, qui portera ensuite le titre de l'homme le plus séduisant sur terre.

Gregori l'interrompit.

— Si, pour une raison ou une autre, le gagnant est incapable de remplir ses fonctions en tant qu'homme le plus séduisant sur terre, on remettra le titre au second, et ce dernier héritera également des récompenses.

Sly tenait le chèque de quatre pieds de long devant sa poitrine. Ses yeux pétillaient d'excitation.

— Roberto, de Buenos Aires ?

— Oui ?

Roberto marcha vers l'avant. Ses yeux brillaient tandis qu'il tendait les mains vers le chèque.

— Vous êtes le perdant.

Sly rit sous cape à sa plaisanterie cruelle.

Le sourire de Roberto se figea.

— Quoi ?

Le visage d'Austin pâlit. Il recula de quelques pas.

— L'homme le plus séduisant sur terre est Adam, du Wisconsin ! annonça Sly.

Austin était abasourdi. Gregori le poussa vers l'avant.

— Félicitations !

Sly agrippa la main d'Austin et la secoua avec vigueur.

— Voici votre chèque de cinq millions de dollars.

Il glissa le chèque géant dans les bras d'Austin.

Toutes les femmes applaudirent poliment, à l'exception de Vanda.

Sly fit un signe de la main en direction des femmes.

— Et voici votre harem tout neuf !

Austin déglutit si fort que tous purent l'entendre.

— Je… je ne mérite pas ça.

Il tenta de rendre le chèque à Sly.

Sly éclata de rire.

— Ne soyez pas timide. Les femmes ont jeté leur dévolu sur vous.

— Alors, ce ne sont que des imbéciles ! cria Roberto. Comment ont-elles pu préférer cette… brute à moi ?

— Silence, lui dit Maggie

— Écoutez, dit Austin. Je ne veux pas de harem.

Les femmes haletèrent.

— Vous ne nous voulez pas ? pleurnicha Cora Lee.

— Je suis sûr que vous êtes de très gentilles femmes, et je peux même dire que j'ai appris à vous apprécier pour qui vous êtes, mais vous ne voulez pas de moi. Je ne suis pas votre type d'homme.

La princesse Joanna fronça les sourcils.

— Vous préférez les hommes ?

Les yeux de Bart s'allumèrent. Littéralement.

— Non !

Austin serra les dents.

— Je ne veux qu'une seule femme. Celle que j'aime. Darcy.

Il lui lança un regard, l'implorant de lui venir en aide.

Tout le monde se tourna vers Darcy. Bart lui colla sa caméra au visage. Elle grimaça sous l'effet de la lumière vive dans ses yeux.

— Eh bien, comme c'est mignon tout ça, murmura Cora Lee.

— Oui, acquiesça Lady Pamela. Nous n'aurons qu'à conserver Darcy dans le harem. Ainsi, tout le monde sera heureux.

— Attendez une minute, interrompit Austin. Ça n'arrivera pas.

Il lança un regard d'excuse à Darcy.

— Je sais que ce que je vais vous dire va faire des remous, mais vous devriez tous savoir que je suis un mortel.

On put entendre des halètements partout dans la salle. Vanda et Maggie échangèrent des regards inquiets avec Darcy.

Elle soupira. La scène allait maintenant virer au cauchemar.

— Il dit vrai.

Elle s'avança et s'empara de la torche électrique des mains de Gregori.

— Ça ne peut être vrai, insista la princesse Joanna. Nous l'avons vu soulever le canapé d'une seule main.

Darcy dirigea la torche électrique vers le portrait de Roberto, et ses canines apparurent. Elle fit ensuite de même avec celui d'Austin.

Rien.

Les halètements reprirent.

— C'est un *mortel*? demanda Sly. Je viens tout juste de donner cinq millions de dollars à un damné mortel?

— Je n'avais pas l'intention de remporter le concours.

Austin lui tendit le chèque.

— Vous pouvez le reprendre.

— Non.

Darcy repoussa le chèque entre les bras d'Austin.

— Tu l'as gagné. Tu es l'homme le plus séduisant sur terre.

Ses yeux lancèrent des éclairs.

— Je ne veux pas de harem! Pourquoi ne m'avais-tu jamais parlé de ça?

— Tu n'étais pas censé te rendre si loin dans le concours, répondit Darcy.

— C'est de ta faute!

Sly pointa Darcy du doigt.

— Tu as laissé un mortel l'emporter. Je t'avais averti des conséquences.

L'œil de Darcy eut un tic.

— Il a gagné à la loyale, sans tricher et sans tirer profit d'un quelconque avantage.

— Non! cria Sly. Aucun mortel ne pourrait l'emporter sur un vampire. Tu nous as tous trahis.

Il se pencha vers l'avant et siffla ces mots :

— Tu es virée.

Darcy tressaillit. Elle essaya de détourner son regard, mais Bart la visait avec sa caméra. Génial. Voilà qu'elle se faisait virer en direct sur le réseau de télévision et qu'elle recevait l'étiquette de traître à la face du monde des vampires. Elle n'allait plus jamais pouvoir se trouver un emploi.

— Vous ne pouvez pas la virer.

Austin fixa Sly du regard.

— C'est de *ma* faute. Elle m'a supplié à plusieurs reprises de me faire éliminer.

— Cela aurait toutefois eu pour effet de truquer le concours, nota Gregori. En tentant de rester, vous avez fait en sorte de le rendre juste.

— On se fiche bien que ce soit juste! hurla Sly.

Ses yeux se posèrent sur Gregori.

— Tu es viré !

Gregori haussa les épaules.

— Vous devriez faire breveter cette expression. Vous l'utilisez à merveille.

Lady Pamela leva la main pour attirer l'attention de tout le monde.

— Nous avons encore un problème. Nous ne pouvons pas avoir un maître mortel. Comment pourra-t-il nous protéger ?

— Oui, acquiesça la princesse Joanna. Notre maître doit être un vampire.

— Eh bien, il ne l'est pas, gronda Sly.

Ses yeux s'agrandirent soudainement, comme si une idée venait de traverser son esprit. Il jeta un regard sournois en direction d'Austin.

— Son état pourrait toutefois être changé.

Darcy haleta.

— Non.

Austin laissa tomber le chèque sur le plancher. Son visage pâli.

Les femmes échangèrent des regards.

— Êtes-vous en train de suggérer que nous pourrions le transformer ? demanda la princesse Joanna.

Sly haussa les épaules.

— Si vous le voulez, prenez-le.

— Oh !

Austin leva les mains.

— Je ne suis pas d'accord avec ça.

— On ne peut pas transformer quelqu'un contre sa volonté, insista Darcy.

— Et pourquoi pas ? se moqua Sly. Est-ce que quelqu'un t'a demandé la permission ?

L'œil de Darcy eut un nouveau tic.

— Allons, mesdames.

Sly leur fit un sourire d'encouragement.

— Vous aurez ainsi l'homme que vous vouliez ainsi que la somme de cinq millions de dollars. Qui parmi vous aura le courage de passer à l'acte ?

Austin se pencha et s'empara du chèque.

— Mesdames, je vous donnerai le chèque, si vous me laissez en paix.

Leurs yeux s'agrandirent.

— Vous nous donneriez l'argent ? demanda Vanda.

— Non ! cria Roberto. Il est disqualifié. Cet argent me revient !

— Silence, murmura Gregori. Sly, Darcy a raison. On ne peut pas transformer cet homme, si ce n'est pas sa volonté.

Sly le fixa du regard.

— Qui s'intéresse à ce que tu peux dire ? Tu es viré, toi aussi.

Il se tourna vers la caméra.

— Mesdames et messieurs, ceci sera le moment le plus excitant de toute l'histoire des vampires ! Une transformation sera effectuée, ici même, devant vos yeux.

— Vous ne pouvez pas faire ça.

Darcy serra les poings.

— On ne peut pas transformer quelqu'un sans d'abord le tuer.

— Quelle question soulèves-tu ?

Elle poussa un soupir de colère exaspérée.

— C'est un meurtre. Ne pensez-vous pas que c'est quelque peu… contraire à la morale, même pour la télévision ?

Sly haussa les épaules.

— Imagine un peu l'indice d'écoute.

Austin passa devant la caméra.

— Je voudrais simplement mettre les choses au clair. Je suis tout à fait opposé aux meurtres, et en particulier au mien.

La princesse Joanna fit un signe de la main pour calmer le jeu.

— Détendez-vous, jeune homme. Nous n'allons pas vous tuer.

— Non.

Maria Consuela s'accrocha à son rosaire.

— C'est maléfique.

Lady Pamela secoua la tête.

— Nous n'avons pas besoin d'un maître à ce point.

— Oui, vous en avez besoin d'un ! dit Roberto en bondissant vers l'avant. Vous avez besoin de moi.

— Silence, murmura Vanda.

— Vous n'avez pas du tout besoin d'un maître, dit Austin. Vous avez seulement besoin d'un peu d'aide financière pour commencer votre nouvelle vie du bon pied.

Il posa le chèque sur les cuisses des femmes.

— Oh mon Dieu, haleta Cora Lee. Tout cet argent. Qu'allons-nous faire, avec tout ça ?

— Je… je suppose que nous pourrions nous lancer en affaires ? suggéra Lady Pamela.

Vanda sourit.

— Ouvrons notre propre club de danseurs. Avec des hommes vampires.

Les femmes se levèrent et parlèrent toutes en même temps. Elles éclatèrent de rire et se précipitèrent vers la porte avec leur chèque géant.

— Attendez ! leur dit Roberto. Revenez ici avec mon argent.

— Adieu, Roberto.

Vanda ferma la porte.

— Revenez !

Roberto tapa du pied sur le plancher.

— Vous devez faire ce que je vous dis. Je suis votre maître !

Le rire des femmes résonnait depuis le hall. Maggie agrippa le bras d'Austin et l'escorta hors de la salle. Darcy poussa un soupir de soulagement en constatant qu'il n'était plus en danger.

Sly se tourna vers elle.

— Tu n'es qu'une imbécile. Une chienne d'imbécile.

Elle déglutit. Son cauchemar n'était pas fini.

— Hé.

Gregori saisit Sly par le bras.

— Ne lui parlez pas comme ça.

Sly se libéra de son emprise.

— Regardez ce qu'elle a fait. Nous n'avons pas de gagnant. Les femmes sont parties en courant avec l'argent. Tout cela est un désastre épouvantable.

— Je ne suis pas d'accord.

Darcy leva son menton.

— Il s'agit plutôt d'une transformation miraculeuse. Ces femmes croyaient autrefois qu'elles ne pourraient jamais survivre sans avoir de maître. Elles étaient prises au piège dans le passé et coincées par la peur et le doute qu'elles entretenaient envers elles-mêmes. Elles se sont toutefois épanouies sous nos yeux. Ce sont maintenant des femmes fortes, indépendantes et intelligentes qui connaissent la vérité. Elles n'ont pas besoin d'un maître.

Sly poussa un grognement.

— Et tu penses que c'est une bonne chose? Chaque homme vampire dans le monde va te détester.

— Je ne la déteste pas, dit Gregori.

— Tu es un idiot, grogna Sly. Comment pouvons-nous avoir une rivalité visant à trouver l'homme le plus séduisant sur terre sans avoir de gagnant?

— Adam est le gagnant, insista Darcy.

— C'est un mortel! siffla Sly. Tu as insulté l'ensemble du monde des vampires!

Darcy redressa ses épaules.

— C'est un risque que je suis prête à prendre. Quand les femmes ont voulu réaliser leur rêve, Adam les a encouragées. Cela fait de lui l'homme le plus séduisant sur terre.

— Tu es une idiote, toi aussi. Vous êtes virés, tous les deux.

— Alors, quittons tout de suite les lieux.

Gregori tendit la main à Darcy. Elle souleva son menton pour sortir dignement de la salle.

— Tu as été géniale, chuchota Gregori tandis qu'ils marchaient dans le vestibule.

— Je suis condamnée.

Elle s'immobilisa tandis que son corps tout entier se mettait à trembler.

— J'ai perdu Austin. J'ai perdu mon emploi. Et tous les vampires du monde me détesteront.

— Tes amis ne te détesteront pas.

Gregori lui tapota le dos.

— Et je pense que tu serais surprise du nombre d'amis que tu as.

Elle respira à fond.

— J'espère que tu as raison.

— Merci de ne pas… m'avoir attaqué, dit Austin aux femmes dans le hall.

Cora Lee rit sottement.

— Merci pour tout cet argent.

— Allez-vous vraiment ouvrir un club de danseurs nus ? demanda Austin. Pour les vampires ?

— Oui.

Vanda éclata de rire.

— Je pense que nous devrions le nommer La queue du diable.

Elle l'examina du regard.

— Est-ce que tu as besoin d'un emploi, mon beau ?

— Je ne suis pas si désespéré.

Il pourrait toutefois l'être très bientôt, et particulièrement si Sean Whelan inscrivait son nom sur la liste noire. La porte d'entrée s'ouvrit brusquement, et Corky Courrant déboula avec son équipe de tournage.

— Il est temps pour moi de partir.

Austin salua les femmes d'un signe de la tête.

— Je vous souhaite bonne chance.

Il grimpa les marches de l'escalier au pas de course pour aller chercher ses valises dans sa chambre.

— Attendez.

Maggie fonça à la vitesse vampirique pour le rattraper.

— Je ne suis pas sûre que vous devriez simplement partir. Vous savez tout de notre monde.

— Je n'en parlerai à personne.

— Je pourrais essayer d'effacer votre mémoire, suggéra-t-elle. Je ne crois toutefois pas que vous vouliez oublier Darcy.

Un vampire n'aurait pas assez de pouvoir pour effacer sa mémoire. C'est ce qui est le pire. Ce serait par contre un tel soulagement. Plus de souvenirs, et plus de douleur. Ses souvenirs étaient cependant trop précieux pour qu'il y renonce, peu importe la douleur avec laquelle il devrait vivre.

— Je ne veux pas l'oublier.

— Je comprends.

Maggie fronça les sourcils tout en marchant à côté de lui.

— Je suis désolée que ça n'ait pas fonctionné pour vous.

— Et moi donc.

Il ouvrit la porte de sa chambre.

— Je suis désolé de lui avoir fait perdre son emploi. Pourriez-vous lui dire de ma part ? Et dites-lui aussi que je lui souhaite une longue et heureuse… vie.

Maggie hocha la tête.

— Je suis certaine que c'est ce qu'elle souhaite également pour vous.

Quelques minutes plus tard, Austin descendait l'escalier arrière avec ses valises dans les mains. Une fois arrivé au rez-de-chaussée, il pouvait voir le hall. Il était fort éclairé avec des lumières et des caméras. Corky était occupée à interviewer les femmes.

Il remarqua que Darcy se tenait à côté d'elles. Elle se tourna pour le regarder. Il leva la main pour lui dire au revoir. Elle fit de même.

C'était terminé. Pas de baiser d'adieu ou de dernière caresse. Il poussa un soupir et se dirigea vers le monte-charge dans la cuisine. Aucune déclaration finale d'amour éternel. Aucun assaut final dans les bras de l'autre. Aucune larme versée pour un amour impossible. Seulement cette douleur sauvage dans sa poitrine tandis qu'il s'esquivait dans l'obscurité de la nuit.

Vingt-six

Un jour plus tard, Austin se rendit compte qu'il allait vivre.

Et qu'il aurait encore des factures à payer. Il envisagea d'autres emplois dans le domaine de l'application de la loi, mais les criminels humains avaient quelque peu perdu de leur attrait. Il s'intéressait seulement aux criminels morts-vivants.

Afin de ne pas penser à Darcy, il se trouva un emploi temporaire sur un chantier de construction. Le travail était si exigeant physiquement qu'il parvenait à dormir la nuit. Il travailla jusqu'au samedi suivant, et s'accorda ensuite une journée de congé.

Il s'assit sur le canapé en buvant une bière et en se demandant ce qu'il allait faire de sa vie. Il avait communiqué avec quelques personnes avec qui il avait fait affaire autrefois en Europe de l'Est. Il pensait à y retourner. Il connaissait les langues de ces pays. Il savait aussi qu'il y avait des vampires maléfiques, là-bas. Il était cependant peu disposé à quitter New York. Darcy était ici. Il voulait être ici, au cas où elle aurait besoin de lui.

Il se faisait des illusions. Elle avait suffisamment d'amis. Elle n'avait pas besoin de lui. Il posa les yeux sur la boîte qui contenait maintenant les bandes vidéo de ses vieux reportages télévisés. Il devrait rendre ces bandes. Il devrait lâcher prise.

Il déposa bruyamment la bouteille de bière sur la petite table. Il visionnerait d'abord les bandes encore une fois. Un dernier hommage à Darcy. Il empila les bandes en ordre chronologique, puis glissa la première bande dans le magnétoscope. La première heure le fit sourire. La deuxième heure lui donna envie de pleurer. Le soir venu, il avait visionné la dernière bande. Il était étendu sur le canapé, complètement déprimé, pendant que les dernières tranches de sa pizza à emporter figeaient sur la petite table.

Le présentateur des actualités télévisées décrivait la disparition de Darcy, son visage empreint d'une fausse inquiétude. Personne ne savait où elle était.

— Elle se meurt dans une ruelle, espèce de bâtard, gronda Austin.

Si seulement cette fichue expérience avait été couronnée de succès. Si Darcy pouvait redevenir mortelle, elle cesserait alors de le rejeter. Qu'est-ce qui n'avait pas fonctionné avec cette expérience ? Cela avait quelque chose à voir avec l'ADN des vampires qui avait subi une mutation, et la nécessité de mettre la main sur l'ADN original de la personne.

Le prochain reportage commença. Le journaliste se tenait dans la ruelle derrière le club des vampires. Le corps de Darcy n'avait jamais été retrouvé, mais la police avait récupéré un couteau souillé de son sang. Pauvre Darcy. Poignardée dans la poitrine.

Austin se redressa d'un seul coup. Merde alors ! Le couteau souillé de son sang ! Son ADN original de mortelle. Il se plaqua une main contre le front. Était-ce de ça que Roman avait besoin pour mener son expérience à terme ?

Austin enfila un complet afin d'avoir encore l'air de travailler pour l'Agence centrale de renseignement. Il chercha l'adresse et le numéro de téléphone de Gregori dans son ordinateur et griffonna les renseignements sur un bout de papier. Il fit quelques appels et découvrit que les pièces à conviction qui concernaient le cas de

Darcy avaient été déplacées dans un endroit centralisé et surveillé au centre-ville.

Il sauta dans sa voiture et se rendit sur place. Il était vingt-et-une heures, un samedi soir, de sorte que l'endroit était désert. Il n'y avait qu'un seul officier en service.

Austin s'approcha de l'officier et glissa l'image d'une carte d'identité de l'Agence centrale de renseignement dans la tête de l'officier.

— Je suis avec l'Agence centrale de renseignement.

Il lui montra une carte d'identité d'un club de location de vidéocassettes.

L'officier hocha la tête.

— Comment puis-je vous aider?

— Je dois examiner les pièces à conviction du cas de Darcy Newhart. C'est un cas qui remonte à quatre ans.

L'officier poussa un presse-papiers vers lui.

— Vous devez signer ici.

Austin signa le nom d'Adam Cartwright.

L'officier feuilleta l'index et en retira une carte.

— Le voilà. C'est dans la boîte numéro 3216.

— Merci.

Austin attendit que l'officier déverrouille la porte en appuyant sur son interrupteur. Il marcha ensuite à grands pas dans les passages étroits avant de localiser la boîte étiquetée *3216/Newhart*. Il la retira de la tablette. À l'intérieur, il trouva une caméra vidéo brisée, la vieille bourse de Darcy et le couteau souillé de sang dans un sac de plastique. Il glissa le sac de plastique à l'intérieur de son manteau et replaça la boîte sur la tablette.

De retour dans sa voiture, il examina le couteau à travers le sac de plastique. C'était peut-être la clé. La chance unique qu'avait Darcy de redevenir mortelle, et leur chance d'être ensemble. Il posa le sac sur le siège du passager. Ses mains tremblèrent tandis qu'il composait le numéro de Gregori sur son téléphone portable.

— Allo? répondit Gregori.

— Je dois parler à Darcy.

Il y eut une pause.

— C'est Austin, n'est-ce pas ?

— Oui. J'ai quelque chose d'important à dire à Darcy.

— Vous n'en avez pas assez fait comme ça ? Elle a perdu son emploi à cause de vous.

— Je ne la dérangerais pas, si ce n'était pas extrêmement important.

— J'ai une meilleure idée. Ne la dérangez pas du tout.

Gregori raccrocha.

Génial. Ses amis la protégeaient. Austin se rendit jusqu'à l'adresse de l'appartement de Gregori et il gara sa voiture. Il appuya sur la sonnette.

— Oui ?

Une voix féminine se fit entendre sur l'interphone.

— Vanda, est-ce vous ? Je dois parler à Darcy.

— Austin ?

— Oui. J'ai quelque chose d'une importance capitale à montrer à Darcy.

— Elle l'a déjà vu, répondit sèchement Vanda. Elle a déjà assez pleuré à cause de vous. Laissez-la seule.

Austin relâcha le bouton de l'interphone avec un soupir. Il pourrait faire irruption dans leur appartement, mais il aurait sans doute aussitôt une bande de vampires en colère qui lui crieraient à la tête. Darcy serait trop contrariée pour l'écouter. Il avait besoin d'un allié. Quelqu'un qui pourrait lui présenter les options dont elle pouvait disposer sans entrer de force dans leur appartement. Shanna Whelan ? Il n'était pas certain de l'endroit où elle se trouvait. Roman et elle avaient quitté la maison en bande pour échapper aux menaces de Sean. La maison en bande était cependant encore au même endroit, toujours habitée par les gardes écossais en kilt.

Connor. C'était le choix parfait. C'était lui qui avait transformé Darcy. Ça devrait être à lui de lui annoncer la nouvelle.

Austin conduisit jusqu'à la maison en bande de Draganesti, dans le Upper East Side. Les marches de l'escalier qui menait à la porte d'entrée étaient sombres et uniquement éclairées par une lumière rouge clignotante fixée sur une caméra de surveillance équipée d'une lentille de nuit. Il sonna à la porte et jeta un coup d'œil vers la caméra pour permettre aux gardes à l'intérieur de bien voir son visage.

Une voix grave teintée d'un accent écossais s'adressa à lui par l'interphone.

— Appuyez sur le bouton et dites-nous la raison de votre visite.

Il appuya sur le bouton de l'interphone.

— Je veux parler à Connor.

Pas de réponse. Austin attendit. Il pivota sur lui-même, et examina la rue, fort calme. Il attendit encore. Il venait de pousser de nouveau sur le bouton de l'interphone pour leur rappeler qu'il attendait lorsque la porte s'ouvrit lentement.

Un frisson indésirable lui parcourut l'échine.

— Entrez, dit Connor.

Il sourit légèrement.

— Vous êtes juste à temps pour le dîner.

« Ils se nourrissent tous au sang embouteillé », pensa Austin tandis qu'il marchait dans le hall vaguement éclairé. Connor tentait tout simplement de lui faire peur. Ou peut-être que le bâtard aimait jouer avec sa nourriture.

Dans le hall, il y avait trois Écossais en kilt. Connor se trouvait au centre, avec un vampire d'apparence jeune sur sa droite et un autre aux cheveux noirs sur sa gauche. Derrière eux se trouvait un grand escalier, et six autres vampires en kilt montaient la garde à cet endroit.

Connor croisa les bras sur sa poitrine et le regarda avec curiosité.

— Eh bien, jeune homme. Vous avez des couilles pour venir jusqu'ici.

— Je dois vous parler. Seul à seul.

Connor fit un signe de la tête en direction de l'Écossais aux cheveux noirs.

— Dougal, sécurisez le périmètre. Assurez-vous que notre petit ami de l'Agence centrale de renseignement est venu seul.

— Oui, monsieur.

Dougal et deux des gardes des escaliers sortirent par l'entrée en fermant la porte derrière eux. Deux autres gardes du même escalier filèrent à la vitesse vampirique vers la porte arrière.

— Je suis seul, dit Austin. Et je ne fais plus partie de l'Agence centrale de renseignement.

Connor arqua un sourcil d'un air dubitatif.

— Levez les bras, s'il vous plaît, afin qu'Ian puisse vérifier si vous portez des armes.

Austin leva ses bras tandis que le jeune vampire se glissait derrière lui.

— J'ai un couteau dans ma veste.

En moins d'une seconde, les deux derniers gardes de l'escalier s'étaient positionnés de chaque côté de lui, leurs épées pointées contre sa poitrine.

Austin cligna des yeux. Ils étaient très rapides. Ian s'empara du sac de plastique qui contenait le couteau souillé de sang et le tendit à Connor.

— Je n'avais pas l'intention de m'en servir, murmura Austin.

— Vous n'auriez pas eu la chance de le faire.

Connor retourna le sac, et examina le couteau.

— Ce sang est vieux.

— Il a quatre ans. C'est celui de Darcy.

Austin remarqua le tremblement soudain des mains de Connor.

Des remords glissèrent sur le visage de l'Écossais, avant qu'il ne reprenne son expression neutre habituelle.

— Est-ce qu'il a d'autres armes ?

Ian termina sa fouille en tapotant les jambes d'Austin.

— Non. Il n'a rien d'autre sur lui.

— Par ici.

Il se dirigea vers une porte derrière l'escalier.

Austin le suivit, toujours flanqué des deux gardes armés, avec Ian à leur suite. Il franchit le cadre d'une porte battante et se retrouva dans une cuisine.

— Assoyez-vous.

Connor désigna la table d'un signe de la main. Il jeta un coup d'œil à Ian et aux gardes.

— Vous pouvez partir.

Austin s'approcha de la table, mais demeura debout.

Connor posa le couteau ensanglanté sur la table.

— C'est donc ce couteau qui a tué Darcy?

— Non, il l'a seulement blessée. C'est vous qui l'avez tuée, espèce de bâtard.

Austin décocha ensuite un coup de poing à la mâchoire de Connor. Austin sourit d'un air satisfait en voyant l'Écossais tituber vers l'arrière. La mâchoire du vampire était aussi dure que de la pierre, mais la douleur qu'il ressentait dans sa main en valait la peine, ne serait-ce que pour voir l'expression choquée sur le visage de Connor.

— Pourquoi diable avez-vous fait ça?

Austin bougea sa main endolorie.

— Parce que vous le méritiez.

Connor s'assit à la table et désigna une chaise face à lui.

Austin s'assit. Il n'avait apparemment pas à s'inquiéter d'une possible riposte. Connor devait trouver qu'il avait mérité le coup.

— Vous avez donc quitté l'Agence centrale de renseignement? demanda Connor.

— J'ai démissionné il y a une semaine après un désaccord majeur avec Sean Whelan. Je voulais concentrer mes efforts uniquement sur les Mécontents, mais il croit toujours que tous les vampires sont maléfiques.

— Et vous n'êtes plus de cet avis?

— Non. J'ai appris à connaître quelques vampires pendant l'émission de téléréalité. Ils étaient inoffensifs.

Austin soupira.

— Sean m'a ordonné de leur enfoncer des pieux dans le cœur en plein jour pendant qu'ils étaient sans défense. J'ai refusé.

— C'est un geste qui vous honore.

Austin fut étonné par l'air amusé qu'il put déceler dans les yeux de l'Écossais.

— C'est aussi ce que je pensais.

Connor s'adossa dans sa chaise.

— Une rumeur circule selon laquelle vous auriez remporté le concours, et que vous auriez remis le chèque du gagnant aux femmes.

Austin haussa les épaules.

— Elles en avaient besoin.

— Oui. Tout comme vous, puisque vous êtes maintenant en chômage.

— J'ai l'intention de me trouver un autre emploi.

— Vous avez travaillé en Europe de l'Est pendant un certain temps.

Austin déglutit.

— Comment savez-vous cela ?

— Ian a développé une certaine expertise pour se glisser dans les locaux de l'Agence centrale de renseignement, à Langley. Vous parlez le hongrois et le tchèque couramment ?

— Oui.

Austin avait soudainement l'impression de participer à un entretien d'embauche.

— Je voudrais continuer le combat contre les Mécontents. Si vous connaissez une organisation dont c'est le mandat…

— Plus tard, l'interrompit Connor. Plusieurs Mécontents ont été assassinés récemment dans Central Park. Que savez-vous à ce sujet ?

Austin prit une grande inspiration, mais demeura silencieux.

— Les Russes nous ont accusés d'être responsables de ça, mais moi je pense que c'est le travail de votre maudite équipe de Surveillance. Puisque vous ne faites plus partie de l'Agence centrale de renseignement, pourriez-vous me dire si j'ai raison ?

Austin hésita.

— Les Mécontents méritent de mourir. Ils attaquent des innocents.

— Oui.

Connor croisa les bras.

— Puisque Garrett et vous participiez à l'émission de téléréalité, je parie que l'assassin est Sean Whelan, ou une des femmes de son équipe.

« Merde. »

Il devait communiquer avec Emma et lui dire de mettre un terme à cette activité.

— C'est donc une des femmes de son équipe, dit doucement Connor. Vous n'auriez pas le désir de protéger Sean.

Austin changea de position sur sa chaise. Ce vampire était très futé.

Connor fit un geste en direction du couteau.

— Et pourquoi avez-vous apporté ça, ici ? Espériez-vous torturer ma lourde conscience ?

— Vous reconnaissez donc votre culpabilité ? Pourquoi ne l'avez-vous pas emmenée à un hôpital ? Ou à Romatech ? Ils ont des tonnes de sang synthétique là-bas. Vous auriez pu lui sauver la vie.

Les yeux de Connor s'assombrirent de douleur.

— C'était une jeune fille très courageuse. Elle ne méritait pas de mourir.

— Mais vous l'avez tuée.

Il secoua sa tête avec tristesse.

— Un vampire peut sentir la quantité de sang contenue dans le corps d'un mortel. Il peut aussi entendre le battement de son cœur.

Le couteau avait entaillé une de ses artères principales. Elle avait une hémorragie interne. Quelques battements de plus, et elle aurait trouvé la mort au bout de son sang.

— Vous ne pensiez pas qu'il y avait encore assez de temps pour la sauver ?

— Je savais qu'elle n'avait plus de temps.

Connor poussa un soupir.

— Je sais qu'elle me déteste. Mais croyez-moi, il n'y avait aucun autre moyen de la sauver.

— Je vous crois.

La douleur était bien réelle dans les yeux du vampire.

Connor toucha le sac de plastique.

— Comment avez-vous fait pour mettre la main sur ce couteau ?

— Je l'ai volé à la police.

Les sourcils de l'Écossais s'arquèrent.

— Je suis impressionné.

— Darcy m'a parlé de l'expérience tentée par Roman pour transformer un vampire en mortel. Elle m'a dit que ça n'avait pas fonctionné parce qu'ils avaient besoin de l'ADN original du mortel.

— Oui.

Connor souleva le couteau, et ses yeux s'agrandirent.

— Et ça, c'est le sang de mortelle de Darcy.

— Qui contient aussi son ADN de mortelle.

Austin se pencha vers l'avant.

— Je pense que l'expérience pourrait réussir avec elle.

— Est-ce que vous lui en avez parlé ?

— Non. Ses amis la protègent de moi.

— Pourquoi ?

Connor fronça les sourcils.

— Que lui avez-vous fait ?

— Je lui ai fait perdre son emploi. Et je suis tombé amoureux d'elle.

— Oh. Et vous aimeriez mieux aimer une mortelle qu'une femme vampire ?

— Je serais heureux d'être avec elle peu importe sa condition, mais ceci n'est pas à propos de moi. C'est à propos de Darcy et de son bonheur. Ça doit être sa décision.

Connor posa le couteau sur la table.

— Je vais devoir vérifier auprès de Roman pour savoir s'il croit que l'expérience peut être concluante.

— Si c'est le cas, vous en parlerez ensuite avec Darcy ? Je crois que vous devriez être celui qui abordera le sujet avec elle.

Connor soupira.

— Je n'avais pas pu lui offrir de choix la première fois.

Austin lui tendit le couteau.

— Cette fois, vous pourrez le faire.

À minuit, Vanda et Maggie traînèrent Darcy dans la salle de séjour pour visionner un autre épisode de *L'homme le plus séduisant sur terre*. Sly diffusait encore l'émission le mercredi et le samedi. Le public vampire le demandait. Selon Corky Courrant, c'était l'émission la plus populaire de l'histoire du RTNV.

Au cours de la semaine suivant son licenciement, Darcy avait été occupé à aider les femmes à ouvrir leur club de danseurs et à se dénicher leur propre maison en bande. Pour le moment, elles habitaient encore dans l'appartement exigu de Gregori. Les femmes étaient trop heureuses de leur sort pour se plaindre de l'étroitesse de leurs quartiers. Elles avaient même invité Darcy à s'impliquer dans leur club, offre qu'elle avait cependant déclinée.

Elle était maintenant assise sur un canapé, tassée entre Vanda et Maggie. Les femmes aimaient se voir à la télévision, mais le fait de regarder l'émission, et surtout de voir Austin était une véritable torture pour Darcy. Elle savait qu'ils ne pourraient être ensemble, mais cela ne diminuait en rien l'amour qu'elle éprouvait pour lui. En fait, cela ne faisait qu'augmenter l'intensité de son désir. À la fin de l'émission, elle était totalement déprimée. Les femmes heureuses remplirent leurs coupes de Sang Pétillant.

— Il faut que tu te ressaisisses.

Maggie lui donna une coupe.

— Sly a au moins accepté de nous laisser l'argent.

Gregori poussa un petit grognement.

— Il n'avait pas le choix. C'est Roman qui a signé le chèque, et il a insisté pour que vous puissiez en bénéficier dans sa totalité.

— Le maître se souciait vraiment de nous, après tout.

Cora Lee sourit.

— Tu devrais être heureuse, Darcy. Ton émission est le plus grand succès du RTNV.

— En effet, acquiesça la princesse Joanna. Sly serait un idiot, s'il ne te suppliait pas de faire une nouvelle émission.

Malheureusement, Sly *était* un idiot.

— Il se contentera d'embaucher quelqu'un d'autre, murmura Darcy.

— Je ne pense pas, répliqua Vanda. Corky Courrant n'a cessé de repasser ton entrevue sur les ondes. Elle est en train de te rendre célèbre. Sly devra te demander de revenir.

— Vanda a raison.

Gregori but de petites gorgées de sa coupe.

— Corky a décidé d'embrasser la cause de la libération des femmes vampires, et elle a fait de toi l'héroïne de ce mouvement. Sly aura l'air d'un vrai salaud, s'il ne te demande pas de revenir à l'emploi du RTNV.

Malheureusement, Sly *était* un vrai salaud. Darcy n'allait certainement pas retenir son souffle jusqu'à ce qu'il daigne l'appeler.

— La fondatrice du mouvement de libération des femmes vampires.

Maggie regarda Darcy avec des yeux remplis d'admiration.

— Je le savais. Je le savais qu'il y avait une raison pour laquelle tu étais avec nous. C'était écrit dans le ciel.

Le cœur de Darcy se gonfla d'émotion. C'était écrit dans le ciel qu'elle devait être là, avec elles. C'était écrit dans le ciel qu'elle devait être une femme vampire. Ses yeux s'embuèrent tandis qu'elle les posait sur ses amis. Elle faisait enfin la paix avec son monde.

Gregori prit la parole.

— Puisque je suis un vrai génie du marketing, j'ai décidé de profiter au maximum de ton nouveau statut de vedette. J'ai convaincu Roman de lancer une nouvelle ligne de produits pour les femmes vampires, et nous voulons que tu sois la porte-parole.

Darcy fut bouche bée.

— Tu veux donc dire que j'aurais un emploi ?

— Oui.

Gregori sourit.

— Tu réaliserais des annonces publicitaires, tu ferais des tournées promotionnelles et tu serais une source d'inspiration pour les femmes vampires du monde entier.

Les femmes poussèrent des cris aigus et se rassemblèrent autour de Darcy pour la féliciter. Elle était trop abasourdie pour faire autre chose que de babiller de façon incohérente. Le téléphone se fit entendre au milieu de tout ce bruit.

Gregori répondit.

— Bien sûr, tu peux venir.

Il jeta un coup d'œil aux femmes.

— Reculez, s'il vous plaît. Nous avons un visiteur.

Les femmes se réunirent près du mur éloigné, et une silhouette se matérialisa devant leurs yeux. Des cheveux auburn aux épaules. Un kilt écossais rouge et vert. *Connor.* Darcy se raidit.

Il concentra aussitôt toute son attention sur elle.

— Nous devons discuter. Seul à seul.

Son cœur martela dans ses oreilles. De quels sombres pressentiments était-il porteur ce soir ? Et pourquoi ? Sa vie semblait enfin vouloir redevenir prometteuse.

— Venez, mesdames.

Gregori fit un signe de la main vers la porte.

— Donnons-leur un peu de vie privée.

Darcy se percha sur le bord d'un fauteuil tandis que ses amis quittaient la pièce les uns à la suite des autres. Connor marcha à pas mesurés, son kilt produisant un bruissement sur ses genoux. Elle remarqua qu'il était nerveux, et cela ne fit qu'accélérer les battements de son cœur.

Il se racla la gorge.

— J'écoute votre émission avec plaisir.

— Merci.

— J'imagine que vous n'avez pas dit à votre patron qu'Austin travaille pour l'Agence centrale de renseignement?

— Non. Sly était déjà assez furieux d'apprendre qu'il est un mortel.

Connor croisa ses bras sur sa large poitrine.

— Il est venu à ma rencontre il y a quelques heures.

— Austin?

— Oui. Il avait quelque chose d'important à vous dire, et vos amis montaient la garde en ne le laissant pas se rendre jusqu'à vous.

Le cœur de Darcy eut des battements irréguliers. Austin avait tenté de la joindre? Elle demeura silencieuse, ce qui lui permit d'entendre des chuchotements assourdis derrière la porte. Ses amis écoutaient sa conversation. Ses amis curieux et protecteurs à l'excès.

— Austin a tenté de me joindre?

— Oui.

Connor jeta un coup d'œil à la porte où les chuchotements étaient de moins en moins discrets.

— Je suppose que vos amis essayaient de vous protéger.

Darcy haussa la voix.

— Comme c'était bête de leur part. Mes amis devraient savoir que je peux très bien prendre soin de moi.

Les chuchotements cessèrent.

La bouche de Connor trembla.

— Bien joué, jeune femme, dit-il doucement.

Darcy désigna la chaise qui se trouvait à côté d'elle.

— Qu'est-ce qu'Austin avait à dire ?

— Il a prétendu ne plus travailler pour l'Agence centrale de renseignement.

Connor accepta de s'asseoir à l'endroit qui lui était proposé.

— Nous avons vérifié cette information, et elle s'est avérée véridique. En fait, Sean Whelan a inscrit son nom sur une liste noire, de sorte qu'il ne pourra plus se dénicher un emploi au sein du gouvernement.

— Je vois.

Pauvre Austin. Il se trouvait dans une situation encore pire que la sienne.

— Vous lui avez parlé de l'expérience visant à transformer un vampire en mortel.

— Oui.

Darcy fronça les sourcils.

— Je lui ai dit que l'expérience avait été un échec.

— Parce que l'ADN humain original du vampire est nécessaire.

— Oui.

Darcy se demanda où cette conversation allait la mener.

— Austin m'a apporté le couteau avec lequel vous avez été poignardée il y a quatre ans. Il était couvert de votre sang. De votre sang humain.

Darcy s'adossa dans son fauteuil.

— Vous voulez dire que…

— Oui. J'ai apporté le couteau à Roman. Il a isolé votre ADN humain. Il pense que vous êtes la meilleure candidate qu'il ne pourrait jamais trouver pour l'expérience.

Elle appuya une main contre sa poitrine. Son cœur battait avec force dans ses oreilles.

— Je… je pourrais redevenir mortelle ?

Les chuchotements reprirent à l'extérieur de la porte.

Connor se pencha vers l'avant en appuyant ses avant-bras sur ses genoux.

— Je dois vous dire, jeune femme, qu'il y a une possibilité que vous mouriez au cours de la procédure.

— Quelle... quelle genre de possibilité ?

— Roman estime les chances de succès à 75 %.

Ce qui lui donnait une possibilité de mourir équivalente à 25 %.

La porte s'ouvrit tout à coup, la faisant sursauter dans son fauteuil.

— Ne fais pas ça !

Maggie se précipita dans la pièce.

— Je suis d'accord avec elle.

Gregori entra lui aussi dans la pièce.

— Tu ne devrais pas risquer ta vie, Darcy. Tu as une vie tout à fait acceptable ici.

Les autres femmes acquiescèrent en murmurant.

Les yeux de Darcy se remplirent de larmes. Elle avait effective-ment un avenir prometteur dans le monde des vampires. Austin ne faisait toutefois pas partie de sa vie, et il avait encore des sentiments pour elle. C'est pour cela qu'il avait apporté ce couteau à Connor.

— Austin veut que je fasse cette expérience ?

Connor secoua la tête.

— Il ne m'en a pas parlé. Il a seulement dit que vous méritiez d'être heureuse, et que vous méritiez d'avoir un choix.

« Il veut que je choisisse. »

Elle pourrait avoir un brillant avenir en tant que célébrité dans le monde des vampires. Elle avait de merveilleux amis qui se sou-ciaient d'elle ainsi qu'un mouvement de libération de la femme qu'elle était parvenue à initier. De l'autre côté, elle pourrait avoir Austin, retrouver sa famille ainsi que le soleil. Elle avait également une possibilité sur quatre de mourir.

— Ne le fais pas.

Maggie s'agenouilla à côté de son fauteuil.

— Nous avons besoin de toi.

— Je ne pense pas que notre opinion sera suffisante.

Les yeux de Vanda luisirent de larmes.

— Il n'y a rien de plus sacré que l'amour.

— Mais *nous* l'aimons! s'exclama Maggie.

Une larme coula sur la joue de Darcy.

— Cessez de dire n'importe quoi.

Connor se leva.

— C'est la décision de Darcy. Je n'ai pas pu lui offrir de choix à l'époque, mais je le peux, maintenant.

Darcy s'essuya les joues.

— Je dois parler à Connor en privé pour quelques instants.

Ses amis quittèrent la pièce en se traînant lentement les pieds avant de fermer la porte.

Darcy prit une courte inspiration tremblante.

— Si je vais de l'avant avec cette expérience, il est possible que je ne survive pas. Je veux donc que vous sachiez quels sont mes sentiments envers vous.

Connor s'assit lourdement dans la chaise à côté d'elle.

— Je sais que vous me détestez. Je ne vous en blâme pas.

— Je n'arrêtais pas de me dire que je devrais vous détester, mais je comprends maintenant que j'étais en colère contre moi. J'avais… honte.

De nouvelles larmes glissèrent sur ses joues, et elle les repoussa de sa main.

— Et pourquoi donc, jeune femme? Vous avez démontré beaucoup de courage pour sauver la vie de cette jeune fille.

Darcy secoua la tête.

— J'ai fait preuve de lâcheté. Je vous ai blâmé de m'avoir transformée, de ne pas m'avoir donné de choix. La vérité est toutefois que j'avais bel et bien un choix. Quand vous avez versé votre sang dans ma bouche, j'aurais pu le refuser. J'aurais pu tourner la tête et mourir dans la dignité. Ce n'est cependant pas ce que j'ai fait. J'avais peur. Je ne voulais pas mourir.

— Personne ne veut mourir, jeune femme.

— J'ai bu votre sang.

Les larmes coulèrent de plus belle sur son visage.

— J'ai été totalement horrifiée de ce que je venais de faire.

Connor prit sa main dans la sienne.

— Vous avez fait ce que vous deviez faire pour survivre, et vous avez fait le bon choix. Regardez un peu tout le bien que vous avez fait autour de vous. Notre monde est un meilleur endroit où vivre parce que vous en faites partie.

— J'ai fait le bon choix, se répéta-t-elle.

Un sentiment de paix envahit son cœur. Maggie avait raison. Elle était destinée à vivre une vie de vampire. Et si elle n'avait pas survécu, elle n'aurait jamais rencontré Austin. Elle serra la main de Connor.

— Merci.

Les yeux bleus de Connor scintillèrent de larmes.

— Est-ce que vous avez pris une décision, jeune femme ?

— Oui. J'ai déjà été lâche, mais cette fois, je décide d'être courageuse.

Vingt-sept

Lundi soir, le téléphone sonna, tirant Austin d'un sommeil profond. L'horloge indiquait qu'il n'était que 23 h 30. Il s'était couché tôt après une journée de travail épuisante sur un nouveau chantier. Ses nerfs se tendirent tandis qu'il maniait gauchement le combiné. Un appel à cette heure tardive était généralement synonyme de mauvaises nouvelles.

— Allo ?

— La procédure doit commencer dans 20 minutes.

« La procédure ? »

— Qui est à l'appareil ? demanda-t-il en dépit du fait que l'accent écossais de son interlocuteur était assez évident.

— C'est Connor. J'ai pensé que vous voudriez être ici pour Darcy.

— Elle... elle va de l'avant ?

Le cœur d'Austin vacilla dans sa poitrine.

— Elle va redevenir mortelle ?

— Oui, l'interrompit Connor. Ils sont en train de la préparer en ce moment même. Tous ses amis sont ici, alors...

— Où?

Austin bondit du lit.

— À Romatech. Vous savez où c'est?

— Ouais. À White Plains. Je serai là. Dites à Darcy que j'arrive.

Vingt minutes? Merde, il n'arriverait jamais à temps.

— Vous devriez savoir qu'il y a une possibilité qu'elle ne s'en sorte pas.

Son cœur devint lourd comme du plomb. Il aurait pu jurer que ses deux poumons s'étaient dégonflés tant il ne pouvait respirer. Il entendit un clic sonore.

— Attendez!

Trop tard. Connor avait raccroché.

Il posa le combiné. Merde bénite. Il n'aurait jamais dû leur donner le couteau. Darcy pouvait mourir.

Il s'habilla à la hâte, s'empara de son portefeuille et de ses clés, puis quitta son appartement au pas de course.

«Essaie de voir les choses positivement.»

L'ascenseur mit une éternité à atteindre le rez-de-chaussée.

«Sois positif. Elle deviendra mortelle.»

Il accéléra vers le garage. Ses mains tremblèrent tandis qu'il tentait de déverrouiller sa portière. Il grimpa enfin à bord et lança le moteur.

Elle pouvait mourir.

Il quitta le garage à toute vitesse et fonça vers le nord sur l'autoroute du West Side. Son regard se posait sur l'horloge de son tableau de bord toutes les deux ou trois secondes. Avait-elle peur? Merde! Bien sûr qu'elle avait peur.

Elle pouvait mourir.

Son cœur battit la chamade lorsque les vingt minutes passèrent. Ils commençaient la procédure, et il n'était pas là. Il fila à toute vitesse devant une voiture de police dans le Bronx. Merde. Il jeta un coup d'œil dans le rétroviseur. Pas de feux clignotants. Dieu merci. Il prit la direction nord sur le Bronx River Parkway.

Elle pouvait mourir.

Il arriva finalement en périphérie des White Plains. Il s'engagea dans l'entrée de Romatech en ignorant le poste de garde et l'Écossais en kilt qui vociférait dans sa direction. Il s'arrêta dans un crissement de pneus face à la porte d'entrée et se précipita à l'intérieur. Deux gardes écossais s'emparèrent de lui.

— Où est Darcy ?

Il lutta pour se défaire de leur emprise.

— Je dois la voir.

— Vous êtes Austin Erickson ?

Le premier garde le retenait tandis que le second mettait la main sur le portefeuille d'Austin pour vérifier son identité.

— Oui.

Austin dégagea son bras de la poigne du vampire.

— Je suis ici pour voir Darcy Newhart.

Le deuxième garde lui rendit son portefeuille.

— Connor nous a dit que vous alliez venir. Par ici.

Austin suivit les gardes le long du vestibule. Ils tournèrent un coin et traversèrent un autre vestibule. Ils ouvrirent enfin deux portes battantes.

Austin se hâta à l'intérieur et s'immobilisa en voyant Gregori et toutes les femmes de l'émission de téléréalité. Gregori était appuyé contre un mur, les bras croisés. Il lança un regard hostile en direction d'Austin. Vanda marchait à pas mesurés dans la pièce. Maria Consuela et la princesse Joanna étaient agenouillées en compagnie d'un prêtre, et ils priaient tous ensemble en latin. Maggie lança un coup d'œil vers Austin et se mit à pleurer. Lady Pamela et Cora Lee étaient assises de chaque côté de Maggie, la rassurant en lui chuchotant à l'oreille. Elles regardèrent ensuite Austin avec des yeux accusateurs.

Il n'aurait jamais dû récupérer ce couteau. Ce serait de sa faute si Darcy mourait. Il se racla la gorge.

— Comment va-t-elle ?

— Comment pensez-vous qu'elle va ? gronda Gregori. Ils sont en train de la vider de toutes les gouttes de son sang.

Vanda s'arrêta devant lui.

— Connor quitte la salle d'opération toutes les cinq minutes pour nous dire comment ça se passe.

Austin marcha à grands pas vers Gregori.

— Dites-leur d'arrêter la procédure. Il n'est pas trop tard pour qu'elle demeure une femme vampire, n'est-ce pas?

Gregori poussa un petit grognement.

— Pourquoi voudriez-vous arrêter la procédure? Elle n'était pas assez bonne pour vous en tant que vampire, c'est ça?

Austin serra les poings.

— Je l'aime comme elle est. Alors, entrez dans cette salle et dites-leur de tout arrêter!

Gregori hésita, et Austin marcha donc vers la porte à grands pas.

— Darcy! Ne fais pas ça!

La porte était verrouillée. Il martela la porte.

— Ne risque pas ta vie pour moi, merde!

La porte s'ouvrit soudainement et Connor sortit de la salle. Austin essaya d'y entrer, mais l'Écossais le repoussa et le tint contre le mur d'une seule main. Austin lutta pour se défaire de l'emprise de Connor, mais l'Écossais était incroyablement fort.

— Vous faites trop de bruit par ici, grogna Connor.

— Vous devez arrêter la procédure, chuchota Austin.

— Elle est maintenant dans le coma vampirique, annonça doucement Connor. Il est trop tard.

Maggie fondit en larmes. Cora Lee et Lady Pamela firent de même. Vanda tituba vers une chaise et s'y laissa choir. Gregori s'affala contre le mur et ferma les yeux.

Les yeux d'Austin se remplirent de larmes. Que diable avait-il fait? Il n'avait aucun droit de détourner Darcy de ces gens qui l'aimaient.

— Vous pouvez encore la laisser être une femme vampire.

Connor secoua la tête.

— C'était sa décision. Elle méritait d'avoir un choix, et vous le savez.

— Écoutez! Si les choses tournent mal, si elle se meurt, je veux que vous la transformiez en vampire. Sa vie ne sera pas à risque de cette façon.

Connor relâcha son emprise sur Austin.

— Je lui ai parlé de ça, et elle a dit non. Si elle se meurt, nous devons la laisser mourir.

— Non!

Austin s'éloigna en marchant à pas mesurés, refusant d'accepter cet état de fait. Il revint vers Connor.

— Je ne la laisserai pas mourir. Vous allez la transformer une nouvelle fois en vampire.

Il se pencha tout près de lui.

— Et ensuite, vous ferez de même avec moi.

Les yeux de Connor s'agrandirent.

— Est-ce que vous êtes sérieux?

Austin descendit le col de sa chemise.

— Qu'attendez-vous? Allez-y, espèce de bâtard!

Gregori marcha à grands pas vers eux.

— Vous êtes prêt à devenir un vampire pour sauver Darcy?

— Oui. Je ferai tout ce qu'il faut.

Connor échangea un regard avec Gregori.

— Je n'étais pas sûr qu'elle avait fait le bon choix. Ou encore que cet homme était digne d'elle. Je vois maintenant qu'il l'est.

La vue d'Austin devint floue à cause de ses larmes.

— Ne la laissez pas mourir.

— Nous ferons de notre mieux.

Connor se glissa de nouveau dans la salle d'opération.

Austin se pencha vers l'avant, et appuya son front contre la porte.

« Vis, Darcy. Tu dois vivre. »

— Je vous ai mal jugé, dit Gregori derrière lui.

Austin se retourna. Le jeune vampire tendit la main vers lui, et Austin la serra. Ils attendirent près de la porte en silence.

Quelques minutes plus tard, Gregori fut revigoré. Il posa une oreille contre la porte.

— Qu'est-ce qu'il y a ? demanda Austin.

— Ils sont excités, chuchota Gregori. Je peux les entendre. Elle… donne signe de vie. Elle respire toute seule.

— J'y vais.

Austin ouvrit la porte avec force et entra dans la salle. Darcy était couchée sur une table d'opération, et des lumières vives illuminaient son visage pâle. Roman Draganesti et le petit chimiste nommé Laszlo étaient penchés au-dessus d'elle.

— Vous ne devriez pas être ici, murmura Connor.

— Dégage, gronda Austin.

— Est-ce une façon de parler à son nouveau patron ?

— Je m'en fiche… quoi ?

Austin jeta un coup d'œil à l'Écossais, puis posa de nouveau son regard sur Darcy.

— Elle revient à elle, annonça Roman.

Austin s'approcha de la table.

— Est-ce qu'elle va bien ?

Roman leva les yeux.

— Vous devez être Austin.

— Oui, monsieur.

Il s'arrêta à côté de la table d'opération.

— Est-ce qu'elle va bien ? Est-ce que ça a fonctionné ?

Roman examina ses signes vitaux sur une machine tout près de la table.

— Elle va très bien.

— Nous avons réussi !

Laszlo tripota un bouton de sa blouse de laboratoire.

— C'est un accomplissement de premier ordre, monsieur.

Darcy bougea la tête et gémit.

Austin toucha son visage.

— Darcy?

Ses yeux s'ouvrirent lentement.

— Austin?

— Oui.

Il glissa sa main dans la sienne.

— Je suis là, mon cœur.

Elle parcourut la pièce du regard.

— Je... je suis vivante.

— Comment te sens-tu?

Roman lui examina les yeux avec une petite torche électrique.

— Fatiguée. Faible. Assoiffée.

— Qu'as-tu envie de boire?

Roman éteignit la torche électrique.

Darcy se lécha les lèvres.

— De l'eau. Du jus.

Elle sourit lentement.

— Un lait frappé parfumé à la vanille.

Roman sourit.

— C'est un bon signe.

Le petit chimiste retira ses gants de latex.

— Je pourrais aller à la cafétéria et rapporter quelque chose.

Roman hocha la tête.

— Un peu de jus sera parfait pour le moment. Merci, Laszlo.

— Ça a été un honneur pour moi de participer à une expérience si miraculeuse.

Il se précipita ensuite hors de la salle.

De fortes acclamations se firent entendre dans la salle d'attente. De toute évidence, Laszlo avait transmis les bonnes nouvelles.

Austin repoussa les cheveux de Darcy de son front.

— Est-ce que tu entends ça, mon cœur? Tous tes amis sont heureux pour toi.

Elle le regarda, ses yeux luisants de larmes.

— J'ai eu si peur.

— J'en suis convaincu. J'étais moi-même terrifié.

— Oui, il l'était.

Connor s'avança.

— Ce jeune homme a même offert de devenir un vampire si nous acceptions d'arrêter la procédure.

Les yeux de Darcy s'agrandirent.

— Oh, non, Austin. J'aurais vraiment été fâchée contre toi.

— Je sais, mais je supposais que tu aurais fini par me pardonner dans un siècle ou deux. Et nous aurions été ensemble.

Elle sourit.

Et il fut vaincu.

— Épouse-moi. Je sais que ce n'est pas l'endroit le plus romantique pour une demande en mariage, mais je ne peux plus attendre. Dis-moi que tu acceptes de m'épouser.

Une larme coula sur sa joue.

— J'accepte de t'épouser.

Austin sourit. Il se pencha près d'elle pour essuyer ses larmes.

— Ne pleure pas. Je ne suis pas un si bon parti en ce moment. Je n'ai même pas d'emploi, et…

— Attendez une minute, jeune homme, l'interrompit Connor. J'ai parlé de vous à Angus MacKay, et il veut vous embaucher. Nous avons besoin de votre aide pour retrouver Casimir. Il est quelque part en Europe de l'Est.

Austin se redressa.

— Qui est Angus MacKay ? Et qui est Casimir ?

— Casimir est le chef des Mécontents, expliqua Roman. C'est le vampire le plus cruel et le plus vicieux du monde.

— En tant que mortel, vous avez l'avantage de pouvoir fourrer votre nez un peu partout en plein jour, continua Connor. Si l'on ajoute à cela vos pouvoirs psychiques et votre formation d'agent de l'Agence centrale de renseignement, vous êtes le meilleur candidat qui soit pour ce travail.

Austin déglutit. C'était en plein le genre de mission dont il avait toujours rêvé. Il jeta un coup d'œil à Darcy.

— Tu devrais accepter, chuchota-t-elle.

— Je ne te quitterai pas.

— Je viendrai avec toi. J'ai toujours été douée pour la recherche et les enquêtes. Je peux t'aider.

— Ça pourrait être dangereux.

Austin se ravisa.

— Ça *sera* dangereux.

Darcy sourit.

— J'ai toujours voulu m'attaquer aux choses sérieuses.

Austin se tourna vers Connor.

— Darcy et moi formons une équipe. Vous devrez nous embaucher tous les deux.

La bouche de l'Écossais trembla.

— Oui, nous pouvons faire ça.

— J'ai une villa en Toscane. Vous pourrez vous en servir comme base, offrit Roman.

— Merci, répondit Austin. C'est très généreux de votre part.

Roman sourit.

— Je suis d'humeur généreuse. J'ai appris que j'allais être père, pas plus tard que la nuit dernière.

— Oh, c'est génial !

Connor lui serra la main.

— Je pensais toutefois que vous aviez arrêté d'essayer à cause du… problème.

Le sourire de Roman s'effaça.

— Apparemment, notre première tentative a fonctionné.

Un vampire qui engendrerait un bébé ? Austin lança à Darcy un regard interrogateur.

— Je t'expliquerai plus tard, chuchota-t-elle.

Austin jeta un coup d'œil à Roman et Connor. Ils avaient l'air plus inquiets qu'heureux.

— Félicitations.

Austin tendit la main vers Roman.

— Merci.

Roman la serra, et retrouva son sourire.

— Vous aimerez travailler pour Angus.

— Qui est-il ?

— C'est le propriétaire de MacKay Sécurité et Enquête, expliqua Connor. Et c'est aussi le maître de la bande de vampires du Royaume-Uni.

— Oh.

Austin déglutit. Il aurait dû se douter qu'il allait travailler pour une organisation du monde des vampires.

Les yeux de Connor scintillèrent.

— Quand pouvez-vous commencer ?

— Oh, nous avons besoin de quelques semaines. Nous devons nous marier.

— Vous pouvez organiser la réception ici, tout à fait gratuitement, offrit Roman. Et j'ai un appartement à Paris que vous pouvez utiliser pour votre lune de miel, si vous le souhaitez.

— Merci.

Austin se rendit compte que bien que sa future épouse et lui étaient des mortels, leurs vies seraient toujours liées à celles des vampires.

— Darcy et moi avons quelques voyages à faire avant.

— Des voyages ? demanda-t-elle.

— Un voyage au Wisconsin pour voir ma famille. Et l'autre…

Elle haleta.

— Pour voir *ma* famille ?

Elle jeta un coup d'œil vers Roman et Connor.

— Est-ce que ça ira ?

Connor haussa les épaules.

— Tant que vous avez une bonne explication à leur fournir.

— Ne t'en fais pas, la rassura Austin. Je suis un professionnel des couvertures. Nous dirons simplement que tu te cachais de quelques personnes mal intentionnées, mais que ces dernières sont mortes à présent, de sorte que tu peux maintenant reprendre ton ancienne vie.

Elle sembla sceptique.

— Ça semble bien simple, présenté comme tu le fais.

— Les histoires les plus simples sont les meilleures, dit Austin.

Elle sourit.

— Alors, je leur dirai aussi que tu es le héros qui m'a sauvé la vie.

— D'accord, si tu insistes.

Elle respira à fond.

— Tout est parfait, maintenant.

Austin lui embrassa le front.

— Nous sommes ensemble.

Elle sourit aux hommes qui l'entouraient.

— Des mortels et des vampires.

Elle serra la main d'Austin.

— J'ai le meilleur des deux mondes.

Aussi disponible :

Livre 1

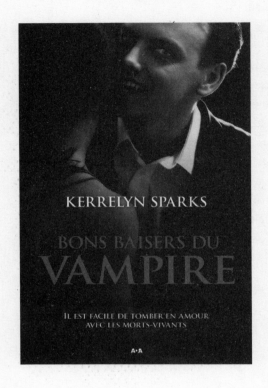